Jeux avec l'infini

Rózsa Péter

Jeux avec l'infini

voyage à travers
les mathématiques

Traduit du hongrois
par Georges Kassai

Éditions du Seuil

ISBN 2-02-004568-0

Titre original : Játek a végtelennel
© *1957, Rózsa Péter*
© *1977, Éditions du Seuil, pour la traduction française*

Préface

Ce livre s'adresse à des non-spécialistes (professeurs de lettres, artistes, écrivains, etc.) à qui je désire rendre ce petit service en échange de tous les bienfaits dont ils m'ont comblée. Aucun fossé ne sépare, en effet, l'« esprit de finesse » et l'« esprit de géométrie » et, pour ma part, la beauté intrinsèque des mathématiques me séduit plus que leurs applications pratiques. Reflet de l'esprit ludique de l'homme, les mathématiques lui ouvrent en même temps les perspectives de l'infini — tout en restant, par leur caractère inachevé, « humaines, trop humaines ».

Ouvrage de vulgarisation, le présent livre n'est cependant ni « primaire », ni « superficiel ». La clarté de l'exposé ayant été mon principal souci, je crois que certaines méthodes de présentation utilisées dans ce livre ne sont pas dépourvues d'intérêt pour le spécialiste et, à plus forte raison, pour le professeur de mathématiques. Vous ne trouverez dans ce livre ni synthèses fastidieuses, ni définitions d'évidences, ni minutieuses études de détail. Il n'est pas question ici d'enseigner les techniques des mathématiques; notre but est d'offrir à des esprits curieux une vue d'ensemble de notre discipline. Ce livre, je le voulais au départ beaucoup plus modeste, mais, au fur et à mesure que j'avançais dans la rédaction, j'ai compris qu'il m'était impossible d'éviter certains développements. Il me semble toutefois que ceux-ci, une fois replacés dans le cadre de l'ouvrage, perdent leur aspect rébarbatif.

Le livre paraîtra peut-être quelquefois naïf : tant mieux. Regarder les choses d'un œil neuf, c'est se donner la joie de la découverte. Je rends compte, dans l'Introduction, de la genèse de cet ouvrage. L'écrivain auquel il est fait allusion est Marcell Benedek; à son intention j'avais commencé à rédiger des lettres sur le calcul différentiel et c'est lui qui me suggéra de les réunir pour former un livre.

Je n'indique aucune source, aucune bibliographie. J'ai beaucoup appris des autres, certes, mais je serais incapable de dire ce que je dois à tel ou tel auteur. Certaines des comparaisons utilisées sont empruntées à l'excellent manuel de Rademacher *et Toeplitz,* Von Zahlen und Figuren, *ou à la non moins excellente introduction au calcul différentiel et intégral de Manó Beke; fallait-il, pour paraître plus originale, que je les modifie? Mes dettes sont particulièrement lourdes à l'égard de László Kalmár, mon camarade de promotion et mon maître en mathématiques, dont les idées imprègnent l'ensemble de cet ouvrage. Il est notamment l'auteur de l'exemple des tablettes de chocolat dont je me sers à propos des séries infinies, et c'est à lui également que j'ai emprunté la présentation des tables de logarithmes.*

Je désigne par leurs prénoms mes élèves et collaborateurs involontaires; je pense qu'ils se reconnaîtront eux-mêmes. Mon élève Catherine, qui vient de terminer sa classe de quatrième, a bien voulu relire le manuscrit; grâce à ses remarques, j'ai pu exposer mon sujet de façon à me faire comprendre d'un lycéen doué.

Les remarques des non-spécialistes m'ont été particulièrement précieuses. Mon ami le metteur en scène Béla Lay, qui était resté longtemps persuadé de ne pas avoir la « bosse des maths », a lu tous les chapitres au fur et à mesure que j'en achevais la rédaction. Aucune phrase, aucune démonstration n'a été considérée comme définitive avant d'avoir reçu son approbation : sans lui, sans doute cet ouvrage n'aurait-il jamais vu le jour.

M. Pál Csillag a bien voulu revoir le manuscrit du point de vue du mathématicien et, à la dernière minute, László Kalmár a pu trouver le temps de le parcourir rapidement; munie de leur bénédiction, je crois pouvoir livrer ce livre au public sans trop d'inquiétude...

Budapest, automne 1943

Préface à la nouvelle édition

Quatorze années — lourdes d'événements — se sont écoulées depuis 1943. Mon ami le mathématicien Pál Csillag et mon élève Catherine (Kató Fuchs) ont été tués par les fascistes. Le père de mon élève Anna, condamné à l'époque à dix-sept années de prison pour son engagement dans le mouvement ouvrier, a été libéré. Le livre, qui était prêt à être publié, n'a pu paraître pendant l'occupation allemande, une bombe ayant détruit une partie des exemplaires en stock; les exemplaires restés intacts ont pu cependant être présentés lors de la Journée du livre en 1945. La traduction allemande, parue l'année dernière, a presque aussitôt été épuisée et une nouvelle édition vient d'en être faite.

J'attire l'attention du lecteur sur le fait que le livre reflète toujours ma pensée de 1943; peu de modifications y ont été apportées. Seule la fin a subi un changement notable : avec László Kalmár, nous avons prouvé que l'existence de problèmes absolument indécidables découlait du théorème de Gödel sur les problèmes relativement indécidables; cependant, en aucun cas une conséquence ne peut avoir une portée supérieure au théorème dont elle découle.

Budapest, 1961

Introduction

Une ancienne conversation me revient à l'esprit : un de mes amis écrivains se plaignait du sentiment d'insatisfaction que lui donnait son ignorance dans le domaine des mathématiques. Précisément dans son travail d'écrivain, il lui arrivait de se souvenir du système des coordonnées, par exemple, qui lui avait inspiré des images et des comparaisons littéraires. Il était persuadé que les mathématiques recelaient pour lui des éléments exploitables dont il était obligé de se priver, mais il pensait que son cas était sans espoir.

Il fallait faire quelque chose. De mon côté, j'avais toujours eu un rapport très affectif aux mathématiques. Étudiante encore, assistant à la lecture collective d'une pièce de Shaw, je fus frappée par la scène où le héros demande à l'héroïne le secret de sa réussite auprès des personnes les plus difficiles à manœuvrer : « Peut-être est-ce parce que je me tiens toujours à une certaine distance des gens », déclare l'héroïne, pensive. A cet instant, la personne qui faisait la lecture s'écria : « Mais c'est exactement le problème que nous avons traité aujourd'hui en cours de mathématiques. » La question était la suivante : d'un point extérieur, est-il possible de s'approcher d'un ensemble de points de telle façon que l'on s'approche simultanément de chacun de ses points? La réponse est oui, à condition de choisir un point suffisamment éloigné.

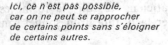

Ici, ce n'est pas possible, car on ne peut se rapprocher de certains points sans s'éloigner de certains autres.

A une distance suffisante, c'est possible.

Cet écrivain prétendait que les mathématiques lui étaient tout simplement inaccessibles; par exemple, il ne comprendrait jamais, me disait-il, la notion de dérivée. Refusant de le croire, j'essayai de lui indiquer toutes les étapes élémentaires par lesquelles on introduit cette notion. Le résultat fut surprenant. Le mathématicien ne peut pas imaginer à quel point la moindre formule présente des difficultés pour le profane — de même que l'instituteur comprend difficilement comment l'enfant peut ânonner vingt fois de suite *pa-pa* sans comprendre qu'il s'agit de *papa*.

Cette expérience me fit réfléchir. J'étais jusque-là persuadée qu'une des raisons de l'ignorance du grand public en matière de mathématiques était le manque de bons livres de vulgarisation sur le calcul différentiel, par exemple. En fait, l'intérêt du public est indéniable, et il achète tout ce qui s'édite dans ce domaine. Malheureusement, aucun des ouvrages publiés jusqu'à ce jour n'a été rédigé par de véritables mathématiciens, c'est-à-dire par des spécialistes qui sachent exactement jusqu'où on peut aller dans la simplification sans fausser le sens de ce que l'on expose; il ne s'agit pas d'enrober de sucre une pilule amère, mais de clarifier les problèmes pour rendre leur solution évidente, en faisant partager à ses lecteurs la joie de sa propre découverte.

C'est justement le propre du mathématicien que d'accepter la difficulté. « Il n'y a pas de voie royale qui mène aux mathématiques », aurait dit Euclide à un souverain qui s'y intéressait; car, même pour les rois, le chemin est ardu. Les mathématiques ne peuvent se lire de façon superficielle; l'abstraction nécessaire exige de chacun un effort pénible, et le mathématicien est celui qui, justement, a le goût de cet effort. Le meilleur des livres de vulgarisation ne sera accessible qu'à ceux qui sont prêts à consentir certains sacrifices.

Mais ce n'est pas à ceux-là que je m'adresse maintenant. En prenant le parti de me passer de formules mathématiques, je cherche à remonter aux sources affectives qui sont communes à l'écrivain et au mathématicien. Je ne sais si mon entreprise réussira car, en évitant les formules, je renonce évidemment à l'un des traits fondamentaux des mathématiques. Et l'écrivain, comme le mathématicien, sait que la forme est liée au fond. Allez donc expliquer la beauté d'un sonnet sans dire un mot de sa forme!

Je ne peux cependant pas promettre de tout rendre facile. Le lecteur ne pourra se permettre de sauter un chapitre, d'en remettre la lecture à plus tard ou de le parcourir d'une façon superficielle. Les mathématiques ne se construisent que pierre par pierre; tous les mots sont utiles, chaque détail découle du précédent, même si cela peut paraître moins évident dans ce livre que dans d'autres, plus systématiques. Il m'arrive d'inviter le lecteur à observer telle figure, à essayer de faire quelques dessins ou quelques calculs; je pense qu'il ne le regrettera pas, que même peut-être cela le distraira.

Je n'utilise aucune méthode scolaire. Je commence par le calcul élémentaire et, peu à peu, je m'élève jusqu'à la branche la plus moderne : la logique mathématique.

1. L'apprenti sorcier

1. Jeux de mains...

Commençons par le commencement. Je n'ai nullement l'intention d'écrire une histoire des mathématiques; je ne pourrais d'ailleurs le faire qu'en recourant à des témoignages écrits : or, c'est une distance énorme qui sépare le premier témoignage écrit et les origines des mathématiques! Représentons-nous plutôt l'homme primitif, vivant dans un milieu sauvage, et qui commence à compter. Pour rendre cette représentation plus facile, commençons par observer ce petit être primitif appelé à devenir un être civilisé : le bébé, qui, en se familiarisant avec le monde et avec son propre corps, joue avec ses dix doigts. Il est possible que, pour lui, « un », « deux », « trois » et « quatre » ne soient que des abréviations de la comptine : « Celui-là va au marché, celui-là achète un cochon, celui-là fait cuire le cochon, celui-là le mange, le dernier... lèche la poêle, lèche la poêle... »

Je ne plaisante pas : un médecin m'a dit que certains malades souffrant de lésions cérébrales et qui ne savent plus distinguer leurs doigts les uns des autres perdent la faculté de compter; la relation entre les doigts et le calcul, bien que non consciente, reste sans doute très étroite chez l'homme cultivé. Je pense d'ailleurs que l'une des sources des mathématiques est l'esprit ludique de l'homme, de sorte que les mathématiques ne sont pas uniquement une science, mais aussi un art.

Compter était sans doute à l'origine une activité utilitaire; en comptant le nombre de peaux de bêtes qu'il possédait, l'homme primitif voulait connaître l'état de sa fortune. Mais il se peut également que le calcul ait eu une origine magique : on voit encore des personnes atteintes de névrose obsessionnelle s'en servir pour bien délimiter des pensées qu'elles s'interdisent. Par exemple, elles se disent qu'avant de penser à telle chose elles doivent d'abord compter jusqu'à vingt. Quoi qu'il en soit, que le calcul porte sur des peaux de bêtes ou sur un intervalle de temps, il consiste toujours à dépasser d'une unité ce dont on dispose déjà. Dépasser les dix doigts de la main donne lieu à la première création (admirable, en vérité!) de l'homme, à savoir la suite infinie des nombres :

$$1, 2, 3, 4, 5, 6, 7, 8, 9, 10, 11...$$

Cette suite est infinie, car on ne peut concevoir aucun nombre qui ne puisse être augmenté d'une unité. Pour parvenir à la constitution de cette suite, une capacité d'abstraction peu commune était nécessaire. En effet, ces chiffres ne sont que des reflets de la réalité : 3 ne désigne pas ici trois doigts, trois pommes ou trois pulsations artérielles, mais ce qui est commun à tout cela, à savoir la quantité abstraite de chacun de ces objets. Quant aux très grands nombres, ce n'est même pas à partir de la réalité que l'homme les a obtenus : personne n'a jamais compté un milliard de pommes, ni un milliard de pulsations artérielles; on ne fait qu'imaginer ces nombres par analogie avec les petits nombres discernables dans la réalité. Mais l'imagination, précisément, ne connaît pas de limites en ce domaine.

C'est que l'homme ne se contente pas de compter ce qu'il voit; le plaisir que lui procure la répétition l'incite à aller plus loin. Les poètes connaissent bien ce phénomène : la joie de reproduire un même rythme, une même consonance. D'ailleurs, l'adulte blasé se lasse plus rapidement de ce jeu que l'enfant, toujours prêt à lancer et à attraper une balle.

Nous avons compté jusqu'à 4. Allons plus loin, ajoutons encore une unité. Puis encore une! une autre! Où en sommes-nous? à 7; nous aurions obtenu le même résultat en ajoutant tout de suite 3. Nous venons ainsi de découvrir l'*addition* :

$$4 + 1 + 1 + 1 = 4 + 3 = 7.$$

Continuons à jouer : ajoutons 3 à 3, puis encore 3, encore 3 et encore 3! Nous avons additionné 3 quatre fois, ou, plus brièvement : 4 fois 3 égalent 12, c'est-à-dire :

$$3 + 3 + 3 + 3 = 4 \times 3 = 12$$

ce qui s'appelle une *multiplication*.

Il est difficile de nous arrêter sur notre lancée : en effet, on peut jouer avec la multiplication comme avec l'addition : en multipliant 4 par 4 et le résultat par 4, nous obtenons :

$$4 \times 4 \times 4 = 64.$$

Cette multiplication répétée s'appelle *élévation à une puis-*

sance, ou encore *exponentiation*. On dit que le nombre 4, celui que l'on multiplie ainsi, est la *base*, tandis que le nombre de fois que l'on reproduit ce nombre en vue de la multiplication est indiqué par l'*exposant*, petit nombre que l'on met en haut à droite de la base :

$$4^3 = 4 \times 4 \times 4 = 64.$$

On voit qu'on obtient des résultats de plus en plus élevés : 4×3 fait plus que $4 + 3$, et 4^3 dépasse de loin 4×3. Cette joyeuse répétition nous introduit rapidement dans le domaine des grands nombres, surtout si nous élevons un exposant à une puissance. Soit 4 élevé à la puissance 4 de 4 :

$$4^4 = 4 \times 4 \times 4 \times 4 = 64 \times 4 = 256$$
$$4^{44} = 4^{256} = 4 \times 4 \times 4 \times 4 \times 4 \times 4...$$

Je n'ai pas la patience d'aligner 256 fois le chiffre 4 ni d'effectuer les multiplications nécessaires. Le résultat serait un nombre qui défie l'imagination. Mieux vaut recourir au bon sens et refuser d'admettre cette *itération* de l'exponentiation parmi les opérations mathématiques élémentaires.

Le fait est que l'homme veut bien jouer à tous les jeux qui s'offrent à son esprit; mais seuls sont assurés de survivre les jeux qui sont reconnus utiles par le bon sens. L'addition, la multiplication et l'exponentiation se sont avérées fort utiles pour les activités courantes de l'homme; aussi ont-elles acquis droit de cité dans les mathématiques. Ces opérations sont facilitées par certaines lois inhérentes à leur nature : c'est ainsi que la multiplication 7×28 peut s'effectuer non seulement en additionnant 28 fois 7, mais aussi bien en décomposant ce nombre en deux termes, 20 et 8, et en multipliant chacun d'eux par 7 : 7×20 et 7×8. Ces opérations sont plus simples et il n'est pas difficile d'additionner ensuite 140 et 56. Autre facilité : quand on a de longues colonnes de chiffres à additionner, il est utile de savoir que l'ordre dans lequel se présentent ces chiffres est indifférent. Par exemple, l'addition $8 + 7 + 2$ peut être effectuée en faisant d'abord $8 + 2 = 10$; il est facile ensuite d'ajouter 7 à 10, et cette ruse permet d'éviter la désagréable addition $8 + 7$. Il suffit de se rappeler qu'additionner signifie ajouter un nombre à un autre, pour se convaincre que la permutation de ces nombres ne peut rien changer au résultat. Il en est de même en ce qui concerne la multiplication;

cela paraît déjà moins facile à admettre, car 4×3 signifie $3 + 3 + 3 + 3$, tandis que 3×4 signifie $4 + 4 + 4$; or il ne semble pas évident d'emblée que

$$3 + 3 + 3 + 3 = 4 + 4 + 4.$$

Mais un dessin suffira à nous en convaincre. Voici 12 points disposés en 3 colonnes :

```
. . .
. . .
. . .
```

Chacun comprendra aisément que grouper en colonnes 4 rangées de 3 points se trouvant sur la même ligne horizontale :

```
. . .
```

revient au même que d'aligner 3 colonnes composées chacune de 4 points :

```
.
.
.
.
```

Par conséquent, $4 \times 3 = 3 \times 4$. C'est pourquoi les mathématiciens ont donné le même nom de *facteur* aussi bien au *multiplicateur* (le nombre qui multiplie) qu'au *multiplicande* (le nombre à multiplier).

Voici maintenant une des lois de l'exponentiation. Soit :

$$4 \times 4 \times 4 \times 4 \times 4 = 4^5.$$

Si je veux me reposer pendant cette opération, je peux m'interrompre au bout de la troisième multiplication, celle des trois premiers 4, qui donne 4^3; il me reste à effectuer la multiplication des deux 4 restants, qui donne 4^2. Donc :

$$4^3 \times 4^2 = 4^5.$$

L'exposant du résultat final est 5, c'est-à-dire $3 + 2$. Autrement dit, pour multiplier deux puissances ayant la même base, il suffit d'additionner leurs exposants. Par exemple :

$$5^4 \times 5^2 \times 5^3 = \underbrace{5 \times 5 \times 5 \times 5}_{} \times \underbrace{5 \times 5}_{} \times \underbrace{5 \times 5 \times 5}_{} = 5^9.$$

Et 9, c'est précisément $4 + 2 + 3$.

Jetons un regard sur le chemin parcouru : nous avons retrouvé toutes les opérations simplement en comptant. Mais, dira-t-on, et la soustraction? et la division? Elles ne sont que les *opérations inverses* de celles que nous avons étudiées jusqu'ici (de même l'extraction de racines et le logarithme). Diviser 20 par 5, c'est supposer connu le résultat d'une multiplication, à savoir 20, et chercher le nombre qui, multiplié par 5, donne 20. Dans cet exemple précis, ce nombre existe, puisque $5 \times 4 = 20$; mais il n'est pas toujours facile à trouver et, en fait, il n'existe pas toujours. Par exemple, 23 n'est pas un multiple de 5, puisque $4 \times 5 = 20$ est inférieur à 23 et $5 \times 5 = 25$ supérieur; je suis donc obligé de prendre le plus petit des deux nombres et de dire : 23 contient 5 quatre fois et il reste 3. De toute façon, les opérations de ce genre sont moins faciles que nos joyeuses itérations et elles donnent quelquefois beaucoup de fil à retordre. Aussi constituent-elles un terrain de prédilection pour le mathématicien qui, comme chacun sait, est heureux de rencontrer des difficultés. Je reviendrai plus loin sur ces opérations inverses.

2. La courbe de température des opérations

Nous avons vu que nos itérations nous faisaient pénétrer dans le domaine des grands nombres. Il n'est pas inutile de se demander « jusqu'où on peut aller trop loin ».

Calculer le volume d'un cube, comme nous allons le voir, c'est calculer une puissance. Nous allons nous demander combien de fois un « grand » cube contiendra notre unité de mesure, qui sera par exemple 1 centimètre cube, c'est-à-dire un « petit » cube dont la longueur, la largeur et la hauteur mesurent également 1 centimètre :

En alignant 4 cubes de cette dimension, nous obtenons la figure suivante :

Puis, juxtaposant 4 de ces alignements, nous obtenons une couche :

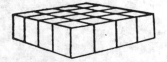

contenant $4 \times 4 = 4^2$ cubes. Enfin, en superposant l'une à l'autre 4 de ces couches, nous aurons un grand cube :

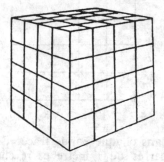

composé de $4 \times 4 \times 4 = 4^3 = 64$ petits cubes.

Inversement, en partant du « grand cube » dont la hauteur, la longueur et la largeur mesurent également 4 centimètres, nous voyons qu'il contient 4^3 centimètres cubes. D'une façon générale, nous obtenons le volume d'un cube en élevant son côté à la puissance 3, puissance que l'on appelle, pour cette raison, le « cube »[1].

C'est cette opération qui fait que des cubes de côté relativement petit ont des volumes considérables. 1 kilomètre n'est pas une distance énorme, et on peut se la représenter aisément. Mais si l'on construisait un cube de 1 kilomètre de côté, on pourrait y loger toute l'humanité. Supposons en effet, pour la commodité du raisonnement, qu'aucun être humain ne mesure plus de 2 mètres. On pourrait alors disposer dans ce cube 500 planchers superposés ($2 \times 500 = 1\,000$ mètres, c'est-à-dire 1 kilomètre). Divisons-les en bandes larges de 1 mètre et longues également de 1 mètre, de la façon suivante :

---

1. Je connais l'objection des pédagogues : pour être tout à fait précise, j'aurais dû dire : j'obtiens la *mesure* du volume du cube en élevant à la puissance 3 la *mesure* de son côté. Mais pourquoi rebuter le lecteur par de telles subtilités ? Il y a d'ailleurs une autre question, bien plus importante, à laquelle je n'ai pas répondu : peut-on exprimer en centimètres les arêtes de n'importe quel cube ? J'y reviendrai.

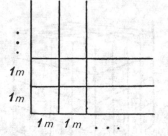

Nous obtenons, dans chaque bande tracée dans le sens de la longueur, 1 000 carrés de 1 mètre carré chacun. Comme le nombre de ces bandes est de 1 000, nous aurons sur chaque « plancher » 1 000 × 1 000 = 1 000 000 de carrés. La longueur et la largeur de chacun de ces carrés étant de 1 mètre, 4 personnes tiendraient sûrement dans chaque carré. Autrement dit, 4 fois 1 000 000, c'est-à-dire 4 millions de personnes pourraient être facilement rassemblées à chaque étage de notre cube. Comme notre cube a 500 étages, il pourrait contenir 500 × 4 millions, c'est-à-dire 2 milliards de personnes. A l'époque où l'on m'a parlé de ce cube pour la première fois, la Terre ne comptait pas encore 2 milliards d'habitants.

Or, pour calculer le volume du cube, nous n'avons eu recours qu'à la puissance 3 ; si l'on augmente les exposants, on atteint rapidement des nombres extraordinairement élevés. C'est ce qui explique la surprise de ce prince à qui l'inventeur du jeu d'échecs demanda, pour toute récompense, « quelques » grains de blé : 1 sur la première case de son échiquier,

2 fois autant, c'est-à-dire 2 sur la seconde, 2 fois autant, c'est-à-dire $2 \times 2 = 2^2 = 4$ sur la troisième, et ainsi de suite. A première vue, une telle demande peut paraître bien modeste mais, au fur et à mesure que nous avançons sur l'échiquier, les exposants de 2 augmentent et, à la fin, il apparaît qu'il s'agit du nombre

$$1 + 2 + 2^2 + 2^3 + 2^4 + ... + 2^{63}$$

(prière de compléter par la pensée les exposants manquants que je n'ai pas eu la patience d'énumérer...). Si vous faites le calcul, vous verrez que la quantité obtenue permettrait de couvrir toute la surface de la Terre d'une couche de blé de presque 1 centimètre d'épaisseur.

Il n'est donc pas surprenant de constater que l'itération de l'exponentiation aboutit rapidement à des chiffres astronomiques. Voici, à titre de curiosité, un exemple : pour écrire le résultat de 9^{99} en utilisant des chiffres de 5 millimètres de large, on aurait besoin d'une bande de papier longue de 18 000 kilomètres, et une vie humaine ne suffirait pas à exécuter le calcul.

En me relisant, je suis frappée par le fait qu'on parle de nombres « élevés », « grands », alors que la suite des nombres

$$1, 2, 3, 4, 5...$$

forme une ligne horizontale. Ne ferait-on pas mieux de dire qu'on avance vers la droite, vers les grands nombres? Des termes comme ceux-là expriment notre appréciation subjective, émotionnelle : quand on grandit en âge, on s'élève en hauteur. D'ailleurs, le mathématicien exprime souvent ce sentiment en utilisant des graphiques avec des lignes ascendantes, où une augmentation particulièrement rapide est représentée par une ligne presque verticale.

Les malades connaissent bien ces dessins : un coup d'œil sur leur feuille de température suffit à se faire une idée de l'évolution de leur maladie. Supposons que, prise à intervalles réguliers, la température d'un malade ait été successivement :

$$38^o - 38,5^o - 39^o - 39^o - 38^o - 38,5^o - 37^o - 36,5^o.$$

Pour représenter graphiquement ces variations, on commence par tracer une ligne horizontale sur laquelle des intervalles de temps égaux sont représentés par des segments égaux :

Puis on décide de représenter chaque « degré » de température
par un segment vertical d'une certaine hauteur et de tracer, à
partir de chacun des points de la ligne horizontale, correspondant aux moments de la prise de température, des lignes verticales dont la longueur varie suivant la température atteinte par
le malade au moment considéré. Il n'est d'ailleurs pas nécessaire de représenter tous les degrés de cette température : celle
de notre malade n'étant jamais descendue au-dessous de 36º,
nous pouvons décider, par convention, que la ligne horizontale
correspond à 36º, de sorte qu'il faudra seulement représenter
les écarts, qui sont respectivement de :

$$2º - 2,5º - 3º - 3º - 2º - 2,5º - 1º - 0,5º.$$

Nous obtenons ainsi le tableau suivant :

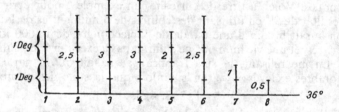

D'où, si l'on relie les sommets ainsi obtenus :

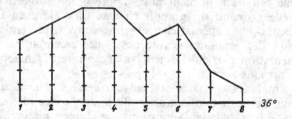

Une telle courbe de température nous donne tous les renseignements dont nous avons besoin : les lignes montantes représentent l'élévation, les lignes descendantes la chute de la température; les lignes horizontales indiquent un état « stationnaire ».
Après avoir augmenté régulièrement au début (les deux premiers
segments forment une ligne droite), la température se stabilise
ensuite; puis, à l'exception d'une petite rechute lors de la
sixième prise de température, la guérison apparaît assez rapide-

ment : entre la sixième et la septième prise, la ligne descend de façon abrupte.

Rien ne nous empêche de tracer de la même façon les « courbes de température » de nos opérations. On peut, pour commencer, représenter les nombres eux-mêmes sur une ligne droite, à partir d'un point arbitrairement choisi que nous appellerons 0, en portant sur la ligne des points équidistants dont chacun représente un nombre entier :

$$\overline{\quad \underset{0}{|} \quad \underset{1}{|} \quad \underset{2}{|} \quad \underset{3}{|} \quad \underset{4}{|} \quad \underset{5}{|} \quad \underset{6}{|} \quad}$$

Si l'on est trop paresseux pour le calcul mental, on peut effectuer certaines opérations à l'aide de cette ligne horizontale : pour faire l'addition $2 + 3$, il suffit d'avancer, à partir du point 2, de 3 intervalles vers la droite, et de lire le résultat, qui est 5. Pour faire la soustraction $5—3$, il suffit, à partir du point 5, de reculer de 3 intervalles vers la gauche, et ainsi de suite. C'est le principe des bouliers de l'école élémentaire.

Quittons la ligne horizontale pour aller « vers le haut ». Prenons un nombre quelconque, 3 par exemple, et cherchons à représenter son augmentation lorsqu'on lui ajoute 1, puis 2, puis 3, etc.; puis lorsqu'on le multiplie par 1, par 2, par 3, etc.; enfin lorsqu'on l'élève à la puissance 1, puis 2, puis 3, etc. (le terme « élever » indique d'ailleurs déjà cette progression « en hauteur »). Commençons par l'addition. Choisissons un nombre fixe, mettons 3, auquel nous ajoutons des nombres variables, allant de 1 à 4, que nous représenterons sur une ligne horizontale; les résultats obtenus seront alors :

$$3 + 1 = 4$$
$$3 + 2 = 5$$
$$3 + 3 = 6$$
$$3 + 4 = 7$$

et la courbe de température de l'addition, si l'unité est représentée par un segment de longueur $\longmapsto$ sur la ligne horizontale et un segment de longueur I sur la ligne verticale, se présentera comme suit :

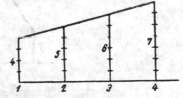

La ligne qui relie les points obtenus est une ligne droite :
si, à un nombre donné, nous ajoutons des nombres qui augmentent régulièrement, nous obtenons des sommes qui, elles aussi,
augmentent régulièrement.

En ce qui concerne la multiplication :

$3 \times 1 = 3$
$3 \times 2 = 6$
$3 \times 3 = 9$
$3 \times 4 = 12$.

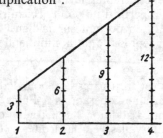

Le résultat augmente toujours de façon régulière, mais cette
augmentation est bien plus rapide que dans le cas de l'addition :
la ligne droite s'élève plus abruptement.

Enfin, dans le cas de l'exponentiation :

$3^1 = 3$
$3^2 = 3 \times 3 = 9$
$3^3 = 3 \times 3 \times 3 = 27$.

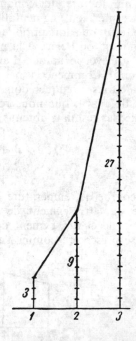

Les sommets forment ici non plus une ligne droite, mais une ligne brisée qui se rapproche de plus en plus de la verticale : il n'y a pas assez de place pour représenter 3^4 sur cette page.

Nous pouvons, de la même façon, tracer la courbe de température des opérations inverses, par exemple celle de la soustraction :

$3 - 1 = 2$
$3 - 2 = 1$
$3 - 3 = 0.$

Les sommets forment maintenant une ligne descendante : en augmentant régulièrement le nombre à soustraire, nous obtenons une diminution régulière des résultats.

La division est une opération délicate : je reviendrai plus loin sur sa « courbe de température ».

Ce que nous venons de faire ici, le mathématicien l'appelle *représentation graphique des fonctions*. En effet, la somme obtenue est *fonction* du nombre variable que l'on ajoute au nombre fixe. De même, le résultat de la multiplication est fonction du facteur variable, le résultat de l'exponentiation est fonction de l'exposant, et ainsi de suite. Ainsi, dès les premières opérations, nous avons rencontré des fonctions : cette notion extrêmement importante constitue la charpente de tout l'édifice mathématique.

3. Fragmentation
de la suite infinie des nombres

Nous sommes loin déjà de nos jeux de doigts du début! Nous avons presque oublié, en fait, que nous avions dix doigts. Mais, si je n'avais pas cherché à éviter au lecteur des calculs fastidieux, il aurait pu observer que dix symboles suffisent à représenter n'importe quel nombre, aussi grand soit-il. C'est le *système de numération à base 10* ou *système décimal* :

$$0, 1, 2, 3, 4, 5, 6, 7, 8, 9.$$

Comment donc y parvient-on, alors qu'il existe une infinité de nombres? Tout simplement en fragmentant leur suite infinie par regroupement de certains d'entre eux. Une fois comptées dix unités successives, nous voyons qu'il est possible de les embrasser d'un seul regard, de les considérer comme une sorte de bouquet auquel nous allons donner un nom : la *dizaine*. N'échangeons-nous pas, par exemple, un billet de 10 francs contre 10 pièces de 1 franc? Cette opération nous permet d'avancer ensuite rapidement : en comptant des dizaines, nous pouvons assembler 10 d'entre elles et les lier en un faisceau à l'aide d'un ruban sur lequel nous écrirons : « 1 centaine ». En continuant ainsi, nous pourrons assembler 10 centaines en un millier, 10 milliers en une dizaine de milliers, 10 dizaines de milliers en une centaine de milliers, 10 centaines de milliers en un million, etc. C'est ainsi que nous parvenons à représenter tous les nombres à l'aide des dix symboles indiqués plus haut : dès que nous dépassons 9, nous recommençons à écrire 1, mais un 1 qui fera cette fois partie des dizaines, de sorte que le nombre suivant, composé d'une dizaine et d'une unité, pourra s'écrire avec deux symboles 1 : une dizaine et une unité. Il faudrait cependant, en alignant ces chiffres, ajouter chaque fois les mots « dix », « cent », etc. Or, une idée ingénieuse permet d'éviter cette corvée.

Pensons au commerçant qui range les pièces de monnaie dans

les différents compartiments de son tiroir-caisse : celui de la petite monnaie, dans lequel il a très souvent à puiser, se trouve immédiatement à sa droite, les pièces de 50 centimes sont rangées dans le compartiment suivant, les pièces de 1 franc dans le troisième, les pièces de 5 francs dans le quatrième. Habitué à cette répartition, il n'a même plus besoin de regarder pour trouver la pièce voulue. De même, nous pouvons convenir de la place des unités, des dizaines, des centaines, etc. Les unités se trouveront à droite et, en avançant vers la gauche, nous trouvons les « grandes unités » successives : d'abord les dizaines, ensuite les centaines, etc. Ainsi, nous pouvons nous dispenser d'ajouter des mots comme « dix », « cent », etc., la valeur des chiffres étant déterminée par la place qu'ils occupent : un chiffre comme

354

se compose de 4 unités, de 5 dizaines et de 3 centaines. C'est ce que l'on appelle l'*écriture décimale*.

Rien ne nous empêche d'ailleurs de nous arrêter avant ou après 10. On m'a parlé de certains peuples primitifs pour qui la suite des nombres se compose de « un », de « deux » et de « beaucoup ». Il est parfaitement possible de construire un système de numération à leur intention : il suffit pour cela de constituer des « bouquets » de deux objets et non pas de dix. Dans ce système dit *système binaire*, ou à base 2, le symbole « 10 » vaudra 2, le symbole « 100 » vaudra 4 (deux fois deux), le symbole « 1000 » vaudra 8 (deux fois quatre), etc., et les deux signes : 0, 1, suffiront à représenter n'importe quel nombre. Supposons, en effet, que nous ayons des pièces de monnaie de

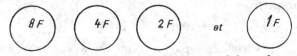

c'est-à-dire correspondant aux « grandes unités » du système binaire. Quel est le procédé le plus simple permettant de constituer la somme de 11 F à l'aide de ces pièces? Il est clair que les trois pièces

(1)

font 11 F et qu'il est impossible d'utiliser moins de trois pièces pour constituer cette somme. De la même façon,

font 9 F, et de même encore

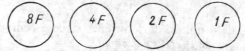

font au total 15 F.

Essayez d'exprimer ainsi n'importe quel nombre entier compris entre 1 et 15 avec les pièces suivantes :

et vous verrez qu'on les obtient tous en utilisant chacune de ces pièces une seule fois au maximum (c'est-à-dire soit une fois, soit zéro fois). Notons que nous ne pourrons pas obtenir 16 avec une seule pièce de chaque sorte, ce qui n'a rien d'étonnant, car $2 \times 8 = 16$, et la « seizaine » est précisément, dans ce système, la « grande unité » suivante, qui s'écrira donc « 10 000 », tandis que 11, comme le montre le dessin (1), s'écrira :

« 1011 »,

c'est-à-dire une pièce de 1, une de 2, 0 de 4 et 1 de 8. De même, sur les dessins (2) et (3), nous voyons que 9 et 15 s'écriront respectivement

« 1001 » et « 1111 ».

Deux signes suffisent, par conséquent, à exprimer tous les nombres.

Il n'est pas inutile de s'exercer au procédé inverse, qui consiste à partir du système binaire pour le « traduire » en écriture décimale : 11101 dans le système binaire = 1 fois 1, 1 fois 4, 1 fois 8, 1 fois 16, soit $1 + 4 + 8 + 16 = 29$ en écriture décimale.

A quoi les systèmes de numération peuvent-ils bien nous servir ? D'abord, il est infiniment plus facile d'effectuer des opérations en mettant un peu d'ordre dans les nombres. Pour effectuer une addition, il vaut mieux additionner à part les unités, puis les dizaines, puis les centaines, et ainsi de suite. Le soir, en comptant la recette de la journée, notre commerçant se gardera bien de mélanger ses pièces de monnaie et ses billets de banque; il comptera séparément les pièces accumulées dans chaque tiroir et additionnera ensuite les résultats ainsi obtenus.

Le principe de la commodité n'a pas peu contribué à l'évolution des mathématiques. L'opération la plus « incommode » est sans aucun doute la division, et le mal que l'on avait à effectuer certaines divisions n'a certainement pas été étranger à la fragmentation de la suite numérique. Rares sont, en effet, les divisions qui ne laissent pas de reste. Certes, il existe des nombres sympathiques qui en contiennent exactement certains autres. C'est le cas de 60, par exemple, puisque :

$$60 = \begin{cases} 1 \times 60 \\ 2 \times 30 \\ 3 \times 20 \\ 4 \times 15 \\ 5 \times 12 \\ 6 \times 10 \end{cases}$$

c'est-à-dire que 60 contient (sans reste) les nombres 1, 2, 3, 4, 5, 6, 10, 12, 15, 20, 30 et 60. Si nous voulons diviser un grand nombre par un de ces 12 nombres (encore que 1 « ne multiplie pas et ne divise pas »), il convient de se rappeler que le *dividende*, c'est-à-dire le nombre qu'on veut diviser, est lui aussi formé d'unités. Isolons donc un « paquet » de 60 unités, puis un autre paquet, et ainsi de suite. On verra que la division de ces multiples de 60 n'offre pas de grosses difficultés. Par ailleurs, le plus grand reste possible, dans ces divisions, sera de 59, qui n'est pas un nombre bien effrayant.

Compte tenu de ces facilités, c'est par « soixantaines » qu'il conviendrait de fragmenter les grands nombres. Et, de fait, dans leurs calculs astronomiques (qui comportaient pas mal de divisions désagréables), les Anciens recouraient au système de numération à base 60 pour mesurer les angles et le temps. Aujourd'hui encore, ce que nous appelons un *degré* dans la mesure des angles, c'est la $6 \times 60 = 360^e$ partie du cercle complet, et un degré se subdivise en 60 *minutes*, une minute en 60 *secondes;* de même pour la mesure du temps.

Malheureusement, 60 est un nombre relativement grand, qui n'est pas toujours facile à manier. Parmi les nombres voisins de 10, c'est 12 qui admet le plus grand nombre de diviseurs :

$$12 = \begin{cases} 1 \times 12 \\ 2 \times 6 \\ 3 \times 4 \end{cases}$$

1, 2, 3, 4, 6, 12, soit six diviseurs, alors que 10 ne peut être divisé sans reste que par quatre nombres (1, 2, 5 et 10). Certaines traces de l'usage du système à base 12 subsistent encore de nos jours : l'année comporte 12 mois, et l'on dit couramment une « douzaine » pour désigner 12 objets. Si pourtant le système décimal l'a emporté, c'est que l'homme a été plus influencé par ses jeux avec les doigts que par ces considérations de calcul. Les Français gardent même le souvenir d'une époque où ce jeu s'étendait aux orteils : appeler 80 « quatre-vingts », c'est-à-dire quatre fois vingt, dénote sans doute l'existence d'un ancien système de numération à base 20.

Mais examinons de plus près le système décimal et, en particulier, les avantages qu'il comporte pour la division. Ce système est particulièrement « avantageux » si nous voulons effectuer une division par un des diviseurs de 10, c'est-à-dire 2, 5 ou 10 lui-même. 10 contient exactement ces diviseurs, et il en est de même pour tous les multiples entiers de 10 : $2 \times 10 = 20$, $3 \times 10 = 30$, ... $10 \times 10 = 100$, et par conséquent $2 \times 100 = 200$, $3 \times 100 = 300$, ... $10 \times 100 = 1\,000$, etc. Donc 2, 5 et 10 sont contenus sans reste dans toutes les dizaines, dans toutes les centaines, dans tous les milliers, et ainsi de suite; mais les unités, qui sont inférieures à 10, les contiennent-elles? 10 est supérieur à toutes les unités, qui ne peuvent donc être divisibles par lui : seuls sont, par conséquent, divisibles par 10 les nombres dont le dernier chiffre n'est pas une unité, c'est-à-dire est un 0. D'où la règle bien connue, selon laquelle seuls les nombres se terminant par un 0 sont divisibles par 10. Quant à 5, la seule unité qu'il divise est lui-même. Par conséquent, sont divisibles par 5 les nombres se terminant par 0 (puisqu'ils sont divisibles par 10) ou par 5. Enfin, les unités divisibles par 2 sont : 2, 4, 6, 8; sont, par conséquent, divisibles par 2 les nombres se terminant par 0, 2, 4, 6 ou 8, qu'on appelle les *nombres pairs*.

Mais l'énumération des diviseurs de 10 n'épuise pas toutes les

possibilités offertes par le système décimal. La « grande unité »
suivante de ce système est 100. Aussi est-il facile de faire un
sort aux diviseurs de 100. 4, par exemple, qui n'est pas exactement contenu dans 10, l'est dans 100, puisque $4 \times 25 = 100$.
4 est donc exactement contenu dans $2 \times 100 = 200$ et dans
toutes les centaines, dans $10 \times 100 = 1\,000$ et dans tous les
milliers, etc. Mais est-il exactement contenu dans les dizaines
et dans les unités inférieures à 10? Non, mais dans certaines
seulement. D'où la règle : pour savoir si un nombre quelconque, aussi grand que l'on voudra, est divisible par 4, il suffit
de considérer ses deux derniers chiffres. Par exemple :

$$3\,478\,\mathbf{524}$$

est divisible par 4, puisque 24 l'est — et 3 478 500 aussi. Un
simple regard sur les deux derniers chiffres nous a suffi pour
trancher la question, comme si les cinq autres chiffres n'avaient
même pas existé. De même, un simple regard suffit pour savoir
que

$$312\,486\,\mathbf{434}$$

n'est pas divisible par 4, car 34 n'est pas un multiple de 4.

Considérons maintenant les diviseurs de 1 000. Par exemple,
8 n'est pas un diviseur de 100, car, si 80 contient 8 sans laisser
de reste, ce n'est pas, en revanche, le cas de 20 (qu'il faut ajouter
à 80 pour obtenir 100). Mais 8 est bien un diviseur de 1 000,
car 1 000 peut s'écrire $800 + 160 + 40$, et chacun de ces
nombres contient exactement 8. En conséquence, 8 est contenu
sans reste dans tous les multiples entiers de 1 000, de 10 000,
de 100 000, etc.; et pour savoir si un nombre, aussi grand que
l'on voudra, est divisible par 8, il suffit de considérer les trois
derniers chiffres.

Nous possédons donc un « truc » pour décider si un nombre
quelconque est divisible par un autre nombre quelconque; il
suffit d'examiner si ce dernier est un diviseur de 10, auquel cas
le chiffre des unités nous permet à lui seul de nous prononcer.
Sinon, il faut aller plus loin et se demander si le nombre en
question est un diviseur de 100, de 1 000, de 10 000, etc. Bien
entendu, il existe des nombres qui ne divisent ni 10, ni 100, ni
1 000, ni aucune des « grandes unités » du système décimal;
c'est même le cas de la majorité des nombres. Mais des investigations comme celles qui précèdent permettent aussi de découvrir

un certain nombre de régularités dans les nombres qui ne divisent ni 10 ni aucune puissance de 10. Le cas le plus simple est celui de 9 :

$$10 = 9 + 1, \; 100 = 99 + 1, \; 1\,000 = 999 + 1, \; ...$$

c'est-à-dire que 9 ne divise ni 10, ni 100, ni 1 000, car l'opération laisse toujours un reste de 1 ; mais ce seul fait, à savoir que le reste est toujours égal à 1, nous fait découvrir une règle de divisibilité fort simple : si 10 divisé par 9 laisse un reste de 1, 20 divisé par 9 laissera un reste de 2, 30 un reste de 3, et, d'une façon générale, le reste sera égal au chiffre par lequel nous avons multiplié 10 pour obtenir le dividende. De même, si nous divisons 100 par 9, le reste sera de 1, si nous divisons 200 par le même nombre, le reste sera de 2, et, d'une façon générale, le reste sera égal au chiffre par lequel il a fallu multiplier 100 pour obtenir le dividende. Et ainsi de suite pour toutes les puissances de 10. Donc, pour savoir si un nombre est divisible par 9, il suffit de décomposer ce nombre en unités, en dizaines, en centaines, etc. Par exemple :

$$234 = 2 \text{ centaines} + 3 \text{ dizaines} + 4 \text{ unités.}$$

En divisant les 2 centaines par 9, on aura un reste de 2 ; en effectuant la même opération avec les 3 dizaines, le reste sera de 3 ; avec les 4 unités, le reste sera de 4. Le reste sera au total

$$2 + 3 + 4$$

mais

$$2 + 3 + 4 = 9$$

qui est évidemment divisible par 9. Le reste étant un nombre divisible par 9, 234 l'est aussi. Voici donc la règle que nous cherchions : un nombre est divisible par 9 si, en additionnant les chiffres qui le composent, on obtient un nombre divisible par 9. Cette somme étant dans le cas des nombres composés de plusieurs chiffres bien inférieure au nombre lui-même, un simple regard permet de décider si le nombre est divisible ou non par 9. Soit, par exemple, le nombre 2 304 576. La somme de ses chiffres est

$$2 + 3 + 4 + 5 + 7 + 6 = 27$$

et il suffit de connaître sa table de multiplication pour savoir que ce dernier nombre est divisible par 9. Si on a oublié sa table,

on peut même faire $2 + 7 = 9$ et trouver ainsi le résultat...
En revanche :

$$2\ 304\ 577$$

n'est pas divisible par 9, parce que

$$2 + 3 + 4 + 5 + 7 + 7 = 28$$

nombre qui n'est pas divisible par 9.

Toutes ces considérations visent à tourner les difficultés que comporte la division. Mais ces « détours » eux-mêmes permettent de découvrir des relations intéressantes. Nous examinerons bientôt de plus près les divisions qui laissent des restes, et cela nous ouvrira des perspectives vers les conceptions mathématiques les plus audacieuses.

4. L'apprenti sorcier

La notion de divisibilité permet de découvrir bien des curiosités qu'il vaut la peine d'examiner de plus près. Par exemple, il existe des nombres « amis ». On dit que deux nombres sont amis si la somme des diviseurs de l'un est égale à l'autre et réciproquement (le nombre lui-même ne compte pas parmi les « vrais » diviseurs : ainsi, les diviseurs de 10 sont 1, 2 et 5). 220 et 284 sont des nombres « amis » parce que

$$220 = \begin{cases} 1 \times 220 \\ 2 \times 110 \\ 4 \times 55 \\ 5 \times 44 \\ 10 \times 22 \\ 11 \times 20 \end{cases} \quad \text{et } 284 = \begin{cases} 1 \times 284 \\ 2 \times 142 \\ 4 \times 71 \end{cases}$$

La somme des diviseurs de 220 est

$$1 + 2 + 4 + 5 + 10 + 11 + 20 + 22 + 44 + 55 + 110 = 284$$

et celle des diviseurs de 284 est

$$1 + 2 + 4 + 71 + 142 = 220.$$

Il existe même des nombres « parfaits », égaux à la somme de leurs diviseurs. Par exemple 6, dont les diviseurs sont 1, 2 et 3 :

$$1 + 2 + 3 = 6.$$

Les Anciens attribuaient certaines propriétés magiques à ces nombres; aussi des recherches furent-elles entreprises pour les découvrir tous. Citons parmi eux 28, dont la « perfection » est facile à vérifier :

$$28 = \begin{cases} 1 \times 28 \\ 2 \times 14 \\ 4 \times 7 \end{cases}$$
$$1 + 2 + 4 + 7 + 14 = 28.$$

Les autres nombres parfaits sont bien plus grands. Il s'agit toujours de nombres pairs. On a même formulé une « recette » permettant d'engendrer des nombres parfaits, mais nous ne savons toujours pas si elle nous fournit tous les nombres parfaits, ou si son application s'arrête à un certain niveau. On n'a pas encore trouvé de nombres impairs qui soient parfaits; en existe-t-il? la question reste ouverte.

De quoi s'agit-il exactement? L'homme, pour sa propre commodité, a créé la suite des nombres naturels, qui permet de compter les objets et de faire un certain nombre d'opérations. Seulement, bien que l'ayant créée, l'homme n'a pas la maîtrise de cette suite : elle possède désormais ses propres règles, que l'homme n'avait absolument pas prévues. Tel un apprenti sorcier, il contemple, les yeux éblouis, les djinns qu'il a libérés. Le mathématicien crée, à partir de rien, un univers nouveau. Mais les régularités mystérieuses et inattendues de cet univers « captivent » l'homme, au sens étymologique du terme, et, de créateur, il se transforme en chercheur, il s'adonne à la recherche des secrets de sa création devenue indépendante de lui.

Recherche séduisante, qui n'exige pour ainsi dire aucune formation, mais seulement une certaine dose de curiosité. C'est ainsi qu'un jour une de mes élèves de sixième me dit : « Je me suis aperçue, il y a longtemps déjà, qu'en additionnant des nombres qui se suivent, si je m'arrête à un nombre impair, par exemple à 7, j'obtiens un nombre qui est égal au produit de ce nombre et de son milieu; par exemple, le milieu de 7 est 4 (par « milieu » elle voulait dire, de toute évidence, le chiffre qui se trouve au milieu de la séquence allant de 1 à 7 : 1, 2, 3, 4, 5, 6, 7), et $7 \times 4 = 28$. Quant à la somme des nombres allant de 1 à 7,

$$1 + 2 + 3 + 4 + 5 + 6 + 7 \text{ fait également 28.}$$

Je sais que c'est toujours comme ça, mais je ne sais pas pourquoi. »

« C'est une progression arithmétique, me dis-je, mais comment l'expliquer au niveau de la sixième? » Pour commencer, je soumis le problème à la classe : « Suzy a un problème intéressant... » A peine avais-je fini de l'exposer que l'enfant la plus vive de la classe leva le doigt, s'agitant tellement qu'elle manqua de tomber par terre. « Attention, Ève, tu vas dire une bêtise! Comment aurais-tu trouvé la solution en si peu de temps? — Mais non, me répond-elle, je connais vraiment la

solution. — Bien, en ce cas, explique-la-nous. — Suzy a dit :
7 × 4. Cela signifie :

$$4 + 4 + 4 + 4 + 4 + 4 + 4.$$

Et elle a mis cette somme à la place de la somme :

$$1 + 2 + 3 + 4 + 5 + 6 + 7.$$

Donc elle a dit 4 à la place de 1. Pour passer de 1 à 4, il faut
ajouter 3. Mais, à la place de 7, elle a aussi dit 4, et, pour passer
de 7 à 4, il faut retrancher 3. De même, il faut ajouter 2 à 2 pour
que ça fasse 4, mais il faut également retrancher 2 de 6 pour que
ça fasse 4. 7 et 1, 6 et 2 s'égalisent. De même 3 et 5, à la place
desquels Suzy a dit des 4. C'est pour cela que les deux sommes
sont égales. » J'ai dû rendre justice à Ève : jamais je n'aurais
su expliquer la solution aussi bien qu'elle.

Ces petits chercheurs non prévenus ont une admirable capacité d'observation : « C'est comme dans un cahier! », dit alors
Marie, une autre élève. « Comment cela? — Ici, c'est le premier
nombre et le dernier, puis le deuxième et l'avant-dernier qui
donnent la même somme, tandis que, dans un cahier, la première et la dernière page constituent une même feuille, de même
que la seconde et l'avant-dernière, etc. » Mes petits chercheurs
étaient désintéressés. Gauss, le « prince des mathématiciens »,
était, quant à lui, parvenu au même résultat, mais poussé par
des considérations utilitaires. Cherchant à avoir un peu de
tranquillité, son instituteur avait ordonné à tous les élèves de sa
classe d'additionner tous les nombres compris entre 1 et 100.
Quelques minutes plus tard, le petit Gauss s'écria : « 5050! »
Le maître, qui dut renoncer à sa tranquillité, reconnut que le
résultat était juste. Mais comment son élève y était-il arrivé si
rapidement? « Je me suis aperçu, dit le petit Gauss, que 1 +
100 = 101; 2 + 99 = 101; 3 + 98 = 101, et ainsi de suite; le
résultat est toujours 101; la dernière addition est 50 + 51 =
101, il faut donc faire 50 additions de cette sorte pour arriver
au milieu. Et 50 fois 101 = 5 050. »

Gauss s'était arrêté à un nombre pair, ma petite Suzy à un
nombre impair; peut-on faire la synthèse de ces deux procédés?
On connaît l'histoire du promeneur qui, après avoir jeté un
coup d'œil sur un troupeau de brebis en train de brouter,
déclare : « Il y a 357 brebis dans ce troupeau. » En effet. « Mais
comment en avez-vous fait le compte en si peu de temps? —

Oh, c'est très simple, j'ai compté les pattes et j'ai divisé ensuite par 4. » Ce procédé n'est pas sans rappeler celui de certains mathématiciens. S'il s'agit d'additionner les nombres d'une séquence, que celle-ci s'arrête à un nombre pair ou à un nombre impair, en additionnant le premier et le dernier, le second et l'avant-dernier terme de la série, etc., on obtient le double de la somme. Pour cela, il suffit d'écrire, au-dessous des nombres qui composent la séquence, les mêmes nombres, mais en ordre inverse. Par exemple :

$$1 + 2 + 3 + 4 \qquad \text{ou} \qquad 1 + 2 + 3 + 4 + 5$$
$$4 + 3 + 2 + 1 \qquad\qquad 5 + 4 + 3 + 2 + 1$$

Nous aurons ainsi dans la même ligne verticale les nombres que nous voulons additionner. Les résultats seront respectivement :

$$5 + 5 + 5 + 5 = 4 \times 5 = 20 \qquad \text{et} \qquad 6 + 6 + 6 + 6 + 6 = 5 \times 6 = 30.$$

Dans les deux cas, le résultat représente le double du nombre cherché; pour obtenir celui-ci, il faut donc diviser le résultat par 2, ce qui donne respectivement 10 et 15. En effet :

$$1 + 2 + 3 + 4 = 10, \qquad \text{et} \qquad 1 + 2 + 3 + 4 + 5 = 15.$$

Dans les deux cas, il faut donc multiplier la somme du premier et du dernier terme par le nombre de termes et diviser le résultat par 2. Cette règle est la synthèse du raisonnement de Suzy et de celui de Gauss : dans la séquence $1 + 2 + 3 + 4 + 5 + 6 + 7$, la somme du premier et du dernier terme est 8 qui, multiplié par le nombre de termes, donne $7 \times 8 = 56$, et 56 divisé par deux donne 28. Dans le cas de 1, 2, 3... 100, la somme du premier et du dernier terme est 101, qui, multiplié par le nombre des termes, donne $100 \times 101 = 10\,100$, dont la moitié est 5050.

Il est évident (et ma classe de sixième s'en est immédiatement aperçue) que cette règle ne permet pas seulement de calculer la somme de nombres successifs, mais aussi celle de nombres « équidistants », quel que soit le premier terme : soit la séquence

5, 7, 9, 11, 13

où chaque nombre est séparé du suivant par un intervalle de 2, ou :

10, 15, 20, 25, 30, 35

où cet intervalle est de 5. Dans ces séquences, comme dans les précédentes, la somme du premier et du dernier terme est égale

à celle du second et de l'avant-dernier, et ainsi de suite. Vérifions; dans le premier exemple :

$$5 + 13 = 18 \qquad 7 + 11 = 18$$

et le terme du milieu 9 donne également $9 + 9 = 18$. Dans le
deuxième exemple :

$$10 + 35 = 45, \quad 15 + 30 = 45, \quad 20 + 25 = 45.$$

Les mathématiciens appellent de telles séquences, dont les
termes sont équidistants, des *progressions arithmétiques*.

Il est intéressant de remarquer que nous retrouvons le même
type de raisonnement dans d'autres domaines des mathématiques. Dans le calcul des surfaces, par exemple. Calculer la
surface d'un rectangle est facile, plus facile que de calculer le
volume d'un cube : il suffit de choisir un petit carré comme unité
et de voir ensuite combien de petits carrés il faut pour couvrir
le rectangle en question. Prenons comme unité 1 centimètre carré,
c'est-à-dire un carré dont la longueur et la largeur sont également de 1 cm :

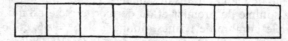

Alignons 8 de ces petits carrés :

et nous obtenons déjà un rectangle. Pour l'élargir, ajoutons
2 lignes en hauteur :

Le rectangle ainsi obtenu se compose de $3 \times 8 = 24$ petits
carrés. Inversement, soit un rectangle d'une longueur de 8 cm
et d'une largeur de 3 cm; il contiendra $3 \times 8 = 24$ cm². D'une

façon générale, la surface d'un rectangle est le produit de sa longueur et de sa largeur.

Les côtés adjacents forment un *angle droit* (on dit qu'ils sont *perpendiculaires*). L'angle droit a une importance toute particulière dans la construction de bâtiments : il est essentiel que les côtés de ces angles ne penchent jamais à droite ou à gauche, ce qui en ferait des angles *aigus* ou *obtus*,

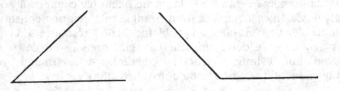

car des murs ainsi penchés risqueraient fort de s'écrouler. L'angle droit contribue, au contraire, à assurer l'équilibre de la construction :

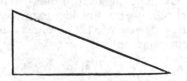

Dans la figure géométrique délimitée par trois lignes droites, c'est-à-dire dans le triangle, il peut également y avoir un angle droit, mais les deux autres angles seront aigus. Quoi que vous fassiez, si un des trois angles est droit, les deux autres seront inévitablement aigus :

Dans un triangle rectangle, le côté opposé à l'angle droit s'appelle l'*hypoténuse*.

Or, du fait qu'elle a des angles aigus, la surface d'un triangle rectangle ne pourra jamais être entièrement recouverte par nos unités de mesure, qui ont la forme d'un carré :

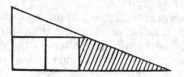

Dès la première « rangée », la partie hachurée échappe à notre calcul. Calculer la surface d'un triangle semble donc constituer un problème. Mais c'est un problème facile à résoudre. En effet, au lieu de considérer un seul triangle, prenons-en deux. En assemblant, le long de leurs hypoténuses, deux triangles rectangles identiques, nous obtenons un rectangle :

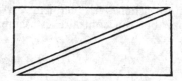

Or, nous connaissons la surface du rectangle : c'est le produit de deux côtés adjacents, c'est-à-dire, précisément, des deux côtés perpendiculaires de notre triangle. Nous calculerons donc facilement le double de la surface d'un triangle rectangle. La règle s'énonce ainsi : la surface d'un triangle rectangle est égale à la moitié du produit des côtés de l'angle droit.

L'analogie de ce raisonnement avec celui qui permet de calculer la somme d'une progression arithmétique apparaît avec évidence lorsque l'on suit la démarche d'Euclide — auteur, il y a plus de deux mille ans déjà, d'une œuvre mathématique merveilleusement complète. Euclide exprime en termes de géométrie ce qui se passe entre les nombres d'une même suite; les symboles pour représenter

$$1, 2, 3, \ldots$$

pourraient être, dit-il :

et la représentation de la somme

$$1 + 2 + 3 + 4$$

serait alors un « triangle en escalier » :

Le « truc » qui consiste à aligner au-dessous des termes de la séquence les mêmes termes, mais en ordre inverse, se traduit, dans ce langage, par la superposition d'un triangle « retourné » au premier triangle :

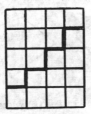

De cette façon, 4 se trouve en effet au-dessus de 1, 2 au-dessus de 3, 3 au-dessus de 2, et 1 au-dessus de 4. La somme des chiffres d'une même colonne est toujours 5, et $4 \times 5 = 20$. De même, les côtés du rectangle ainsi formé mesurent respectivement 4 unités et 5 unités, sa surface est, par conséquent, $4 \times 5 = 20$ unités de surface. Ce résultat représente le double de la somme cherchée : la surface d'un triangle en escalier est la moitié de celle du rectangle représenté sur la figure 27. C'est donc la même idée que nous avons exprimée, d'abord, dans le langage de l'arithmétique, ensuite, dans celui de la géométrie. D'autres variations sont possibles.

5. Variations sur un thème fondamental

Dans quelles circonstances avons-nous besoin d'additionner les nombres d'une telle séquence?

Le problème suivant, en apparence assez éloigné de cette préoccupation, en donne un exemple.

Nous avons déjà vu des triangles et des rectangles. De façon plus générale, les figures fermées dont les limites sont constituées par des lignes droites sont appelées des *polygones*.

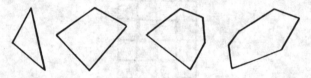

Les polygones ci-dessus sont dits *convexes*, car ils ne sont pas échancrés comme les figures dites *concaves* :

Plus précisément, ce qui distingue ces dernières figures, c'est que certains de leurs côtés, si on les prolonge, traversent la surface du polygone et le partagent en deux :

Avec les premières figures, une telle opération est impossible;
essayez, vous n'y arriverez pas. Cette distinction étant faite,
nous ne parlerons plus désormais que de polygones convexes.
(Nous ferons la même distinction parmi les solides géométriques.)

Appelons *diagonale* la ligne droite qui, dans un polygone,
relie deux sommets non voisins (des sommets voisins sont reliés
non par une diagonale, mais par un côté du polygone). Voici,
par exemple, quelques diagonales d'un polygone :

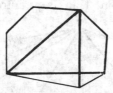

Combien peut-on tracer de diagonales dans un polygone,
par exemple dans un octogone?

Il n'est pas facile de les compter, car elles forment un réseau
très serré :

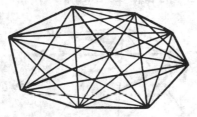

Pour nous faciliter la tâche, cessons de distinguer entre sommets voisins et non voisins, et tenons compte aussi bien des
côtés que des diagonales. Comme un octogone a par définition
huit côtés, il suffira, pour connaître le nombre des diagonales,
de retrancher 8 du résultat obtenu.

Sous cette forme modifiée, le problème s'énonce en ces
termes : étant donné les huit sommets d'un octogone,

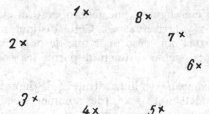

de combien de façons peut-on les relier? Deux voies s'offrent pour résoudre le problème ainsi posé.

On peut relier le point 1 aux sept autres, nous aurons ainsi 7 lignes droites :

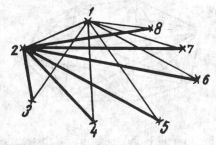

Ensuite, nous relions le point 2 aux autres, à l'exception du point 1 auquel il a déjà été relié; 6 autres droites s'ajoutent ainsi à celles qui ont déjà été tracées :

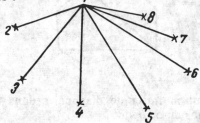

Le point 3 sera relié à son tour aux autres points (à l'exception des points 1 et 2, chose déjà faite), nous obtiendrons ainsi 5 droites nouvelles. La même opération effectuée sur le point 4 nous fournira 4 lignes nouvelles; du point 5 partiront 3, du point 6, 2, et du point 7, 1 lignes nouvelles. Le point 8 sera ainsi relié à tous les autres points. Nous aurons donc au total :

$$7 + 6 + 5 + 4 + 3 + 2 + 1$$

ou, si on l'écrit dans l'ordre inverse :

$$1 + 2 + 3 + 4 + 5 + 6 + 7 \text{ segments.}$$

Une autre façon de faire consisterait à compter le nombre de lignes que l'on peut abaisser à partir d'un sommet. Ce nombre est 7, puisque chacun des sommets peut être relié à sept autres sommets. Si de chaque sommet partent 7 lignes, le nombre des sommets étant 8, nous aurons au total $7 \times 8 = 56$ lignes. Cependant, chaque ligne relie non pas un, mais deux sommets; par exemple, celle qui relie le sommet 1 au sommet 6 a été, dans ce calcul, comptée deux fois : une première fois lorsque nous avons recensé les lignes partant du sommet 1, et une deuxième fois lorsque nous avons recensé celles qui partent du sommet 6. Chaque ligne ayant été comptée deux fois, il convient de diviser le résultat obtenu par deux, soit $56 : 2 = 28$.

Ces deux méthodes doivent aboutir au même résultat, donc

$$1 + 2 + 3 + 4 + 5 + 6 + 7$$

est égal à la moitié de 8×7. On retrouve donc le raisonnement de Suzy.

Mais on peut imaginer d'autres variations autour du même thème; chaque ligne reliant deux sommets, notre problème s'énonce de la façon suivante : combien existe-t-il de façons de choisir deux sommets dans un octogone? Or, cette question pourrait s'appliquer, aussi bien qu'aux sommets d'un polygone, à huit billes de couleurs différentes contenues dans un sachet, ou à huit enfants que nous voulons mettre en rangs par deux. En langage mathématique, le problème se pose ainsi : combien de *combinaisons* à deux éléments peut-on obtenir à partir de huit éléments?

Désignons les éléments par les chiffres 1 2 3 4 5 6 7 8 : les combinaisons à deux éléments (ou, plus simplement, les *couples*) formées à partir de ces éléments seront :

```
1 2   2 3   3 4   4 5   5 6   6 7   7 8
1 3   2 4   3 5   4 6   5 7   6 8
1 4   2 5   3 6   4 7   5 8
1 5   2 6   3 7   4 8
1 6   2 7   3 8
1 7   2 8
1 8
```

De droite à gauche, le nombre des couples que comporte chaque colonne est :

$$1, 2, 3, 4, 5, 6, 7.$$

Par ailleurs, nous pouvons également tenir le raisonnement suivant : chaque élément pouvant former un couple en s'associant à chacun des sept autres éléments, les huit éléments forment 8×7 couples. Or, chacun de ces couples figurera alors deux fois dans nos listes, une fois dans celle des couples que l'on peut former avec son premier terme et une fois dans celle des couples que l'on peut former avec son second terme; le résultat obtenu sera donc 8×7 divisé par 2.

En partant de points de vue différents, nous aboutissons au même résultat. Je ne résiste pas à la tentation d'exprimer ces différentes démarches par une formule unique. Précisons avant toute chose qu'en mathématiques ce qui est mis entre parenthèses n'est nullement accessoire; le mathématicien recourt à ce procédé pour souligner la cohésion des termes mis entre parenthèses. Par exemple, $(2 + 3) \times 6$ signifie que le résultat de l'addition $2 + 3$, c'est-à-dire 5, doit être multiplié par 6. Sans les parenthèses, $2 + 3 \times 6$ signifierait : ajoutons 2 au produit de la multiplication 3×6. On convient en effet que la cohésion des facteurs d'une multiplication est plus forte que celle des termes d'une addition; aussi, dans notre dernier exemple, point n'est besoin de souligner par des parenthèses la cohésion du groupe 3×6 en écrivant $2 + (3 \times 6)$. Chacun sait par ailleurs que la moitié de 4, de 6, de 10 peut s'écrire de la façon suivante : $\frac{4}{2}, \frac{6}{2}, \frac{10}{2}$; et que, de façon générale, toute division peut s'écrire sous forme de *fraction*. Désignons le dernier terme de notre séquence par n, la somme du premier et du dernier terme sera $1 + n$. Ce résultat devra être multiplié par le nombre des termes de la séquence, c'est-à-dire par n, et le produit ainsi obtenu sera divisé par deux. Autant dire que toutes les variations de notre thème initial peuvent se résumer par la formule suivante :

$$1 + 2 + 3 \dots + n = \frac{(1 + n) \times n}{2}.$$

Les mathématiques ne sont qu'un langage, un langage très particulier qui opère uniquement avec des symboles. La formule

ci-dessus en est un exemple; elle ne signifie rien de précis en
elle-même, et chacun peut s'en servir pour exprimer son expérience individuelle. Pour les uns, elle exprimera le nombre des
diagonales d'un polygone de *n* côtés, pour les autres, le nombre
de façons de mettre *n* élèves « en rangs par deux ». La formule
exprime avant tout notre satisfaction de voir toute cette diver-
sité ramenée à une unité.

Remarques sur une géométrie sans mètre

Nous venons d'évoquer deux thèmes nouveaux, dont le premier relève de la géométrie et le second de l'arithmétique.
Je me propose ici de développer un peu le premier.

Considérons une fois de plus la figure 32, qui représente
l'octogone avec toutes ses diagonales. C'est un vrai fouillis : les
diagonales se coupent dans tous les sens, impossible de distinguer
leurs points d'intersection. Encore s'agit-il d'un polygone
convexe, dont les sommets se situent à l'extérieur et ne peuvent
se confondre avec les points d'intersection des diagonales!
La figure serait plus claire si les diagonales étaient représentées
par des élastiques fixés aux huit sommets : il suffirait alors de
les disposer à différents niveaux pour éviter qu'elles ne se tou-
chent,ce qui ne modifierait en rien leur nombre et permettrait
de les compter plus aisément.

Il existe une branche spéciale de la géométrie (on l'appelle
la *topologie*) qui traite des propriétés des solides indépendantes
des compressions ou des étirements qu'on peut leur faire subir.
Supposons que ces solides soient en caoutchouc et qu'on puisse
les triturer de toutes les manières en leur donnant les formes
les plus différentes : les propriétés constantes qu'ils gardent
malgré toutes ces manipulations constituent l'objet de la topologie. Il est étrange que cette science puisse faire partie de la
géométrie, car le mot *géométrie* est un composé de *mètre* qui
signifie : mesure; or, en topologie, il ne peut être question de
mesurer, puisque les manipulations font subir aux longueurs,
aux angles, etc., des modifications considérables. Mais ces
recherches récentes sont particulièrement intéressantes : nous
avons vu naître sous nos yeux une nouvelle branche des mathématiques.

Celle-ci est issue d'une devinette relative aux ponts de
Königsberg. Les deux îles du Pregel, fleuve qui traverse cette

ville, sont reliées entre elles et aux deux rives par sept ponts, suivant le schéma suivant :

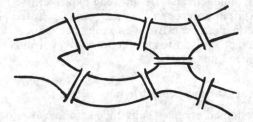

Peut-on concevoir un parcours qui, partant d'un point quelconque, revienne à ce point de départ après avoir franchi chaque pont une fois et une seule? Essayez; vous vous apercevrez vite que les données du problème ne sont modifiées en rien si les ponts conduisant aux mêmes rives et aux mêmes îles aboutissent tous aux mêmes points comme sur le schéma ci-dessous, où le promeneur n'a pas à traverser les îles, mais seulement des ponts :

Certes, il est étrange que deux ponts conduisent d'un même point d'une île à un même point de la rive, mais on peut supposer, par exemple, que le premier est réservé aux piétons et l'autre aux voitures. La figure ci-dessus est réductible au schéma suivant :

Peut-on tracer ce schéma d'un seul trait, sans jamais lever son crayon (de même que le promeneur ne se soulève jamais en l'air), sans jamais revenir sur un trait déjà dessiné, mais en « bouclant la boucle », c'est-à-dire en aboutissant au même point d'où l'on est parti ? C'est là un problème qui nous est sans doute plus familier et que l'on pose parfois à propos d'enveloppes ayant les formes suivantes :

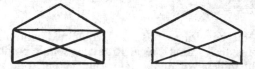

De toute évidence, ces problèmes appartiennent à la topologie : que l'objet représenté soit fait d'une matière malléable, qu'on le pétrisse, le comprime, l'allonge, en un mot, qu'on le déforme comme on voudra, cela ne change rien aux données initiales du problème (tracer une seule ligne continue), à condition seulement que l'objet reste intact et qu'on s'interdise, par exemple, de le déchirer et d'en recoller ensuite les différents morceaux.

Le grand mathématicien Euler a formulé une proposition qui permet de résoudre tous les problèmes de ce genre. En effet, si une telle figure peut être dessinée d'un seul trait en revenant au point de départ, le crayon devra quitter le point de départ mais y revenir à la fin et, de même, chaque fois qu'il aura abouti à un point, il devra pouvoir le quitter pour continuer son parcours. Ainsi, à chaque ligne aboutissant à un point doit correspondre une autre ligne permettant au crayon de repartir de ce même point. Autrement dit, le nombre de lignes aboutissant à un même point doit être pair : cela suffit pour qu'il soit possible à coup sûr de dessiner une telle figure d'un seul trait en revenant au point de départ.

Ainsi, le problème de la promenade de Königsberg est insoluble. En effet, aucun des points de la figure ne répond à cette condition ; le point situé à l'extrémité gauche est le lieu d'intersection de 5 lignes, et chacun des autres de 3 lignes : ce sont là des nombres impairs.

En revanche, la première enveloppe est réalisable, mais le crayon ne pourra revenir à son point de départ. Le nombre des lignes aboutissant au point supérieur est 2 ; on en compte 4 pour chacun des points du milieu, et 4 au point situé à l'intérieur de l'enveloppe. Les 2 points inférieurs ne répondent pas à nos

conditions, car de chacun partent 3 lignes, mais si nous autorisons notre crayon à partir du premier de ces points pour
aboutir au second, le dessin est possible; en voici les étapes
successives :

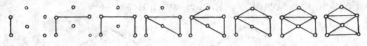

La deuxième enveloppe pose un problème insoluble, car elle
possède plus de 2 points « récalcitrants »; seul le point supérieur
et celui du milieu voient partir des lignes en nombre pair, les
4 autres sont chacun le lieu d'intersection de 3 lignes.

Tel est le jeu qui a donné naissance à la topologie. Bien
entendu, celle-ci n'en est pas restée à ce stade; c'est une science
très sérieuse, devenue l'auxiliaire de nombreuses autres disciplines : la physique y a recours pour la représentation des cir-
cuits électriques, la chimie organique pour la construction des
modèles moléculaires, etc. D'une façon générale, chaque fois
que l'on veut concevoir la structure d'un objet en faisant
abstraction de ses dimensions, on s'inspire de la topologie.

Quelles sont les notions que la topologie ignore délibérément?
Ce sont d'abord les notions d'égalité et de similitude, si importantes en géométrie — dans l'étude des triangles, en particulier, car toutes les figures de géométrie plane peuvent être
décomposées en triangles; les polygones très aisément, à l'aide
des diagonales :

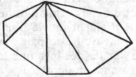

et le cercle lui-même peut « à la rigueur » (j'y reviendrai) être
considéré comme constitué de triangles. Si nous traçons dans
un cercle un réseau suffisamment dense de rayons :

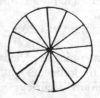

chaque arc de cercle « se rapproche » d'un segment de droite (je sais que ce « se rapproche » évoque des souvenirs scolaires désagréables et risque de créer un sentiment d'incertitude, mais je vous promets de définir exactement son sens, le moment venu).

Deux triangles sont *égaux* s'ils peuvent coïncider exactement. Soit les 2 triangles suivants :

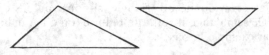

Après les avoir découpés, nous pouvons les superposer l'un à l'autre de façon que leurs 6 constituants (3 côtés et 3 angles pour chacun) se recouvrent parfaitement. En fait, pour que 2 triangles soient égaux, il suffit que 2 de leurs côtés et l'angle qu'ils enferment le soient :

En effet, si les côtés représentés ici par de gros traits sont égaux, en superposant un angle égal à un autre angle, les côtés qui lui sont adjacents aboutiront aux mêmes points, et le troisième côté du triangle supérieur reliant ces deux points coïncidera exactement avec le troisième côté du triangle inférieur.

Deux triangles sont dits *semblables* s'ils ont la même forme, sans avoir nécessairement les mêmes dimensions; l'un peut être considéré comme le modèle réduit de l'autre :

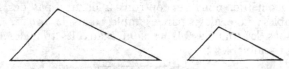

Nous nous trouvons ici dans le même cas que lorsque l'on agrandit une photographie; quel que soit le côté du « petit triangle » que l'on considère, les deux autres seront réduits dans les mêmes proportions que lui. Et, comme notre appareil photo ne déforme pas l'image, le modèle réduit possédera les mêmes angles que l'original. Les côtés correspondants des triangles semblables sont proportionnels les uns par rapport

aux autres. Pour remplir ces conditions, il suffit d'ailleurs que les triangles possèdent deux angles égaux.

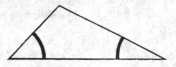

En effet, étant donné un triangle, si nous voulons construire un triangle semblable, il suffit de réduire (ou d'agrandir) un des côtés, par exemple la base :

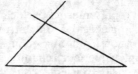

puis de reproduire les deux angles inférieurs de l'original :

Aucune fantaisie n'est alors plus permise, car le troisième angle sera défini par les côtés des deux angles précédents, qui ferment le triangle :

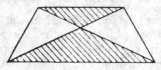

Seul ce triangle pourra constituer le modèle réduit ou agrandi du premier. L'égalité de deux angles suffit pour se prononcer sur la similitude de deux triangles.

En géométrie, nous rencontrons à chaque pas des figures semblables ou égales; par exemple, dans le *trapèze isocèle* ci-dessous, les triangles blancs sont égaux, les triangles hachurés sont semblables :

Or, en topologie, il ne peut être question d'égalité ni de similitude, puisque la manipulation des figures en modifie à la fois la forme et les dimensions; les lignes droites peuvent se transformer en lignes courbes et même quitter la surface plane pour entrer dans l'espace.

Paradoxalement, cependant, la topologie permet de se prononcer sur la régularité des corps géométriques solides, alors même que cette régularité est très étroitement liée à l'égalité et, d'une façon générale, à la mesure. Sont en effet réguliers les solides convexes constitués uniquement de figures planes dont tous les côtés et tous les angles sont égaux, comme celles-ci :

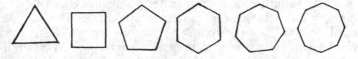

Toutes les faces du solide doivent être égales et chaque sommet appartenir au même nombre de côtés. Pour aborder cette question, la topologie ne retiendra que deux propriétés des corps réguliers : le nombre de côtés des faces du solide, le nombre des arêtes qui aboutissent à chaque sommet. Ces propriétés n'ont, en effet, rien à voir ni avec la forme du solide ni avec ses dimensions. Et la topologie permet de constater que cinq solides géométriques seulement répondent à ces deux exigences. Il revient ensuite à la géométrie de démontrer l'existence réelle de ces cinq solides réguliers, dont deux sont formés de triangles, un (le cube) de carrés et un dernier de pentagones :

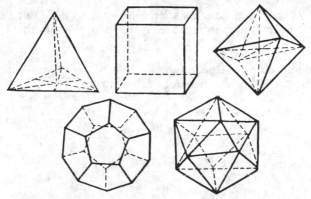

Ce résultat est finalement assez surprenant car, dans le plan, rien ne limite le nombre des polygones réguliers, et la suite des figures que nous avons dessinée plus haut pourrait être continuée à l'infini. Il faut toujours se garder de généraliser à l'espace les résultats valables pour le plan : dans l'espace à trois dimensions, les choses se passent souvent autrement que dans la surface à deux dimensions.

Certes, il est normal de rencontrer dans l'espace des phénomènes inédits; les mouvements n'y sont-ils pas plus libres que dans le plan? Mais nous nous serions plutôt attendus à une plus grande variété, à de plus riches possibilités et, en l'occurrence, à une plus grande variété de solides réguliers. Simplement ces « riches possibilités » s'assortissent de restrictions plus rigoureuses, précisément parce qu'elles sont plus nombreuses. Le sommet d'un solide peut être le point d'intersection non pas de deux lignes, comme dans le cas des figures planes, mais d'un aussi grand nombre que l'on voudra. Le nombre des arêtes est illimité, le nombre de faces du solide également. On peut parfaitement concevoir des solides dont l'un des sommets soit le point d'intersection de trente arêtes, alors qu'à un autre sommet on n'en comptera que trois; ou dont l'une des faces soit un polygone à trente angles, et une autre un triangle. Dans le cas d'un solide régulier, il faudra, pour le contraindre à choisir le même nombre d'arêtes à chaque sommet et sur chaque face, éliminer un très grand nombre de possibilités; seuls cinq types de solides supportent une aussi forte restriction.

Ce qui m'a conduite à parler de la topologie, c'était encore la recherche d'une solution élégante pour l'addition

$$1 + 2 + 3 + \ldots + n.$$

On voit qu'en mathématiques « tout se tient » : il suffit de tirer un seul fil pour que tout l'écheveau suive.

6. Épuiser toutes les possibilités

Un maître d'école n'éprouvera peut-être pas le besoin de connaître toutes les possibilités théoriques dont il dispose pour mettre ses élèves en rangs par deux; il tiendra tout au plus compte des amitiés et des inimitiés qui règnent dans sa classe. Mais le petit chercheur, curieux, veut connaître et épuiser toutes les possibilités. Lorsque j'ai dit à mes élèves de sixième que, pour multiplier par 357, on pouvait commencer par les unités, mais aussi bien par les centaines, ils m'ont aussitôt demandé si on ne pourrait pas commencer par les dizaines. « Oui, ai-je répondu, mais il faudra faire très attention à la place à laquelle on écrira les produits partiels. » Ils ont alors voulu savoir combien il y avait de façons d'effectuer une multiplication donnée. Aussi ai-je dû faire une petite incursion dans le domaine de la *combinatoire*, qui est la branche des mathématiques qui traite du nombre de façons de disposer des éléments de telle ou telle façon.

Combien de drapeaux à bandes horizontales peut-on composer avec 3 couleurs? Il n'est pas d'enfant qui ne souhaite connaître la réponse. Avec une seule couleur, bien entendu, on ne peut confectionner qu'un seul drapeau :

Une seconde bande horizontale d'une autre couleur (si nous n'utilisons chaque couleur qu'une seule fois) peut être disposée de deux façons, soit au-dessus, soit au-dessous de la première bande :

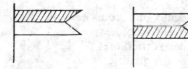

Et une troisième bande d'une troisième couleur? Elle peut prendre place soit au-dessus, soit au-dessous des deux autres, soit au milieu. Ainsi, à partir du drapeau bicolore de gauche, on obtient 3 autres drapeaux :

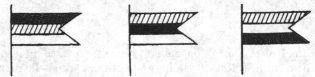

de même qu'à partir du drapeau de droite :

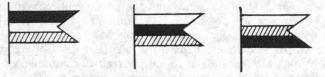

Autrement dit, avec 3 couleurs, on peut confectionner

$$2 \times 3 = 6 \text{ drapeaux.}$$

Si l'on ajoute une quatrième couleur, on peut, dans chacun des 6 drapeaux tricolores, la disposer soit au-dessus de la bande supérieure, soit entre la première et la seconde, soit entre la seconde et la troisième bande, soit enfin au-dessous de cette dernière. C'est ainsi que l'on obtient, à partir de chaque drapeau tricolore, 4 drapeaux quadricolores : à partir du premier, par exemple, on aura les suivants :

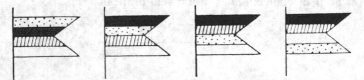

et les $2 \times 3 = 6$ drapeaux tricolores nous fournirons, par conséquent, $2 \times 3 \times 4 = 24$ drapeaux quadricolores. Si l'on met partout le chiffre 1 (qui ne change rien), on aura donc la belle régularité que voici :

nombre de drapeaux unicolores   1
nombre de drapeaux bicolores $1 \times 2 = 2$
nombre de drapeaux tricolores $1 \times 2 \times 3 = 6$
nombre de drapeaux quadricolores $1 \times 2 \times 3 \times 4 = 24$

et ainsi de suite. Bien évidemment, cela reste vrai s'il s'agit d'autre chose que de couleurs; par exemple, on peut distribuer de la soupe à 5 enfants dans $1 \times 2 \times 3 \times 4 \times 5 - 24 \times 5 = 120$ ordres différents. Et, d'une façon générale, 6 éléments quelconques, par exemple, donnent lieu à $1 \times 2 \times 3 \times 4 \times 5 \times 6 = 120 \times 6 = 720$ *permutations*.

La formule $1 \times 2 \times 3 \times 4 \times 5 \times 6$ signifie qu'il faut multiplier entre eux les nombres successifs jusqu'à 6 ... mais pas plus loin! Pour abréger cette formule, on met un point d'exclamation après le dernier facteur de cette multiplication. La multiplication ci-dessus s'écrit donc, de façon abrégée :

$$6!$$

qu'on lit « *factorielle* 6 ». On aura :

$$1! = 1 \qquad 2! = 1 \times 2 = 2 \qquad 3! = 1 \times 2 \times 3 = 6$$

et ainsi de suite.

Bien entendu, la valeur d'une factorielle dépend du dernier facteur de la multiplication; nous avons donc affaire à une nouvelle fonction, dont nous allons dessiner rapidement la « courbe de température »; la ligne horizontale comporte les nombres (à partir de 1) à multiplier et la ligne montante les factorielles correspondantes :

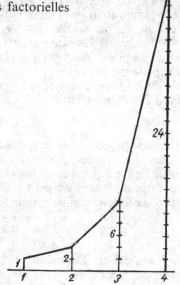

Comparons cette courbe avec celle des puissances de 2 :

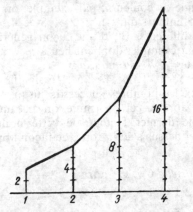

Au début, la courbe de la factorielle reste inférieure à celle de l'exponentielle, mais elle ne tarde pas à la dépasser et à monter de façon de plus en plus abrupte. Ceci ne vaut pas seulement pour les puissances de 2 : la factorielle croît plus rapidement que toutes les exponentielles. La raison en est claire : aussi grande que soit la base de l'exponentielle (par exemple 100), le facteur multiplicateur sera invariablement 100; tandis que, dans le cas de la factorielle, les 99 premiers facteurs sont inférieurs à 100, mais les suivants vont croissant : 100, 101, 102, 103 ... jusqu'au moment où, fatalement, la factorielle dépasse l'exponentielle.

A partir du nombre des drapeaux unicolores et grâce à des multiplications bien régulières :

$$1 \times 2 \qquad 1 \times 2 \times 3 \qquad 1 \times 2 \times 3 \times 4$$

nous avons obtenu celui des drapeaux bicolores, tricolores et quadricolores. Les autres problèmes dont traite la combinatoire donnent lieu à de tout aussi belles régularités. Nous savons déjà de combien de façons on peut combiner un nombre donné d'éléments deux à deux : si ce nombre est 8, il existera

$$\frac{8 \times 7}{2}$$

façons de les apparier. De même, si nous avons 15 éléments, les combinaisons possibles seront au nombre de

$$\frac{15 \times 14}{2}$$

et ainsi de suite; ne pourrait-on pas, à partir des nombres ainsi obtenus, calculer celui des combinaisons de 3, 4, 5 éléments, etc., que les éléments donnés permettent de constituer? Demandons-nous à cet effet de combien de façons on peut accoler un troisième élément à un couple de 2 éléments choisis parmi 1, 2, 3, 4, 5, 6, 7, 8, par exemple au couple

1 2.

La façon dont ce troisième élément sera inséré parmi les 2 premiers est ici indifférente; tout ce que l'on veut connaître, ce sont les éléments constitutifs des différentes combinaisons de 3 éléments (ou *triplets*). Supposons, par exemple, qu'une société de 8 personnes se propose de constituer une délégation de 3 membres; tout ce que l'on veut connaître, c'est la composition de la délégation, c'est-à-dire les noms des 3 délégués, indépendamment de l'ordre dans lequel on pourrait les ranger. On peut donc ajouter au couple 1 2 n'importe lequel des 6 autres éléments; nous disposerons alors de 6 combinaisons de 3 éléments :

$$
\begin{array}{c}
1\ 2\ 3 \\
1\ 2\ 4 \\
\underline{1\ 2\ 5} \\
\overline{1\ 2\ 6} \\
1\ 2\ 7 \\
1\ 2\ 8
\end{array}
$$

(ne vous occupez pas, pour le moment, du fait que 1 2 5 est souligné).

De la même façon, tous les autres couples pourront servir à former des triplets; par exemple, le couple 2 5 donnera

2 5 1		1 2 5
2 5 3		2 3 5
2 5 4	ou, si on range	2 4 5
2 5 6	les triplets selon l'ordre	2 5 6
2 5 7	croissant des éléments	2 5 7
2 5 8		2 5 8

Il semble donc, à première vue, que 8 éléments puissent fournir six fois plus de triplets que de couples. Cependant, il y a des répétitions : par exemple, la combinaison 1 2 5 figure aussi bien parmi celles formées à partir du couple 1 2 que parmi celles formées à partir du couple 2 5 (c'est pourquoi nous l'avons soulignée dans chaque colonne), et elle sera nécessairement présente parmi les triplets formés à partir du couple 1 5, lorsqu'on lui adjoindra 2 comme troisième élément. Chaque triplet sera donc obtenu 3 fois; en procédant à l'envers, nous voyons que le groupe 2 3 5 peut se réduire, par suppression d'un élément, à chacun des trois couples suivants :

$$2\ 3$$
$$2\ 5$$
$$3\ 5$$

On obtiendra 2 3 5 en ajoutant 5 au premier couple, 3 au second ou 2 au troisième. Il s'ensuit que, si je veux obtenir chaque triplet une seule fois, il faut diviser le résultat obtenu par 3. En définitive, le nombre des triplets fournis par 8 éléments est égal à celui des couples fournis par ces mêmes éléments, multiplié par 6 puis divisé par 3. Je connais déjà le nombre de ces couples : $\dfrac{8 \times 7}{2}$; je peux le multiplier par 6 en remettant à plus tard la division par 2, et j'obtiens :

$$\frac{8 \times 7 \times 6}{2}$$

qu'il faudra encore diviser par 3.

Diviser d'abord par 2, ensuite par 3, c'est diviser par 2×3 (par exemple : $\dfrac{12}{2} = 6$ et $\dfrac{6}{3} = 2$, mais si je divise 12 par $2 \times 3 = 6$, le résultat sera également 2). Donc, en fin de compte (et si j'ajoute, pour la beauté de la démonstration, un 1 au dénominateur), 8 éléments fournissent

$$\frac{8 \times 7 \times 6}{1 \times 2 \times 3}$$

triplets. De même, 12 éléments fourniront

$$\frac{12 \times 11 \times 10}{1 \times 2 \times 3}$$

et 100 éléments

$$\frac{100 \times 99 \times 98}{1 \times 2 \times 3}$$

triplets.

Ayant ainsi fait leur sort aux triplets, passons aux quadruplets; soit de nouveau 8 éléments : chaque triplet fournira 5 quadruplets par adjonction d'un quatrième élément; par exemple, le triplet

$$1\ 2\ 3$$

fournira les quadruplets

$$1\ 2\ 3\ 4$$
$$1\ 2\ 3\ 5$$
$$1\ 2\ 3\ 6$$
$$1\ 2\ 3\ 7$$
$$1\ 2\ 3\ 8$$

Selon ce calcul, on aurait cinq fois autant de quadruplets qu'il y avait de triplets; mais, dans une liste constituée de cette façon, chaque groupe figurerait quatre fois, par exemple le quadruplet

$$1\ 2\ 3\ 4$$

pourrait être formé à partir de

$$1\ 2\ 3 \text{ par adjonction de } 4$$
$$1\ 2\ 4 \text{ par adjonction de } 3$$
$$1\ 3\ 4 \text{ par adjonction de } 2$$
$$2\ 3\ 4 \text{ par adjonction de } 1$$

Il faudra donc diviser le résultat par 4. Le nombre des triplets étant

$$\frac{8 \times 7 \times 6}{1 \times 2 \times 3}$$

il faudra multiplier ce résultat par 5 et le diviser par 4. Donc le nombre de triplets fournis par 8 éléments est :

$$\frac{8 \times 7 \times 6 \times 5}{1 \times 2 \times 3 \times 4}.$$

Vous avez deviné la règle; le nombre de septuplets fournis par 10 éléments sera par exemple :

$$\frac{10 \times 9 \times 8 \times 7 \times 6 \times 5 \times 4}{1 \times 2 \times 3 \times 4 \times 5 \times 6 \times 7}.$$

Voilà un beau résultat, bien régulier : dans le cas des septuplets, on a 7 facteurs de chaque côté de la barre de fraction, mais les facteurs du dénominateur sont en ordre croissant à partir de 1, tandis que ceux du numérateur sont en ordre décroissant à partir de 10 (si le nombre des éléments disponibles est de 10).

Par exemple, 5 éléments nous fournissent 5 combinaisons de 1 élément, ce qui est bien naturel; ou encore, les triplets fournis par 3 éléments sont au nombre de

$$\frac{3 \times 2 \times 1}{1 \times 2 \times 3} = \frac{6}{6} = 1$$

ce qui est également naturel : il n'y a qu'une façon de choisir 3 billes parmi 3 billes. De même, quel que soit le nombre de billes que contient un sac, il n'existe qu'une seule façon d'en retirer sa main vide : on conviendra donc de mettre 1 chaque fois que le nombre d'éléments d'une combinaison est 0, quel que soit par ailleurs le nombre des éléments présents.

Donc, le nombre des combinaisons sera :

	0	unités	couples	triplets	quadruplets
obtenue à partir de 1 élément	1	$\frac{1}{1} = 1$	—	—	—
obtenue à partir de 2 éléments	1	$\frac{2}{1} = 2$	$\frac{2 \times 1}{1 \times 2} = 1$	—	—
obtenue à partir de 3 éléments	1	$\frac{3}{1} = 3$	$\frac{3 \times 2}{1 \times 2} = 3$	$\frac{3 \times 2 \times 1}{1 \times 2 \times 2} = 1$	—
obtenue à partir de 4 éléments	1	$\frac{4}{1} = 4$	$\frac{4 \times 3}{1 \times 2} = 6$	$\frac{4 \times 3 \times 2}{1 \times 2 \times 3} = 4$	$\frac{4 \times 3 \times 2 \times 1}{1 \times 2 \times 3 \times 4} = 1$

et ainsi de suite.

Sachant qu'il existe une seule façon de retirer sa main vide d'un sac également vide, c'est-à-dire que le nombre des combinaisons de 0 élément choisies parmi 0 élément est égal à 1, et ajoutant ce dernier résultat aux précédents, nous pouvons grouper ceux-ci de la façon suivante :

On appelle cette figure le *triangle de Pascal*. Elle possède de nombreuses propriétés intéressantes. D'abord, elle est symétrique : sa moitié gauche est comme le reflet de sa moitié droite.

C'est que, étant donné par exemple 3 billes, il existe autant de façons d'en retirer 1 que d'en laisser 2 dans le sac; de même, chaque fois que nous constituons des couples à partir de 5 éléments, les 3 éléments restants, non utilisés, formeront des triplets; autrement dit, le nombre des couples choisis parmi 5 éléments sera égal à celui des triplets. Et ce sont précisément ces nombres-là que nous retrouvons disposés symétriquement des deux côtés du triangle de Pascal.

Une autre propriété du triangle fournit une règle simple de construction : ce n'est pas par hasard que j'ai placé le 2 de la troisième ligne entre les deux 1 de la seconde; on a, en effet, $1 + 1 = 2$; de même, 3 est placé entre le 1 et le 2 de la ligne précédente et $1 + 2 = 3$; et ainsi de suite : $1 + 4 = 5, 4 + 6 = 10$... La dernière ligne qui figure dans notre triangle sera suivie d'une ligne ainsi composée :

$$1 \quad 5 \quad 10 \quad 10 \quad 5 \quad 1$$

et la suivante sera :

$$1 \quad 6 \quad 15 \quad 20 \quad 15 \quad 6 \quad 1$$

etc. La démonstration de cette régularité est assez simple; contentons-nous ici d'une vérification : le premier 15 indique, vu sa place, le nombre des couples fournis par 6 éléments. Selon la formule que nous connaissons déjà, ce nombre est :

$$\frac{6 \times 5}{1 \times 2} = \frac{30}{2}$$

c'est-à-dire 15.

Il s'ensuit que la somme des nombres figurant dans une même ligne est le double de celle des nombres figurant dans la ligne précédente. Pour passer à la ligne suivante, à partir de notre dernière ligne, nous procédons ainsi :

$$1 \quad 1 + 6 \quad 6 + 15 \quad 15 + 20 \quad 20 + 15 \quad 15 + 6 \quad 6 + 1 \quad 1$$

et on voit bien que, dans cette ligne, les termes constituant la ligne précédente :

$$1 \quad 6 \quad 15 \quad 20 \quad 15 \quad 6 \quad 1$$

figurent chacun deux fois. De là une nouvelle propriété du triangle de Pascal : en additionnant les termes qui composent chaque ligne, nous obtenons les puissances successives de 2.

En effet, en ne tenant pas compte, provisoirement, du 1 qui
forme le sommet du triangle, on a :

$$1 + 1 = 2 = 2^1, \quad 1 + 2 + 1 = 4 = 2^2$$

et ainsi de suite; nous n'avons même pas besoin d'examiner
les autres lignes, car cette propriété se transmet, comme un
héritage, de ligne en ligne; la somme des termes composant
une ligne est le double de la somme des termes composant la
ligne précédente; or, en multipliant par 2 une puissance de 2,
nous ajoutons un facteur nouveau à une multiplication dont
tous les facteurs sont $2 \times 2 \times 2 \times ... \times 2$, c'est-à-dire que
nous élevons 2 à la puissance immédiatement supérieure.

Cette démonstration, qui repose entièrement sur la structure
de la suite des nombres naturels, s'appelle un *raisonnement par
récurrence*. La suite des nombres naturels commence par 1 et
progresse grâce à l'addition de 1 à chaque nombre. Le raisonnement par récurrence consiste à formuler la règle suivante :
si une propriété de la suite des nombres naturels est vraie au
début de la suite, et si elle se transmet à chaque terme de cette
suite à partir du précédent, alors elle est vraie de *n'importe quel*
nombre naturel. Cette règle nous permet d'étendre une propriété
à tous les nombres, alors que notre raison finie est incapable
de concevoir l'infinité des nombres. La leçon la plus importante
à tirer de cette démonstration, c'est qu'en mathématiques le
fini permet de concevoir l'infini.

Les premières lignes du triangle de Pascal sont sans doute
familières aux amateurs de multiplications. Soit les puissances
successives de 11 :

$$11^1 \qquad\qquad\qquad = \qquad\quad 1 \quad 1$$

$$11^2 = 11 \times 11$$
$$\underline{11}$$
$$121 \qquad\qquad\qquad = \qquad 1 \quad 2 \quad 1$$

$$11^3 = 121 \times 11$$
$$\underline{121}$$
$$1331 \qquad\qquad\qquad = \quad 1 \quad 3 \quad 3 \quad 1$$

$$11^4 = 1331 \times 11$$
$$\underline{1331}$$
$$14641 \qquad\qquad\qquad = 1 \quad 4 \quad 6 \quad 4 \quad 1$$

Les chiffres qui composent les résultats de ces opérations sont ceux du triangle de Pascal. On comprend pourquoi en regardant les multiplications de plus près : l'opération qui consiste à additionner les produits partiels de ces multiplications est celle-là même qui permet d'engendrer une ligne du triangle de Pascal à partir de la ligne précédente. Avec 11^5, ce parallélisme cesse car, en additionnant les produits partiels, on est obligé d'opérer avec des retenues :

$$11^5 = 14641 \times 11$$
$$\underline{14641}$$
$$161051$$

alors que la ligne correspondante du triangle de Pascal est

$$1 \quad 5 \quad 10 \quad 10 \quad 5 \quad 1.$$

Or on a :

$$11 = 10 + 1$$
$$121 = 100 + 20 + 1 = \mathbf{1} \times 10^2 + \mathbf{2} \times 10 + \mathbf{1}$$
$$1331 = 1000 + 300 + 30 + 1 = \mathbf{1} \times 10^3 + \mathbf{3} \times 10^2 + \mathbf{3} \times 10 + \mathbf{1}$$

si nous calculons les puissances de $(10 + 1)$, et ainsi de suite. Autrement dit, les nombres qui composent le triangle de Pascal ne sont autres que les multiplicateurs des puissances décroissantes de 10, dans le développement des puissances de $(10 + 1)$. Le deuxième terme de $(10 + 1)$ étant 1 et toutes les puissances de 1 étant également 1 ($1 \times 1 = 1$), on ne voit pas dans cet exemple que les puissances de ce deuxième terme entrent également en ligne de compte dans le calcul; mais on peut « visualiser » leur rôle de la façon suivante :

$$11^3 = 1331 = 1000 + 300 + 30 + 1 =$$
$$\mathbf{1} \times 10^3 + \mathbf{3} \times 10^2 \times 1 + \mathbf{3} \times 10 \times 1^2 + \mathbf{1} \times 1^3$$

de sorte que les exposants du premier terme soient en ordre décroissant, et ceux du deuxième terme en ordre croissant. Cette disposition nous permet de formuler une règle générale concernant les puissances de sommes de deux termes; par exemple :

$$7^3 = (5 + 2)^3 = \mathbf{1} \times 5^3 + \mathbf{3} \times 5^2 \times 2 + \mathbf{3} \times 5 \times 2^2 + \mathbf{1} \times 2^3.$$

Après ce qui a déjà été dit, la démonstration de cette régularité ne nous donnerait pas beaucoup de peine; mais, une fois de plus, contentons-nous d'une vérification :

$$
\begin{array}{llll}
1 \times 5^3 & = 5 \times 5 \times 5 & = 25 \times 5 & = 125 \\
3 \times 5^2 \times 2 & = 3 \times 5 \times 5 \times 2 = & 15 \times 10 & = 150 \\
3 \times 5 \times 2^2 & = 3 \times 5 \times 2 \times 2 = & 3 \times 10 \times 2 = & 60 \\
\text{et} \quad 1 \times 2^3 & = 2 \times 2 \times 2 & = 4 \times 2 & = 8
\end{array}
$$

$$\text{total} = \overline{343}$$

$$7^3 = 7 \times 7 \times 7 = 49 \times 7 = 343.$$

C'est là de nouveau une découverte qui s'avère parfois fort commode : plutôt que d'effectuer certaines exponentiations compliquées, il est souvent plus pratique de décomposer la base en deux éléments dont les puissances sont faciles à calculer. Par exemple, la multiplication par 7 est souvent délicate; en revanche, si l'on calcule $(5 + 2)^3$, tous les facteurs sont des 5 et des 2, ce qui donne des multiplications faciles à faire, surtout si on les dispose de sorte à obtenir des 10 comme résultats, les multiplications par 10 étant vraiment un jeu d'enfant.

On appelle les nombres décomposés en somme de deux termes des *binômes;* les termes du triangle de Pascal sont appelés pour cette raison les *coefficients du binôme.*

C'est de la puissance 2 (élévation au carré) que l'on a le plus souvent besoin. La deuxième ligne du triangle de Pascal est

$$1 \quad 2 \quad 1.$$

Pour calculer par exemple $(5 + 3)^2$, il faudra multiplier successivement par chacun de ces nombres les puissances de 5, disposées selon les exposants décroissants, et les puissances de 3 disposées selon les exposants croissants; c'est-à-dire :

$$(5 + 3)^2 = \mathbf{1} \times 5^2 + \mathbf{2} \times 5 \times 3 + \mathbf{1} \times 3^2$$

ou, en supprimant les facteurs 1 inutiles :

$$(5 + 3)^2 = 5^2 + 2 \times 5 \times 3 + 3^2.$$

Nous arrivons ainsi à la règle suivante (qui rappellera peut-être au lecteur de mauvais souvenirs) : pour élever au carré la somme de deux nombres, il faut additionner le carré du premier nombre, le produit des deux nombres multiplié par 2, et le carré du deuxième nombre.

Un raisonnement géométrique nous fera saisir plus facilement le sens de cette règle. Nous savons que la surface d'un rectangle est égale au produit de ses deux côtés. Inversement, tout produit de deux nombres peut être représenté par la surface d'un rectangle dont les côtés représenteront les facteurs de la multiplication. Par exemple, la multiplication 3×5 correspondra au rectangle suivant :

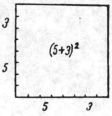

et $5^2 = 5 \times 5$ à celui-ci :

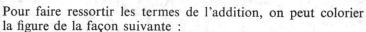

qui est, en fait, un carré : c'est pour cette raison que l'on appelle la puissance 2 un « carré ».

La formule $(5 + 3)^2$ sera représentée de la façon suivante :

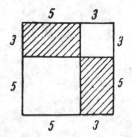

Pour faire ressortir les termes de l'addition, on peut colorier la figure de la façon suivante :

La surface du grand carré en blanc est de 5^2, celle du petit carré en blanc de 3^2, et les deux rectangles hachurés ont une surface de 5×3; autrement dit :

$$(5 + 3)^2 = 5^2 + 2 \times 5 \times 3 + 3^2.$$

Cette figure est aussi claire que celles que l'on trouve dans les manuels hindous. On sait que les Indiens n'aiment pas parler pour ne rien dire. Ayant formulé la règle de l'élévation au carré d'un binôme (nombre résultant de l'addition de deux termes), ils ajoutent : « Voir la figure ci-dessous » :

$a \times b$	b^2
a^2	$a \times b$

Quand on a des yeux pour voir, on voit.

7. Des couleurs
dans la grise suite numérique

Les Indiens ont toujours été d'excellents mathématiciens, doués en ce domaine de talents peu communs. Un savant indien, à qui un ami européen demandait plaisamment si 1729, le numéro d'immatriculation de la voiture qu'ils venaient de quitter tous deux, n'était pas un nombre de mauvais augure, lui répondit de la façon la plus naturelle du monde : « Oh non! Au contraire, c'est un nombre très intéressant, car c'est le plus petit qui puisse être écrit à la fois comme la somme des cubes de deux nombres et comme la somme des cubes de deux autres nombres : $10^3 + 9^3$ et $12^3 + 1^3$ donnent également 1729. »

Ainsi, les nombres à quatre chiffres sont suffisamment familiers aux Indiens pour qu'ils connaissent les propriétés de chacun, tout comme nous connaissons celles des petits nombres. Pour les élèves du cours préparatoire, 2 n'est pas un chiffre quelconque perdu dans la grisaille de la suite des nombres, mais bien un individu dont on connaît tous les attributs, tous les traits distinctifs : c'est le premier nombre pair; c'est le résultat de l'addition $1 + 1$; c'est la moitié de 4, etc. Cependant, que l'on sache « individualiser » les nombres jusqu'à 10 ou aller beaucoup plus loin comme le font les Indiens, on ne pourra jamais privilégier ainsi qu'une minuscule partie de la suite infinie des nombres, dont tout le reste se perdra irrémédiablement dans la masse...

Certes, nous savons qu'il existe des nombres pairs et qu'un nombre sur deux l'est :

$$1, \underline{2}, 3, \underline{4}, 5, \underline{6}, 7, \underline{8}, 8, \underline{10}, 11, \underline{12} \ldots$$

de même, un nombre sur trois est divisible par 3 :

$$1, 2, \underline{3}, 4, 5, \underline{6}, 7, 8, 9, 10, 11, 12 \ldots$$

un nombre sur quatre est divisible par 4 :

$$1, 2, 3, \underline{4}, 5, 6, 7, \underline{8}, 9, 10, 11, \underline{12} \ldots$$

et ainsi de suite; mais ce sont là de simples petites vagues dans l'océan des nombres, et qui restent d'ailleurs d'une triste régularité. Aucun caprice individuel, aucun événement inattendu ne vient-il donc égayer cette monotonie?

Si fait : la distribution capricieuse, aléatoire des *nombres premiers*, dont la succession semble rebelle à toute règle.

Rappelons par des exemples ce qu'est la divisibilité :

les diviseurs de 10 sont   1, 2, 5, 10
les diviseurs de 12 sont   1, 2, 3, 4, 6, 12
et ceux de 11 sont   1, 11.

Tous les nombres sont divisibles par 1 et par eux-mêmes; il en existe qui n'ont pas d'autres diviseurs, par exemple 11. On les appelle nombres premiers.

Le comportement de 1 est, à cet égard, irrégulier. Il n'a en effet qu'un seul diviseur : 1, qui est en même temps lui-même. Aussi ne le range-t-on pas parmi les nombres premiers. Le plus petit nombre premier est donc 2; c'est en même temps le seul nombre premier parmi tous les nombres pairs, puisque tous les nombres pairs sont divisibles par 2.

L'importance des nombres premiers vient de ce qu'ils sont les éléments constitutifs de tous les autres nombres, que l'on appelle pour cette raison des nombres *composés*. Plus précisément, on peut ramener tout nombre composé à un produit de nombres premiers. Exprimé sous forme de produit, le nombre 60, par exemple, peut s'écrire ainsi :

$$60 = 6 \times 10.$$

Mais on peut continuer et décomposer 6 et 10 :

$$6 = 2 \times 3 \qquad \text{et} \qquad 10 = 2 \times 5$$

ce qui donne, en remplaçant :

$$60 = 2 \times 3 \times 2 \times 5$$

où tous les facteurs sont des nombres premiers.

On aurait pu s'y prendre d'une autre façon : nous avons vu, en effet, que 60 peut s'écrire sous forme de produits très différents. Prenons maintenant comme point de départ :

$$60 = 4 \times 15$$
$$\text{ici, } 4 = 2 \times 2 \quad \text{et} \quad 15 = 3 \times 5$$
$$\text{donc} \quad 60 = 2 \times 2 \times 3 \times 5.$$

Et si nous choisissons comme point de départ :

$$60 = 2 \times 30$$

nous avons

$$30 = 5 \times 6$$

et de nouveau

$$6 = 2 \times 3, \quad \text{donc} \quad 30 = 5 \times 2 \times 3$$

ou encore

$$30 = 2 \times 15, \text{ et } 15 = 3 \times 5, \text{ donc } 30 = 2 \times 3 \times 5$$

ou

$$30 = 3 \times 10, \text{ et } 10 = 2 \times 5, \text{ donc } 30 = 3 \times 2 \times 5.$$

Donc, quelle que soit la façon de procéder, 30 finit par se décomposer en produit de trois nombres premiers : 2, 3 et 5. Si nous substituons ce produit à 30, nous aurons :

$$60 = 2 \times 2 \times 3 \times 5.$$

60 apparaît donc toujours comme le produit des mêmes nombres premiers, dans l'ordre que l'on veut. Si on les range « dans l'ordre » et si l'on écrit sous forme d'une puissance le produit des facteurs égaux, on aboutit à l'égalité :

$$60 = 2^2 \times 3 \times 5.$$

Il est tout aussi facile de décomposer en « facteurs premiers » n'importe quel nombre composé, et l'on peut démontrer que toutes les décompositions aboutissent à un seul et même résultat. Si nous ne savons pas comment nous y prendre, rappelons-nous que le plus petit diviseur de tout nombre (après 1) est sûrement un nombre premier : si c'était un nombre composé, il aurait un diviseur plus petit que lui et ce diviseur, par définition, serait également un diviseur de notre nombre. Par conséquent, en cherchant le plus petit diviseur, nous arriverons de proche en proche aux facteurs premiers de n'importe quel nombre. Soit, par exemple :

$$\begin{aligned} 90 &= 2 \times 45 \\ &= 2 \times 3 \times 15 \\ &= 2 \times 3 \times 3 \times 5. \end{aligned}$$

Une telle décomposition éclaire bien la structure du nombre considéré. On voit, par exemple, que les diviseurs de 90 sont (en dehors de 1) :

- soit à un seul facteur :

$$2, 3, 5;$$

- soit à deux facteurs :

$$2 \times 3 = \mathbf{6} \quad 2 \times 5 = \mathbf{10} \quad 3 \times 3 = \mathbf{9} \quad 3 \times 5 = \mathbf{15}$$

- soit à trois facteurs :

$$2 \times 3 \times 3 = \mathbf{18} \quad 2 \times 3 \times 5 = \mathbf{30} \quad 3 \times 3 \times 5 = \mathbf{45}$$

- soit à quatre facteurs :

$$2 \times 3 \times 3 \times 5 = \mathbf{90}.$$

Il vaut donc la peine de faire plus ample connaissance avec ces « matériaux de construction » des nombres. Essayons de dresser le début de la liste des nombres premiers. Elle commence par 2, et l'on peut « sauter » les nombres pairs puisqu'ils sont tous divisibles par 2 ; 3, 5 et 7, impairs, sont des nombres premiers ; on aurait envie d'y ajouter 9, mais non ! 9 est divisible par 3. On pourrait penser que, passé ce cap, les nombres premiers deviennent plus rares, mais non ! 11 et 13 sont des nombres premiers. Pour une fois, je demande au lecteur un petit effort : qu'il essaie de trouver tous les nombres premiers au moins jusqu'à 50. A titre de contrôle, je reproduis cette liste ci-dessous, mais, pour bien sentir son irrégularité, il faut avoir essayé soi-même de la dresser, par tâtonnements.

Les nombres premiers inférieurs à 50 sont :

$$2, 3, 5, 7, 11, 13, 17, 19, 23, 29, 31, 37, 41, 43, 47.$$

Les Grecs de l'Antiquité avaient imaginé un système ingénieux permettant de produire la suite infinie des nombres premiers de façon pour ainsi dire mécanique, et sans risque d'erreur : il s'agit du « crible d'Érastosthène ». Prenons les nombres de 2 à 50 ; le premier terme de la séquence est à coup sûr un nombre premier : tout diviseur autre que 1 et lui-même devrait être plus petit que lui ; or, par définition, aucun nombre ne le précède. Ce premier nombre est 2 ; ensuite, un nombre sur deux est un multiple de 2, donc un nombre composé ; on peut, par conséquent, barrer un nombre sur deux comme n'étant pas premier :

~~2,~~ 3, ~~4~~, 5, ~~6~~, 7, ~~8~~, 9, ~~10~~, 11, ~~12~~,

13, ~~14~~, 15, ~~16~~, 17, ~~18~~, 19, ~~20~~, 21, ~~22~~, 23,

~~24~~, 25, ~~26~~, 27, ~~28~~, 29, ~~30~~, 31, ~~32~~, 33, ~~34~~,

35, ~~36~~, 37, ~~38~~, 39, ~~40~~, 41, ~~42~~, 43, ~~44~~, 45,

~~46~~, 47, ~~48~~, 49, ~~50~~

Le premier nombre non barré après 2 ne peut être que premier : s'il était le multiple d'un autre nombre, il faudrait que celui-ci le précède; or nous avons rayé tous les multiples de 2. Il s'agit du nombre 3; à partir de 3, un nombre sur trois est multiple de 3; nous pouvons donc les barrer également (certains chiffres seront ainsi doublement barrés; il n'y a pas de raison de s'en préoccuper) :

~~2,~~ ~~3,~~ ~~4~~, 5, ~~6~~, 7, ~~8~~, ~~9~~, ~~10~~, 11, ~~12~~,

13, ~~14~~, ~~15~~, ~~16~~, 17, ~~18~~, 19, ~~20~~, ~~21~~, ~~22~~, 23,

~~24~~, 25, ~~26~~, ~~27~~, ~~28~~, 29, ~~30~~, 31, ~~32~~, ~~33~~, ~~34~~,

35, ~~36~~, 37, ~~38~~, ~~39~~, ~~40~~, 41, ~~42~~, 43, ~~44~~, ~~45~~,

~~46~~, 47, ~~48~~, 49, ~~50~~

Poursuivant notre raisonnement, nous allons garder 5 et rayer, naturellement, ses multiples, c'est-à-dire un nombre sur cinq à partir de 5. On procédera de même en ce qui concerne 7 et ses multiples :

~~2,~~ ~~3,~~ ~~4~~, ~~5,~~ ~~6~~, ~~7,~~ ~~8~~, ~~9~~, ~~10~~, 11, ~~12~~,

13, ~~14~~, ~~15~~, ~~16~~, 17, ~~18~~, 19, ~~20~~, ~~21~~, ~~22~~, 23,

~~24~~, ~~25~~, ~~26~~, ~~27~~, ~~28~~, 29, ~~30~~, 31, ~~32~~, ~~33~~, ~~34~~,

~~35~~, ~~36~~, 37, ~~38~~, ~~39~~, ~~40~~, 11, ~~42~~, 13, ~~14~~, ~~45~~,

~~46~~, 47, ~~48~~, 49, ~~50~~

Inutile d'aller plus loin! Le premier nombre non barré est 11, dont tous les multiples obtenus au moyen d'un multiplicateur supérieur à 7 dépassent 50; quant aux multiples obtenus au moyen d'un multiplicateur inférieur à 7, ils figurent évidemment parmi les nombres rayés.

Les nombres qui restent sont alors :

$$2, 3, 5, 7, 11, 13, 17, 19, 23, 29, 31, 37, 41, 43, 47,$$

soit, en effet, ceux que nous avons indiqués plus haut.

On pourrait construire une machine qui, obéissant à des instructions semblables à celles que nous venons de définir, nous fournirait tous les nombres premiers jusqu'à une certaine limite. Mais, au-delà de celle-ci, leur apparition resterait parfaitement aléatoire.

En allant suffisamment loin dans la suite numérique, on verra, par exemple, que rien ne permet de prévoir l'écart qui sépare deux nombres premiers consécutifs. Les résultats des opérations suivantes sont six nombres successifs dont aucun n'est premier :

$$2 \times 3 \times 4 \times 5 \times 6 \times 7 + 2 \qquad 2 \times 3 \times 4 \times 5 \times 6 \times 7 + 3$$
$$2 \times 3 \times 4 \times 5 \times 6 \times 7 + 4 \qquad 2 \times 3 \times 4 \times 5 \times 6 \times 7 + 5$$
$$2 \times 3 \times 4 \times 5 \times 6 \times 7 + 6 \qquad 2 \times 3 \times 4 \times 5 \times 6 \times 7 + 7$$

Ils sont bien successifs, puisque chacun d'eux est supérieur d'une unité au précédent; et ce ne sont pas des nombres premiers, car chacun est divisible par un des facteurs du produit $2 \times 3 \times 4 \times 5 \times 6 \times 7$: le premier est une somme dont chaque terme est divisible par 2, le second, pour la même raison, est divisible par 3, le troisième par 4, le quatrième par 5, le cinquième par 6, et le sixième par 7. Si nous effectuons le calcul, nous voyons que :

$$2 \times 3 \times 4 \times 5 \times 6 \times 7 = 5\ 040$$

il s'agit donc des six chiffres suivants :

$$5\ 042,\ 5\ 043,\ 5\ 044,\ 5\ 045,\ 5\ 046,\ 5\ 047.$$

Ce sont des nombres déjà assez grands : il a fallu aller relativement loin dans la série numérique pour trouver une « brèche » de six nombres successifs entre deux nombres premiers (rien cependant n'exclut, bien entendu, qu'il existe une autre brèche semblable avant celle-ci). Si nous n'avons pas peur de nous aventurer plus loin, nous pourrons trouver de même une brèche de, par exemple, cent nombres successifs, en ajoutant successivement 2, 3, ..., 101 au produit de tous les nombres compris entre 2 et 101 :

$$2 \times 3 \times 4 \times 5 \ldots \times 101.$$

Cette méthode permet en fait de trouver des brèches aussi grandes que l'on voudra.

Néanmoins, aussi loin que l'on soit allé jusqu'ici dans la suite numérique, et aussi grandes qu'aient été les brèches entre nombres premiers consécutifs, on a toujours trouvé au-delà de ces brèches des couples de nombres impairs consécutifs premiers, tels que 11 et 13, 29 et 31. Les mathématiciens supposent que ces nombres premiers « jumeaux » existent tout au long de la suite numérique infinie mais, jusqu'à présent, cette hypothèse n'a pu être démontrée.

D'une façon plus générale : existe-t-il des nombres premiers aussi loin que l'on aille dans la suite numérique? Cette fois, la réponse est connue : il y a plus de deux mille ans, Euclide a démontré de façon fort élégante qu'il existait une infinité de nombres premiers. En effet, il est possible de démontrer l'existence d'un nombre premier supérieur à tout nombre premier donné.

Un seul exemple suffira. On se souvient qu'un nombre sur deux est divisible par 2, un nombre sur trois par 3, et ainsi de suite. Il s'ensuit que le nombre qui suit immédiatement un multiple de 2 ne peut être divisible par 2, que le nombre qui suit immédiatement un multiple de 3 ne peut être divisible par 3, et ainsi de suite. Fort de cette vérité, si quelqu'un me dit que les seuls nombres premiers sont

$$2, 3, 5, 7$$

je peux aussitôt le contredire en lui montrant que le nombre suivant :

$$2 \times 3 \times 5 \times 7 + 1$$

comporte d'autres facteurs premiers. En effet, $2 \times 3 \times 5 \times 7$ étant divisible par 2, par 3, par 5, et par 7, le nombre qui le suit immédiatement dans la série, à savoir $2 \times 3 \times 5 \times 7 + 1$, ne sera divisible par aucun de ces nombres. Mais il faut bien qu'il soit divisible par quelque nombre premier (qui peut d'ailleurs être lui-même s'il est premier). Quoi qu'il en soit, mon interlocuteur s'est trompé, et il existe nécessairement au moins un nombre premier supérieur à 7. On peut faire le même raisonnement pour tout nombre premier donné.

Faisons le calcul : $2 \times 3 \times 5 \times 7 + 1 = 211$. Quelques essais suffiront à nous convaincre que ce nombre n'est divisible que par 1 et par lui-même : il se trouve que c'est un nombre premier, qu'il est lui-même le nombre premier supérieur à 7 dont je viens de démontrer l'existence. Bien entendu, ce n'est pas le nombre premier immédiatement consécutif à 7; on ne pouvait guère s'attendre à voir les nombres premiers successifs s'engendrer avec une telle régularité.

La méthode que nous avons appliquée permet d'être certain de trouver un nombre premier supérieur à 7 et inférieur ou égal à $2 \times 3 \times 5 \times 7 + 1$. De même, on trouve à coup sûr un nombre premier supérieur à 11 si l'on va jusqu'à $2 \times 3 \times 5 \times 7 \times 11 + 1$; et ainsi de suite. Mais ce sont là des nombres assez considérables : ne pourrait-on pas les réduire?

Beaucoup de chercheurs se sont préoccupés de cette question; pour ne citer qu'un de leurs résultats, le mathématicien russe Tchebitcheff a démontré qu'il existait toujours un nombre premier compris entre un nombre quelconque, égal ou supérieur à 2, et son double. Ainsi :

> entre 2 et   4, nous avons 3
> entre 3 et   6, nous avons 5
> entre 4 et   8, nous avons 5 et 7
> entre 5 et 10, nous avons 7

et, malgré l'absence de toute régularité parmi les nombres premiers ainsi trouvés, l'affirmation de Tchebitcheff reste vraie tout au long de la suite numérique.

L'ordre dans lequel se présentent les nombres premiers n'est donc pas tout à fait aléatoire. On peut dire qu'ils obéissent à une « quasi-loi », comme on dit que le cercle est formé de quasi-triangles. En comptant jusqu'à 2, nous trouvons un nombre premier : 2; en comptant jusqu'à 3, nous en trouvons deux : 2 et 3; en comptant jusqu'à 4, toujours deux — les mêmes; en comptant jusqu'à 5, nous en dénombrons trois, car il faut ajouter 5 aux précédents; en comptant jusqu'à 6, nous avons les trois mêmes nombres premiers; en comptant jusqu'à 7, nous en dénombrons quatre : 2, 3, 5 et 7; en comptant jusqu'à 8, 9 et 10, la situation reste inchangée. On peut dresser le tableau suivant :

jusqu'à 2	3	4	5	6	7	8	9	10
1	2	2	3	3	4	4	4	4

Le nombre de nombres premiers croît chaque fois qu'apparaît un nombre premier nouveau; cette apparition, on l'a vu, est irrégulière. On connaît pourtant une suite dont les termes de plus en plus éloignés rappellent la succession des termes de celle-ci [1], de telle sorte que les nombres de ces deux suites peuvent être considérés comme « presque égaux » à mesure que l'on avance dans la suite numérique — exactement comme les secteurs circulaires difficilement maniables ci-dessous

se rapprochent de plus en plus de triangles : si on continue assez longtemps le partage du cercle, on obtient des secteurs circulaires « presque identiques » aux triangles ci-dessous :

On n'a pas trouvé de règle précise concernant l'apparition des nombres premiers, mais ce comportement quasi régulier possède une signification précise; j'y reviendrai, conformément à ma promesse.

Il ne peut être question d'exposer ici, fût-ce sommairement, la démonstration de cette « loi » des nombres premiers; des

1. A l'intention de ceux qui gardent encore quelque souvenir de ce qu'est un logarithme, je précise que la suite en question est :

$$\frac{2}{\log 2}, \quad \frac{3}{\log 3}, \quad \frac{4}{\log 4}, \quad \frac{5}{\log 5}, \quad \dots$$

Encore que ce logarithme-là ne dise vraisemblablement rien à nos lecteurs : c'est le logarithme naturel, sur lequel nous reviendrons.

générations d'excellents mathématiciens se sont consacrées à l'élaborer et à la perfectionner, et les recherches se poursuivent pour déterminer avec la plus grande précision possible l'importance de l'erreur que l'on commettrait en remplaçant les termes de notre suite irrégulière par ceux d'une suite formée selon la règle précédente. Les motifs de ces recherches ne sont pas utilitaires, ce sont surtout la difficulté et la beauté de la tâche qui stimulent l'ambition des chercheurs. Il s'agit là d'une beauté d'un autre genre que celle de la régularité des résultats de combinatoire : c'est plutôt une esthétique de l'aléatoire qui semble séduire ici les mathématiciens, celle qui consiste à assujettir à des règles des phénomènes essentiellement irréguliers.

Distribués de façon aléatoire quand on les considère sur des segments relativement modestes de la suite numérique, les nombres premiers sont soumis, dans leur ensemble infini, à un certain ordre. On pense à l'auteur qui, dissertant sur la nature du libre arbitre, invoquait l'exemple des essaims d'abeilles : vues de près, elles semblent suivre des chemins tout à fait divergents, mais l'essaim dans son ensemble se dirige vers un seul et même but.

8. « Je pense à un nombre »

Mais revenons un instant aux mathématiques « utilitaires ». Nous savons calculer le volume du cube. Cependant, on a souvent besoin de connaître le volume de solides aux formes irrégulières; or, nous ne disposons pas d'outils permettant de le mesurer directement. Il faut donc emprunter une voie détournée. Supposons que le solide en question soit fait en chêne; nous allons le peser. Nous taillons ensuite dans du chêne un cube de 1 centimètre cube et nous le pesons à son tour; le quotient du premier et du deuxième nombre donnera le volume du solide en centimètres cubes.

Il arrive souvent, en mathématiques, que l'on ignore la valeur d'une quantité, mais que l'on connaisse certaines relations dans lesquelles elle entre. Ces relations permettent alors de la calculer. Ce procédé — d'une importance capitale pour les applications mathématiques — rappelle la devinette bien connue :

« Je pense à un nombre, j'y ajoute tant, je multiplie le résultat par 3, etc.; après toutes ces opérations, j'obtiens 36 : devinez à quel nombre j'ai pensé! »

Voyons un peu : je pense à un nombre, j'y ajoute 5, j'obtiens 7; quel est ce nombre? 2, évidemment!

Corsons un peu le problème : je pense à un nombre, je le multiplie par 5, je le divise par 2, j'y ajoute 3, j'obtiens 18 : quel est ce nombre? En général, ce genre de devinettes est posé oralement : le partenaire a donc intérêt, pour ne pas les oublier, à noter les opérations successives. Ne connaissant pas le nombre en question, il va le désigner par x. x, c'est l'*inconnue*, c'est le lointain, l'exotique; le poète d'ailleurs recourt volontiers à la répétition de ce son (Styx, onyx, ptyx, dans un sonnet de Mallarmé) pour évoquer l'inconnu.

Voici donc le procédé de mon partenaire : il commence par appeler x le nombre auquel j'ai pensé; x multiplié par 5 sera désigné par $5x$; on divise par 2 : $\dfrac{5x}{2}$; on ajoute 3 : $\dfrac{5x}{2} + 3$;

et, à la suite de toutes ces opérations, j'obtiens 18, soit :

$$\frac{5x}{2} + 3 = 18.$$

Le nombre auquel j'ai pensé figure donc dans cette *équation*; c'est à partir de celle-ci qu'il faudra le deviner.

Quand on a la « bosse des chiffres », on devine le nombre en question rien qu'en jetant un regard sur l'équation. Sinon, revenons d'un pas en arrière : le nombre qui est devenu 18 après l'addition de 3 était de toute évidence 15 :

$$\frac{5x}{2} = 15.$$

Il est déjà plus facile de deviner la valeur de x. Si on ne voit toujours pas, on peut s'accorder une facilité supplémentaire; le nombre qui, divisé par 2, donne 15 était de toute évidence 30 :

$$5x = 30.$$

Et tout le monde voit que le nombre ayant 30 pour quintuple est 6.

On peut toujours réduire une équation grâce à ces manipulations successives; en passant de

$$\frac{5x}{2} + 3 = 18 \quad \text{à} \quad \frac{5x}{2} = 15,$$

nous avons supprimé le 3 de l'addition à gauche du signe d'égalité, et nous avons retranché 3 du nombre qui figure à droite de ce signe. C'est ce qu'on exprime en disant qu'il est possible de « changer de côté » un terme d'une addition, à condition de le transformer en terme à retrancher. Lorsque nous passons ensuite de

$$\frac{5x}{2} = 15 \quad \text{à} \quad 5x = 30,$$

nous supprimons le diviseur 2 à gauche; il devient multiplicateur à droite. C'est ce qu'on exprime en disant qu'il est possible de « changer de côté » un diviseur, à condition de le transformer en multiplicateur. D'une façon générale, ce genre de transferts s'accompagne de l'inversion de l'opération à effectuer.

Développée dans un texte, l'équation, aussi compliquée qu'elle paraisse, n'est souvent qu'une telle devinette à propos d'un chiffre. Soit le problème suivant :

« Un père a 48 ans, son fils en a 23; dans combien d'années l'âge du père sera-t-il le double de celui du fils? »

Certains le devineront immédiatement, sans recourir à une équation. Ceux qui ont l'esprit moins rapide peuvent tenir le raisonnement suivant : mon compagnon connaît déjà le nombre à deviner, pour moi, c'est encore une inconnue, un x. Dans x années, le père sera deux fois plus âgé que son fils. Pour vérifier son résultat, mon compagnon a dû calculer l'âge qu'aura le père et celui qu'aura le fils dans x années. Or, dans x années, le père aura $48 + x$ ans, et le fils aura $23 + x$ ans. Pour trouver le résultat, il a donc fallu ajouter le même nombre d'une part à 48, d'autre part à 23, et écrire que le résultat de la première addition est le double de celui de la seconde :

$$48 + x = 2 \times (23 + x).$$

Il s'agit de trouver x à partir de ces données. La multiplication par 2, à droite du signe d'égalité, sera effectuée en multipliant les deux termes de la somme par 2, soit

$$48 + x = 46 + 2x.$$

Du x, terme d'une addition à gauche, je fais un nombre à retrancher à droite, et du 46, terme d'une addition à droite, je fais un nombre à retrancher à gauche, de façon à avoir tous les x du même côté du signe d'égalité :

$$48 - 46 = 2x - x.$$

Or $48 - 46 = 2$, et il est évident qu'en retranchant x de $2x$ on obtient x; soit :

$$2 = x.$$

Le nombre auquel on a pensé est 2; c'est dans deux ans que le père sera deux fois plus âgé que le fils. Et en effet, dans deux ans, le père aura 50 ans et le fils en aura 25.

Corsons encore le problème :

« Je viens de penser à deux nombres dont la somme est 10. Quels sont-ils? »

Si on veut noter les données du problème, on pourra désigner les deux nombres inconnus par x et par y (de même que l'on désigne souvent des personnes dont on ne connaît ni le nom ni le prénom par X..., Y...); on me dit, par conséquent, que :

$$x + y = 10.$$

Il n'est que trop facile de trouver deux nombres correspondant respectivement à ce x et à ce y : par exemple 1 et 9. Oui, mais 2 et 8, ou 4 et 6, font également l'affaire. Et d'autres nombres aussi! Le problème est donc mal posé car, avec ce qu'on nous a dit, il est impossible de connaître les deux nombres avec certitude.

« Dis-moi encore quelque chose à propos de ces deux nombres », me demandera-t-on avec raison.

Je m'exécute : leur différence est 2, soit

$$y - x = 2.$$

Grâce à cette précision supplémentaire, on devine immédiatement; parmi les couples précédemment énumérés, seuls 4 et 6 satisfont à cette deuxième condition.

Pour trouver deux inconnues, nous avons besoin de deux équations, d'un système de deux équations; si un tel système ne livre pas immédiatement le résultat, on peut toujours recourir à des « manipulations ».

On aurait pu opérer de la façon suivante : en transférant de gauche à droite la quantité à soustraire, nous isolons y :

$$y = x + 2,$$

ce qui, traduit en langage ordinaire, signifie que le deuxième nombre auquel on a pensé dépasse le premier de deux unités. On peut alors reformuler le problème en ces termes :

« J'ai pensé à un nombre; j'y ai ajouté un autre nombre, qui dépasse celui-ci de 2; et j'ai obtenu 10; à quel nombre ai-je pensé? »

Cette phrase peut être notée à l'aide des symboles suivants :

$$x + (x + 2) = 10.$$

L'équation ne comporte plus qu'une seule inconnue, et nous savons comment la résoudre. Or, x une fois connu, nous avons à peine besoin de réfléchir pour trouver y, puisque celui-ci dépasse x de deux unités!

Autre exemple :

« J'ai pensé à deux nombres, j'ai ajouté au premier le double du second et j'ai obtenu 11. En ajoutant ensuite le quadruple du second au double du premier, j'ai obtenu 22. A quels nombres ai-je pensé? »

Transcription :

$$x + 2\,y = 11,$$

$$2\,x + 4\,y = 22.$$

Avec un peu de flair, on devine immédiatement que j'ai triché. Voyons : 1 et 5 satisfont à la première condition puisque

$$1 + 2 \times 5 = 11,$$

et ces mêmes quantités satisfont aussi à la seconde condition puisque

$$2 \times 1 + 4 \times 5 = 22.$$

On pourrait donc croire que nous avons trouvé la solution. Mais, à y regarder de plus près, on voit que 3 et 4 font aussi bien l'affaire, puisque

$$3 + 2 \times 4 = 11$$

et, d'autre part :

$$2 \times 2 + 4 \times 4 = 22.$$

Manifestement, tout couple qui satisfait à la première condition satisfait aussi à la deuxième. Donc la deuxième partie du problème ne nous aide en rien dans le choix du couple. C'est bien naturel, d'ailleurs : quels que soient x et y, $2\,x$ est égal au double de x, et $4\,y$ est égal au double de $2\,y$; leur somme, $2\,x + 4\,y$, sera de toute évidence le double de $x + 2\,y$; donc, si $x + 2\,y = 11$, $2\,x + 4\,y$ ne peut valoir que 22. Autrement dit, la seconde équation ne nous apprend rien de neuf sur les nombres qu'il s'agit de deviner; elle dit la même chose que la première, mais en des termes plus compliqués.

La « tricherie » serait encore plus grave si je proposais les équations :

$$x + 2\,y = 11$$
$$2\,x + 4\,y = 23.$$

Inutile de se casser la tête à chercher : il n'existe pas de nombres substituables à x et à y. Nous avons déjà vu, en effet, que, quels que soient x et y, $2\,x + 4\,y$ est le double de $x + 2\,y$; en conséquence, si $x + 2\,y = 11$, $2\,x + 4\,y$ vaudra 22 et en aucun cas 23. Les conditions proposées sont incompatibles.

En résumé : on peut trouver deux inconnues à partir de deux équations de ce type, à condition que celles-ci ne soient ni équivalentes, ni contradictoires.

Voici encore une autre devinette :

« Je pense à un nombre, je l'élève au carré, j'ajoute au résultat le produit de mon nombre par 8; j'obtiens 9. Quel est ce nombre? »

Soit :

$$x^2 + 8\,x = 9.$$

Ici, nous n'avons qu'une seule inconnue : ce qui complique les choses, c'est que l'inconnue est à la puissance deux : c'est une *équation du second degré*.

Mais prenons, pour commencer, un exemple moins difficile :

$$x^2 = 16.$$

Chacun peut, d'un simple coup d'œil, deviner que l'inconnue est 4; en effet, le carré de 4 est égal à 16.

Il n'est guère moins simple de résoudre l'équation suivante :

$$(x + 3)^2 = 16.$$

4 étant toujours le nombre dont le carré est 16, il s'ensuit que :

$$x + 3 = 4, \text{ d'où } x = 1.$$

Nous avons déjà eu à effectuer l'opération $(x + 3)^2$; rappelons la méthode du calcul d'une somme à deux termes : il faut ajouter au carré du premier terme (dans notre exemple, à x^2), le double du produit des deux termes (dans notre exemple : $2 \times 3\,x = 6\,x$) et le carré du deuxième terme (ici $3^2 = 9$). Après développement de la parenthèse, notre équation s'écrit donc ainsi :

$$x^2 + 6\,x + 9 = 16$$

mais, si l'équation avait été posée sous cette forme, nous n'aurions jamais pu en venir à bout. Il faut donc s'habituer à reconnaître le carré d'une somme, même si « la parenthèse est développée ». Si nous avons, par exemple, une équation comme :

$$x^2 + 8\,x + 16 = 25$$

il faut remarquer que $8\,x = 2 \times 4\,x$ et que 16 est précisément le carré de 4, donc :

$$x^2 + 8\,x + 16 = x^2 + 2 \times 4\,x + 4^2 = (x + 4)^2.$$

Nous avons donc affaire, en dernière analyse, à l'équation

$$(x + 4)^2 = 25$$

équation que nous saurons résoudre, grâce au modèle précédent.

« Transférer » 16 à droite, en le transformant en un nombre à retrancher, ne change rien au problème : 25 — 16 = 9, et l'équation qui nous sert de point de départ s'écrit aussi bien :

$$x^2 + 8\,x = 9.$$

Si elle nous est donnée sous cette forme, il faut, une fois de plus, savoir reconnaître que les termes à gauche peuvent être complétés de façon à former le carré d'une addition à deux termes :

$$x^2 + 8\,x = x^2 + 2 \times 4\,x.$$

Il manque un 4^2 pour que cette quantité soit égale à $(x + 4)^2$. En ajoutant la même quantité à droite et à gauche du signe d'égalité, nous ne changeons en rien l'équation. Ajoutons donc 16 de chaque côté de notre équation :

$$x^2 + 8\,x + 16 = 9 + 16$$
$$x^2 + 8\,x + 16 = 25.$$

Maintenant que le problème est posé sous cette forme, nous savons le résoudre.

On peut toujours manipuler une équation du second degré de façon à obtenir le carré d'une somme de deux termes. Si le terme au second degré n'est pas x^2, mais, par exemple, $3\,x^2$, comme dans l'équation suivante :

$$3\,x^2 + 24\,x = 27$$

nous pouvons diviser chacun des deux membres de l'équation par 3, car, si le membre de gauche d'une équation est égale au membre de droite, leurs tiers respectifs seront également égaux. Le tiers de $3\,x^2$ est x^2, le tiers de $24\,x$ est $8\,x$, et le tiers de 27 est 9; nous avons donc :

$$x^2 + 8\,x = 9.$$

Présentée sous cette forme, l'équation est à notre portée. Si tous les nombres n'avaient pas été divisibles par 3, ou si le multiplicateur de x était un nombre impair, nous aboutirions à des fractions. En principe, cela ne pose pas de difficultés supplémentaires, mais je n'envisage pas, dans l'immédiat, de traiter ces problèmes de détail.

Bref, il est toujours possible d'obtenir des carrés parfaits et, par conséquent, de résoudre les équations du second degré. Ce mode de raisonnement est assez typique de la démarche du mathématicien; celui-ci, en effet, préfère souvent ne pas aborder les problèmes de front, mais par un biais quelconque, en les transformant, en les manipulant de façon à les ramener à du connu, à du déjà résolu. La commodité est un de ses soucis constants. La devinette suivante, bien connue des mathématiciens, est caractéristique de cette mentalité :

« Pour faire bouillir de l'eau, vous disposez d'un réchaud à gaz, d'un robinet d'eau froide, d'une boîte d'allumettes et d'une casserole; comment procéderez-vous? »

La réponse est toujours murmurée sur un ton incertain :

« Je mets de l'eau dans la casserole, je mets la casserole sur le réchaud et j'allume le gaz.

— Bien. Et si vous disposez d'une casserole remplie d'eau? »

On répond alors d'un ton plus ferme :

« Je la mets sur le réchaud et j'allume le gaz.

— C'est le physicien qui agit ainsi. Le mathématicien, lui, jettera l'eau de la casserole, et dira : "Je suis ramené au problème précédent". »

C'est cette façon de ramener l'inconnu à du connu qui est importante dans la solution de l'équation du second degré, et non la formule si bien apprise sur les bancs de l'école qu'on est capable de la réciter trente ans après le baccalauréat!

Autre difficulté : supposons qu'à gauche nous ayons obtenu un carré parfait, mais que nous ne trouvions pas de nombre dont le carré soit égal au chiffre figurant à droite, par exemple :

$$(x + 3)^2 = 2.$$

Si x représente un nombre auquel on a « réellement » pensé, de telles anomalies ne peuvent se produire. Mais le cas peut se présenter dans certaines applications. C'est l'inverse de l'élévation à une puissance : nous cherchons un nombre dont le carré soit 2. Cette opération s'appelle *extraction de racine carrée* et, en tant qu'opération « inverse », elle sera traitée dans un autre chapitre (consacré, entre autres, aux différentes solutions de l'équation du second degré; pour l'instant, nous n'en avons trouvée qu'une et nous en sommes bien contents); mais, soyez tranquille, elle est réalisable.

En s'appuyant non pas sur une formule, mais sur une forme de raisonnement bien assimilée, on parvient facilement à résoudre certaines équations de degré supérieur. Soit par exemple :

$$(x + 1)^3 = 27.$$

On a :
$$27 = 3 \times 3 \times 3 = 3^3$$
donc $x + 3$, dont le cube est 27, vaut 3 :
$$x + 1 = 3$$
$$\text{et } x = 2.$$

$(x + 1)^3$ peut être développé selon la formule du binôme dont nous avons parlé plus haut, et, inversement, cette forme développée peut s'écrire comme le cube d'une somme à deux termes. On ne peut pas toujours manipuler les équations du troisième degré de façon à obtenir un cube parfait. Il existe cependant un procédé général permettant la solution des équations du troisième et du quatrième degré; en dehors des quatre opérations fondamentales, il exige que l'on utilise l'extraction de racines carrées, de racines cubiques et de racines quatrièmes (opérations qui consistent à chercher quels sont les nombres dont le carré, le cube ou la puissance quatre sont égaux à un nombre donné).

On appelle *algèbre* la branche des mathématiques qui s'occupe des équations. Autrefois, dans les lycées, on appelait algèbre tout ce qui, en mathématiques, ne relevait pas de la géométrie. Mais les équations sont omniprésentes en mathématiques, on en rencontre dans tous les domaines, et même en géométrie. Aussi le lycéen avait-il, à juste titre, l'impression que les mathématiques étaient la science des équations, les mathématiques supérieures étant consacrées aux équations supérieures. Il fut une époque, en effet, où l'algèbre retenait tout particulièrement l'attention des mathématiciens : après avoir résolu les équations du second, du troisième et du quatrième degré, ils pensaient pouvoir élaborer des méthodes ingénieuses pour les équations du cinquième et du sixième degré et faire progresser les mathématiques dans ce sens. On imagine la consternation qui suivit la découverte d'Abel; ce mathématicien ayant défini les conditions dans lesquelles une méthode générale permettait de résoudre une équation d'un degré quelconque à l'aide des opérations de base et des extractions de racines, il s'avéra que ces conditions n'étaient remplies que dans le cas des équations du premier, du second, du troisième et du quatrième degré. Il était donc impossible de résoudre les équations du cinquième degré à l'aide de ces opérations; les algébristes étaient priés de ne pas insister.

Ici, nous abordons le chapitre le plus romantique de l'histoire des mathématiques. Un jeune Français, Évariste Galois, qui devait trouver la mort dans un duel pour les beaux yeux d'une jeune fille, écrivit la veille de sa mort une lettre à un de ses amis pour lui exposer certaines de ses idées, qui donnèrent un nouvel élan aux recherches algébriques — dont nous avons vu qu'elles étaient sérieusement compromises.

S'il n'existe pas de recette générale pour la solution d'une équation du cinquième degré, toutes les équations de ce type ne sont pas pour autant insolubles. Par exemple :

$$x^5 = 32$$

et de même :

$$(x + 1)^5 = 32$$

sont des équations du cinquième degré très faciles à résoudre puisque :

$$32 = 2 \times 2 \times 2 \times 2 \times 2 = 2^5.$$

La première équation donne :

$$x = 2$$

et la seconde :

$$x + 1 = 2$$

donc

$$x = 1.$$

D'autres équations du cinquième degré offrent également des solutions; soit par exemple celle-ci :

$$x^5 + 2 x^4 + x = 0.$$

$x = 0$ est sûrement une solution de cette équation, car, toutes les puissances et tous les multiples de 0 valant 0,

$$0^5 + 2 \times 0^4 + 0$$

est bien égal à 0. C'est là un nouveau point de départ pour les recherches algébriques : certes, il n'existe pas de solution générale, mais il est toujours intéressant de voir quelles sont les équations particulières d'un degré donné que nos opérations permettent de résoudre.

Le testament de Galois nous indique des directions de recherche. Ses méthodes se sont révélées très efficaces; grâce à elles l'algèbre, que l'on croyait au point mort, est bien repartie et actuellement elle est plus florissante que jamais. Chaque difficulté, en mathématiques, aboutit à un processus de renouveau.

Cette nouvelle pousse sur la branche de l'algèbre perpétue la mémoire de Galois : on l'appelle la « théorie de Galois ».

A ce propos, je me permets d'attirer l'attention du lecteur sur un point important : nous venons de voir, à propos de l'algèbre, que les mathématiques sont capables, dans certains domaines bien circonscrits, de démontrer par leurs propres moyens leur propre impuissance. Nous rencontrerons d'autres exemples de ce phénomène.

2. La forme créatrice

9. D'autres sortes de nombres

Dans les chapitres précédents, j'ai accumulé de nombreuses dettes à l'égard du lecteur, relatives surtout à l'inversion des opérations. Le moment est venu de nous attaquer aux opérations inverses.

Parmi celles-ci, la soustraction semble dépourvue de toute malignité. En quoi consiste-t-elle? On peut présenter toute addition sous la forme suivante : connaissant la somme de deux nombres (par exemple 10), si l'un des termes de cette addition est 6, quel sera l'autre? 4, bien sûr : c'est ce qui reste si nous retranchons de 10 le nombre donné. Où donc est la difficulté?

La difficulté vient du fait qu'avant de choisir les deux nombres de mon exemple j'ai dû réfléchir un peu. S'il s'agissait d'une addition, j'aurais pu choisir deux nombres quelconques; j'étais sûre d'avance de pouvoir effectuer leur somme, quel que soit l'ordre des termes. Mais que serait-il arrivé si j'avais transformé l'exemple ci-dessus de la façon suivante : 6 étant la somme de deux nombres, et l'un de ces nombres étant 10, quel est l'autre? Question absurde, car une somme ne peut être inférieure à l'un des nombres qui la composent. Dans le cas de la soustraction, le nombre que l'on retranche doit être inférieur à celui dont on le retranche.

Est-ce tout? Le lecteur pense sans doute qu'il était inutile de s'attarder aussi longtemps sur la présentation d'une opération aussi simple : nul n'aurait idée de retrancher un nombre quelconque d'un nombre qui lui soit inférieur; et toute soustraction conforme au bon sens peut être effectuée sans difficulté.

Il existe cependant des cas où on ne peut éviter de retrancher un nombre supérieur d'un nombre inférieur.

Revenons au père qui, dans x années, sera deux fois plus âgé que son fils, et posons maintenant la même question au sujet d'un père de 52 ans et d'un fils de 27 ans. On peut tenir le même raisonnement que précédemment : l'événement cherché se produira dans x années, père et fils auront alors x années de plus; soit $52 + x$ années en ce qui concerne le père et $27 + x$ années en ce qui concerne le fils. J'affirme que

$$52 + x = 2 \times (27 + x).$$

Procédons comme précédemment : effectuons la multiplication à droite :

$$52 + x = 54 + 2x.$$

Groupons les inconnues à droite en transférant le x de gauche et en le transformant en nombre à retrancher à droite, puis en transférant 54 à gauche, où il devient un nombre à retrancher de 52 :

$$52 - 54 = 2x - x.$$

En retranchant x de $2x$, nous trouvons x :

$$52 - 54 = x$$

...et nous voilà obligés de nous arrêter; le résultat de cette soustraction impossible serait-il le nombre cherché?

Nous pourrions supposer, comme plus haut, que si l'inconnue est le résultat de la soustraction $52 - 54$, c'est que la question est mal posée, autrement dit que jamais le père ne sera deux fois plus âgé que son fils.

Mais regardons les âges d'un peu plus près : 52 ans, 27 ans. Quand on est tant soit peu familiarisé avec les chiffres, on devine tout de suite que, deux ans plus tôt, le père *était* deux fois plus âgé que le fils : il avait 50 ans, alors que le fils en avait 25.

Apparemment, en reformulant l'énoncé de mon problème, le résultat « collera » : il suffit de remplacer « dans combien d'années? » par « il y a combien d'années? » et « sera » par « était », et le tour est joué!

L'équation admettra alors une solution : il y a x années, chacun des protagonistes avait x années de moins; le père en avait $52 - x$, le fils $27 - x$, et c'est à propos de ces âges que nous écrivons :

$$52 - x = 2 \times (27 - x).$$

Une fois de plus, la multiplication s'effectuera à droite en multipliant par 2 chacun des deux termes de la soustraction (de même que, si nous avons à effectuer la multiplication 2×99, la méthode la plus facile consiste à multiplier 100 par 2 et à retrancher 2 du résultat; dans cet exemple, 99 est considéré comme le résultat de la soustraction 100 — 1, et son double est celui de la différence entre 2 × 100 et 2 × 1) :

$$52 - x = 54 - 2x.$$

Groupons les inconnues à gauche; le nombre $2x$ à soustraire deviendra ainsi le terme d'une addition :

$$2x + 52 - x = 54.$$

Transférons 52 qui, à son tour, se transformera en nombre à retrancher :

$$2x - x = 54 - 52.$$

Après avoir effectué les soustractions (parfaitement possibles, cette fois), on trouve

$$x = 2$$

ce qui est bien le résultat prévu.

Mais que de mal pour y arriver! Suivre un sentier battu jusqu'à se heurter à un mur infranchissable, revenir sur ses pas, reformuler le problème et recommencer à zéro! Pourtant, nous la tenions, la solution! Revenons au point où nous avons achoppé :

$$52 - 54 = x.$$

Cette formule ne nous dit-elle pas avec insistance : « Mais regardez-moi bien : non seulement je vous apprends que la différence est de 2, mais je vous avertis aussi qu'il y a lieu de renverser la vapeur : au lieu de chercher ces deux années dans le futur, il faut les chercher dans le passé. Pourquoi vous refusez-vous à me lire? »

Il faut donc attribuer un sens à la différence 52 — 54; elle a la même valeur que la différence entre 54 et 52, mais, pour la concevoir, il faut suivre la direction opposée. Il s'agit de revenir sur nos pas, de retrancher 2 ans des âges actuels des deux protagonistes; et l'on fera précéder, pour exprimer cette façon d'agir, le nombre 2 du signe de la soustraction, — :

$$52 - 54 = -2.$$

En bonne logique, nous aurions dû faire précéder d'un signe + chacun des nombres que nous avons employés jusqu'à présent, car, si le résultat de l'équation nous apprend que l'événement se produira dans deux ans, c'est qu'il convient d'*ajouter* 2 ans aux âges respectifs actuels. D'ailleurs, si je veux insister sur ce fait, j'emploierai bel et bien le signe +.

Car ce n'est pas le seul cas où nous ayons à assigner un sens à une quantité. Si, par une journée d'hiver, nous disons qu'il fait 4 degrés dans la rue, nous n'avons pas indiqué la température avec précision. Il aurait fallu compléter cette information en levant une importante ambiguïté : 4 degrés au-dessus ou au-dessous de 0? Pour une personne un peu frileuse, la différence est considérable!

De même, parler du IIIe siècle, c'est manquer de précision : s'agit-il du IIIe siècle avant ou après J.-C.? De même pour 15 degrés de longitude : à l'est ou à l'ouest de la longitude 0? Et un comptable, lorsqu'il inscrit dans ses livres la somme de 1 000 F, doit faire bien attention à la place où il la fait figurer : à droite de la barre verticale, la somme représente un « débit », à gauche un « crédit »; or la plupart du temps, il n'est pas indifférent de savoir si l'argent dont on dispose a augmenté ou diminué de 1 000 F!

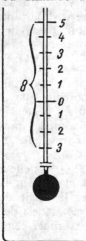

Dans tous les cas cités, on pourrait attribuer le signe + ou — à ces quantités de sens opposé et les désigner par deux noms différents : *nombres positifs*, *nombres négatifs*. Un nombre négatif peut toujours être conçu comme le résultat d'une soustraction dans laquelle le nombre positif à retrancher est supérieur à celui dont on le retranche, lui aussi positif.

S'il faisait 5 degrés au-dessus de 0 et que la température baisse de 8 degrés, c'est une diminution, et nous sommes tentés de considérer qu'il faut effectuer une soustraction, à savoir retrancher 8 de 5. Rien ne s'y oppose; il suffit de dépasser le degré 0 vers le bas : on trouve 3 degrés au-dessous de 0, c'est-à-dire — 3 degrés :

$$5 - 8 = - 3.$$

Toute soustraction de ce type nous conduit dans la direction opposée, au-delà de 0. Si nous voulons représenter ces nombres « orientés » sur une droite numérique, nous conviendrons d'aligner les nombres positifs dans le sens gauche-droite et les nombres négatifs dans le sens droite-gauche, toujours à partir de 0 :

```
... -3    -2    -1    0    +1    +2    +3 ...
```

Cette ligne elle-même peut être conçue comme un exemple de quantités opposées; imaginons, par exemple, une route nationale, avec deux pancartes au kilomètre 0 :

| ← *Marseille* | *Paris* → |

```
4 km   3 km   2 km   1 km   Lyon   1 km   2 km   3 km   4 km
```

Mais il peut y avoir des cas où nous ne nous intéressons qu'à la valeur absolue des nombres et où leur « sens » nous laisse indifférents; c'est le cas de la distance entre deux points : un serpent, par exemple, mesure trois mètres, sans aucun signe positif ou négatif. Nul ne pensera sérieusement que, mesurant trois mètres de la queue à la tête, et trois mètres de la tête à la queue, l'animal mesure au total six mètres!

En mathématiques comme ailleurs, l'apparition de couples d'opposés n'a rien de surprenant, tant c'est là une démarche caractéristique de la pensée humaine : oui et non, ombre et lumière, thèse et antithèse.

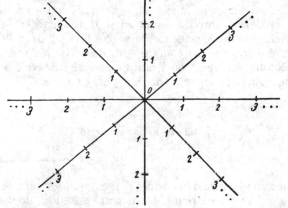

Mais un esprit subtil n'est pas uniquement sensible aux oppositions manifestes, criantes : entre lumière et ombre, les transitions sont infinies; le nombre des routes partant d'un même point n'est pas limité à deux, et la demi-droite sur laquelle nous avons représenté les nombres naturels devrait être complétée non seulement par son prolongement au-delà du point 0, mais par une multitude de droites passant par ce même point, comme il est fait au bas de la page précédente.

Ce ne sont pas là pures spéculations; les quantités orientées, appelées *vecteurs*, jouent en effet un rôle important en physique par exemple. Un mouvement, une force peuvent être orientés dans n'importe quelle direction, et les opérations ayant pour objet ces nombres orientés sont loin d'être dépourvues de sens : lorsque deux forces agissent dans des directions différentes, cet effet conjugué n'est pas sans importance pratique. De même, tout rameur sait qu'en traversant une rivière en barque il n'accostera pas en face de son point d'embarquement, mais en aval, car il sera porté à la fois par la force exercée par ses rames et par le courant de la rivière :

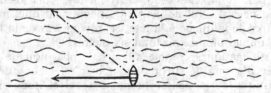

Dans une eau stagnante, la barque avancerait le long du pointillé et, dans un cours d'eau, une barque sans rameur partirait à la dérive dans la direction indiquée par la flèche en gros trait. Mais ces deux forces se conjuguent dans le cas du rameur qui traverse un cours d'eau, de sorte que son trajet le fera accoster au point où il aurait abouti s'il avait accompli les deux parcours séparément l'un après l'autre.

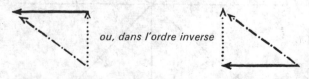

ou, dans l'ordre inverse

Quel que soit l'ordre dans lequel il accomplit les deux parcours, il aboutira au même point. Dans cette addition, comme dans l'addition au sens habituel, les termes peuvent être intervertis (on dit que c'est là une opération *commutative*).

Et cette addition, elle aussi, peut être considérée comme une progression dans la suite numérique : les unités d'un des termes seront comptées dans la direction ↑ , après quoi nous compterons dans la direction ⟶ les unités d'un autre vecteur. Le vecteur qui, « d'un seul coup », nous aurait conduit là où nous sommes parvenus sera le résultat de l'addition de ces deux vecteurs ou, selon le terme consacré, leur *résultante*.

Étrange addition, en vérité! Par exemple, la somme de

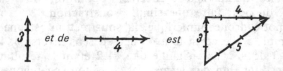

c'est-à-dire exactement 5 unités. On parvient donc à ce résultat apparemment absurde :

$$3 + 4 = 5.$$

C'est qu'il faut se garder de toute imprécision et indiquer dès le début la direction de 3, la direction de 4 et la direction de 5. Compte tenu de ces précisions, un résultat de l'addition $3 + 4$ inférieur à 7 n'est plus si absurde que cela; la somme de forces agissant dans des directions opposées peut même être égale à 0, c'est-à-dire que ces forces peuvent s'annuler; on connaît l'histoire du paysan qui avait attelé 4 chevaux à sa charrette : 2 à chaque extrémité! Bien entendu, la charrette demeura immobile, les chevaux exerçant leurs forces dans deux directions opposées.

Sans chercher à suivre toutes les voies que peuvent prendre ces sortes de nombres, contentons-nous d'examiner ces deux directions opposées.

Nous savons comment additionner sur la droite numérique des nombres positifs et négatifs. S'il s'agit, par exemple, d'ajouter —5 à +8, nous commencerons par compter huit unités de gauche à droite à partir du point 0 :

-5 -4 -3 -2 -1   0 +1 +2 +3 +4 +5 +6 +7 +8

puis, à partir du point où l'on a abouti, cinq unités de droite
à gauche :

Nous arrivons ainsi au point + 3, donc la somme de + 8 et de
—5 est égale à +3. Retenons donc pour la suite que

$$8 + (- 5) = 3 = 8 - 5$$

c'est-à-dire qu'au lieu d'effectuer l'addition d'un nombre
négatif, on peut faire une simple soustraction.

Sur notre droite numérique, la soustraction est une opération simple : elle consiste à « aller en sens inverse ». Retrancher —3 de +2, cela signifie que, +2 étant le résultat d'une
addition dont l'un des termes est —3, nous cherchons l'autre
terme. Lors de cette addition, nous avons commencé par nous
éloigner de 3 unités en nous déplaçant de droite à gauche,
à partir du point 0 :

Qu'avons-nous fait ensuite pour parvenir à + 2? Pour parvenir à + 2, en partant de — 3, il faut franchir 5 unités de
gauche à droite :

Donc la différence de + 2 et de — 3 est + 5. Fait curieux :
nous aurions obtenu le même résultat en additionnant + 3
et + 2. Et, de fait, on peut toujours remplacer une soustraction par une addition, à condition de modifier le signe du nombre
à retrancher.

On pourrait penser que, le problème de l'addition des
nombres négatifs étant ainsi résolu, la multiplication ne devrait
pas en soulever de nouveaux, car multiplier — 2 par 3, c'est
encore une addition :

$$(- 2) + (- 2) + (- 2)$$

et, en ajoutant — 2 à — 2, puis encore — 2, en allant de gauche à droite, nous obtenons — 6 :

$$(+ 3) \times (- 2) = - 6.$$

Mais qu'arrivera-t-il si le multiplicateur est un nombre négatif? On peut additionner des nombres deux, trois, quatre fois de suite, mais les additionner « moins deux fois », par exemple, semble complètement dépourvu de sens. Forts de notre expérience, nous ne dirons pas cette fois étourdiment : si une opération est dépourvue de sens, ne cherchons pas à l'effectuer, décrétons que la multiplication par un nombre négatif est impossible. Souvenons-nous que, si nous avons introduit le concept de nombre négatif, c'était pour ne pas aborder un même problème en deux étapes et de deux façons différentes, pour pouvoir, au contraire, procéder de façon toujours analogue. Il en sera de même dans le cas de la multiplication : face à un problème dont la solution est possible grâce à une multiplication, il peut être gênant de procéder constamment à une discrimination en disant : si nos nombres sont positifs nous les multiplions, s'ils sont négatifs nous faisons autre chose. Observons plutôt quel est exactement cet « autre chose » et appelons-le précisément « multiplication des nombres négatifs ». Nous en avons le droit : il nous est loisible d'attribuer un sens à ce qui en était jusqu'alors dépourvu.

Un exemple nous éclairera mieux que tous les discours. En marchant au même rythme pendant 3 kilomètres, combien de kilomètres parcourt-on en 2 heures? C'est évidemment une multiplication : un promeneur, s'il fait 3 kilomètres en 1 heure, en fera $2 \times 3 = 6$ en 2 heures. J'obtiendrai la distance parcourue en multipliant le temps de la promenade par la vitesse de la marche.

Supposons, maintenant, que temps et parcours soient des quantités orientées. Je choisis un point du parcours que j'appelle « ici », et j'appelle « positif » le trajet parcouru à droite de ce point et « négatif » celui parcouru à gauche. Si mon promeneur accomplit 3 kilomètres en 1 heure en allant vers la droite, je dirai que sa vitesse est de + 3 kilomètres; s'il fait de même en allant vers la gauche, je dirai que sa vitesse est de — 3 kilomètres à l'heure. Je choisis enfin un point dans le temps, que j'appelle « maintenant »; le temps qui s'écoule avant ce point sera considéré comme négatif. Le point de départ étant : « le promeneur est maintenant ici », la figure ci-dessous permet de visualiser notre fiction :

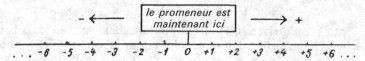

Examinons les divers cas délicats qui peuvent se présenter :

1º Un promeneur se déplaçant à une vitesse de $+3$ kilomètres à l'heure se trouve maintenant ici. Où était-il il y a 2 heures? Le résultat sera celui de la multiplication :

$$(-2) \times (+3).$$

Réfléchissons. La vitesse du promeneur est positive, il se déplace donc de gauche à droite, il est « maintenant ici » (voir la figure ci-dessus); il y a 2 heures, il était à gauche de la pancarte, à une distance égale à celle qu'il a parcourue en 2 heures : $2 \times 3 = 6$ kilomètres. Le nombre qui se trouve à 6 kilomètres à gauche de la pancarte est -6 :

$$(-2) \times (+3) = -6.$$

Donc, le produit d'un nombre négatif par un nombre positif est un nombre négatif.

2º Soit 3 kilomètres à l'heure la vitesse du promeneur qui arrive maintenant « ici »; où était-il il y a 2 heures? Le résultat sera celui de la multiplication :

$$(-2) \times (-3).$$

Vitesse négative signifie déplacement vers la gauche : notre promeneur se trouvait donc il y a 2 heures à droite de la pancarte et, ici encore, à une distance de 6 kilomètres. A 6 kilomètres à droite de la pancarte, nous trouvons le chiffre $+6$, donc :

$$(-2) \times (-3) = +6.$$

Autrement dit : le produit de deux nombres négatifs est un nombre positif.

Cela rappelle la double négation, qui équivaut à une affirmation : « Il n'est pas vrai que je n'aie pas fait attention » signifie la même chose que « j'ai fait attention ».

Ces règles valent également pour la division. Par exemple, pour

$$(+ 6) : (- 3)$$

nous cherchons le nombre qui, multiplié par $- 3$, est égal à $+ 6$; ce nombre est $- 2$. Il en va de même en ce qui concerne l'exponentiation :

$$(- 2)^4 = \underbrace{(- 2) \times (- 2)} \times \underbrace{(- 2) \times (- 2)}$$
$$= \overline{(\times 4)} \times \overline{(+ 4)} = \overline{+ 16}$$

et

$$(- 2)^5 = \underbrace{(- 2) \times (- 2)} + \underbrace{(- 2) \times (- 2) \times (- 2)} =$$
$$(+ 4) \times \overline{(+ 4) \times (- 2)} = \overline{(+ 16) \times (- 2)} = - 32.$$

D'une façon générale, chaque couple de facteurs négatifs donne un nombre positif, et il s'agit de savoir si, une fois tous les couples formés, il reste ou non un facteur. Autrement dit : la puissance d'un nombre négatif est positive lorsque l'exposant est pair, et négative lorsque l'exposant est impair.

C'est à partir d'un seul exemple que nous nous sommes permis d'étendre la notion de multiplication aux nombres négatifs. Mais est-ce suffisant? D'autres exemples ne mèneraient-ils pas à formuler d'autres règles? Pour nous rassurer sur ce point, il convient d'ajouter que notre nouvelle règle de multiplication obéit aux mêmes lois que l'ancienne, de sorte qu'en l'appliquant nous ne nous trouverons jamais en contradiction avec ce que nous avons dit précédemment. Par exemple, dans le cas de la multiplication de nombres négatifs, la commutativité reste vraie, comme pour la multiplication des nombres positifs. Nous avons vu, en effet (nous aurions pu parvenir à ce résultat en développant notre exemple du promeneur), que

$$(- 2) + (- 2) + (- 2) = - 6$$

c'est-à-dire

$$(+ 3) \times (- 2) = - 6$$

et l'exemple du promeneur nous a appris que

$$(- 2) \times (+ 3) = - 6$$

donc

$$(+ 3) \times (- 2) = (- 2) \times (+ 3).$$

Chaque fois que nous introduirons de nouveaux nombres ou de nouvelles opérations, nous veillerons à ce qu'ils ne soient pas en contradiction avec les règles déjà établies. Leur rôle n'est-il pas d'homogénéiser, d'uniformiser nos procédés? Il faut donc éviter de se compliquer la tâche en attribuant certaines propriétés aux nombres et aux opérations déjà connus et d'autres à ceux que l'on vient d'introduire. Cette prudence dans l'extension des concepts admis s'appelle aussi le « principe de permanence ».

La suite des nombres naturels était une création spontanée. Ce sont les ratés de cette mécanique, par ailleurs satisfaisante, qui ont incité ses utilisateurs à créer délibérément des nombres nouveaux. Ils ont été aidés dans cette tâche par la forme : les cadres dans lesquels doivent venir prendre place ces nombres nouveaux sont définis avec précision par les lois qui régissent les nombres existants, et dont on ne désire pas trop s'écarter. Dans cette création consciente (et non plus spontanée), nous sommes guidés par un souci constant de conformité : il faut que nos nombres nouveaux se coulent facilement dans les moules existants. Comme dit Goethe, la pensée se moule sur les mots, et

> *Là où nous n'avons pas de concept*
> *Le mot nous rend de bons services.*

10. Densité illimitée

On n'a pas toujours besoin de recourir à des équations pour résoudre un problème. Et s'il n'existait que des nombres naturels, bien des enfants se trouveraient confrontés à des problèmes de division insolubles. Soit, en effet, deux enfants désireux de partager une pomme : sachant qu'aucun d'entre eux n'aura pour lui la pomme tout entière, ils la coupent tout simplement en deux :

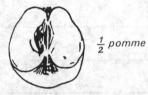

$\frac{1}{2}$ *pomme*

sans penser un seul instant qu'en procédant ainsi ils viennent d'élargir la notion de nombre.

Jusqu'à présent, en effet, nous n'avons considéré que des nombres entiers, sans envisager la possibilité de les diviser. 1 était une unité; voici que nous introduisons une unité nouvelle, plus petite : la moitié; et, ce premier pas audacieux étant accompli, rien ne nous empêche de continuer à diviser l'unité en 3, 4, 5 ... parties et à opérer avec les petites unités ainsi obtenues : deux moitiés, trois moitiés, quatre moitiés ... ou, si nous voulons exprimer cela en symboles :

$$\frac{2}{2} \qquad \frac{3}{2} \qquad \frac{4}{2} \cdots$$

Cette façon de désigner nos nouvelles unités a déjà été utilisée pour la division, ce qui n'est nullement contradictoire. Soit 2 divisé par 3, par exemple; si 3 enfants veulent se partager 2 gâteaux identiques, la meilleure façon d'effectuer le partage consiste à découper chaque gâteau en trois et d'attribuer deux parts, $\frac{2}{3}$, à chaque enfant :

Le chiffre écrit au-dessous de la barre de fraction *dénomme* l'unité qui sert de base à la fraction : on l'appellera le *dénominateur;* celui qui est au-dessus de cette barre donne le *nombre* de ces unités : on l'appellera le *numérateur.* Bien entendu, on pourra porter toutes ces nouvelles unités sur notre droite numérique; en voici quelques-unes, représentées chacune sur une ligne distincte :

Certains de ces nombres sont égaux, et figurent les uns au-dessous des autres. C'est ainsi que l'on a :

$$\frac{1}{2} = \frac{2}{4} = \frac{3}{6} = \frac{6}{12} \qquad \text{ou} \qquad \frac{2}{3} = \frac{4}{6} = \frac{8}{12}.$$

Cela nous renseigne sur les modifications apparentes qui laissent intacte la valeur des fractions.

Par exemple, $\frac{2}{3}$ a une forme plus simple que $\frac{4}{6}$, mais la même valeur. On pourra donc « réduire » $\frac{4}{6}$ à $\frac{2}{3}$. Pour ce faire, il faut diviser dénominateur et numérateur par 2 :

$$4 : 2 = 2 \quad 6 : 2 = 3 \quad \frac{4}{6} = \frac{2}{3}.$$

C'est évident : en examinant la figure, on voit immédiatement que les tiers sont deux fois plus grands que les sixièmes; et prendre la moitié moins d'unités deux fois plus grandes, cela ne change pas le résultat. Nous voyons également que $\frac{3}{3}$ est au fond un entier, $\frac{4}{3}$ un entier plus $\frac{1}{3}$, etc. : ce ne sont donc pas de véritables fractions, car leur valeur n'est pas une partie d'un entier; on les appelle aussi, pour cette raison, « pseudo-fractions ».

L'addition et la soustraction de ces nombres nouveaux se feront de la façon habituelle sur la ligne numérique; en progressant vers la droite de $\frac{2}{4}$ à partir de $\frac{3}{4}$, nous arrivons à $\frac{5}{4}$, donc :

$$\frac{3}{4} + \frac{2}{4} = \frac{5}{4}.$$

Même principe en ce qui concerne la multiplication par un nombre entier :

$$2 \times \frac{5}{12} = \frac{5}{12} + \frac{5}{12}$$

et en progressant de $\frac{5}{12}$ à partir de $\frac{5}{12}$, nous parvenons à $\frac{10}{12}$.

On est quelque peu gêné quand il s'agit d'additionner des fractions aux dénominateurs différents :

$$\frac{2}{3} + \frac{3}{4}.$$

Mais on peut tenir le raisonnement suivant : cherchons, dans notre tableau, la première ligne où figurent deux nombres égaux respectivement à $\frac{2}{3}$ et à $\frac{3}{4}$ (quand on y réfléchit un peu, on comprend qu'une telle ligne existe toujours). La ligne des douzièmes satisfait à ces conditions : nous y trouvons, en effet, $\frac{8}{12} = \frac{2}{3}$ et $\frac{9}{12} = \frac{3}{4}$, ce qui nous permet d'effectuer sur cette ligne la simple addition :

$$\frac{8}{12} + \frac{9}{12} = \frac{17}{12}.$$

De la même façon, il faudra « passer » d'une ligne à l'autre dans le cas de la division [1]. La moitié de $\frac{1}{2}$ est égale à $\frac{1}{4}$ (veuillez vérifier sur la figure), le quart de $\frac{2}{3}$ est égal à $\frac{2}{12}$, etc.; c'est bien naturel, car augmenter quatre fois le dénominateur, c'est diviser en quatre parts égales l' « unité » qui sert de base à la fraction; par exemple, s'agissant de gâteaux, cela donne des parts quatre fois inférieures aux parts précédentes :

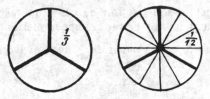

Nous voyons donc que toutes ces opérations peuvent s'appliquer aux fractions et que le résultat sera une fraction; certes, nous devons quelquefois changer de registre, comme le fait le joueur d'orgue, mais cela n'affecte en rien la validité des procédés employés.

La multiplication des fractions entre elles, cependant, pose un problème plus délicat, car additionner « une moitié de fois », cela ne veut rien dire. Un de mes petits élèves m'a dit un jour : « Si une fois 3 égale 3, une moitié de fois 3 égale 3 aussi »; de fait, il y a quelque chose de vrai là-dedans. Mais laissons l'usage linguistique éclairer notre lanterne : « Pierre est les deux tiers de son frère » peut signifier à la rigueur que la taille de Pierre vaut les deux tiers de celle de son frère. Prendre les deux tiers de quelque chose signifie ne pas prendre cette chose en entier. C'est ce raisonnement qui nous permettra d'effectuer la multiplication suivante : si 1 kilo de raisin coûte 5 F, 4 kilos coûteront $4 \times 5 = 20$ F — j'obtiens le prix du raisin en multipliant le prix d'un kilo par le nombre de kilos que je veux acheter. Modi-

1. Ce passage d'une ligne à l'autre me fait penser au mouvement des électrons qui « passent » d'une couche à l'autre en émettant un rayonnement; certains lecteurs feront peut-être le même rapprochement.

fions les données du problème : si 1 kilo de raisin coûte 5 F, combien coûteront trois quarts de kilo? Le résultat obtenu sera celui de la multiplication

$$\frac{3}{4} \times 5.$$

Pour calculer le prix de trois quarts de kilo, il me faudra multiplier le prix du quart par 3. Le prix d'un quart de kilo de raisin est le quart de 5 F (c'est-à-dire 1,25 F), et le prix de trois quarts s'obtient en multipliant par 3 (ce qui donne 3,75 F). Autrement dit, $\frac{3}{4} \times 5$ signifie bien que je prends les trois quarts de 5. Pour ce faire, je multiplie par 3 et je divise par 4.

Par un raisonnement analogue, on montrerait que, pour diviser par $\frac{3}{4}$, il faut multiplier par 4 et diviser par 3. Ces opérations aboutiront à de nouvelles fractions qui figureront sur une des lignes de notre figure, et l'on peut montrer que cette extension de la notion de multiplication ne change en rien la validité des règles propres à cette opération. Il ne faut pas s'étonner si l'on aboutit à un résultat plus petit que le multiplicande. Prendre « deux tiers de fois » un nombre, c'est en prendre les deux tiers, et les deux tiers d'un nombre sont inférieurs au nombre lui-même.

Il est très facile de multiplier 20 par $\frac{1}{4}$: il suffit de prendre le quart de 20, ce qui donne 5. Il est tout aussi facile de multiplier par $\frac{1}{2}$, $\frac{1}{3}$, $\frac{1}{5}$, car il suffit de considérer la moitié, le tiers ou le cinquième du multiplicande. Voilà pourquoi on a intérêt à décomposer les fractions en fractions « premières » dont le numérateur est 1. Soit par exemple :

$$\frac{5}{12} = \frac{4}{12} + \frac{1}{12}.$$

Vérifions sur les différentes lignes de notre tableau que $\frac{4}{12} = \frac{1}{3}$ et substituons :

$$\frac{5}{12} = \frac{1}{3} + \frac{1}{12}.$$

$\frac{1}{12}$ est le quart de $\frac{1}{3}$ (veuillez vérifier!) et la multiplication

$$84 \times \frac{5}{12} = 84 \times \left(\frac{1}{3} + \frac{1}{12}\right)$$

peut être effectuée en calculant d'abord le tiers de 84 (28), ensuite le quart de ce dernier chiffre (7); 28 + 7 = 35. Cette façon de calculer a été d'une utilité considérable pour les Anglais qui, conservant les vestiges de plusieurs systèmes de numération dans leurs unités de mesure, devaient jusqu'à il y a peu continuellement faire des divisions par 12 (1 shilling valant 12 pence, etc.).

Ainsi, toutes nos opérations fondamentales peuvent être étendues aux fractions. Un exemple : travaillant à des problèmes d'arithmétique, un élève résout le plus facile en $\frac{1}{3}$ d'heure (20 minutes) et le plus difficile en $\frac{1}{2}$ heure (30 minutes). Quel temps consacre-t-il en moyenne à chaque problème? Il met :

$$\frac{1}{3} + \frac{1}{2}$$

heures au total à résoudre le problème le plus facile et le problème le plus difficile; si les problèmes étaient de difficulté égale, il mettrait la moitié de la somme des deux temps à résoudre chacun d'eux. C'est probablement le temps qu'il mettrait à résoudre un problème de difficulté moyenne. Calculons cette durée : dans la ligne des sixièmes, nous trouvons un nombre équivalent à $\frac{1}{3}$ et un nombre équivalent à $\frac{1}{2}$:

$$\frac{2}{6} = \frac{1}{3} \quad \text{et} \quad \frac{3}{6} = \frac{1}{2}$$

donc, la somme de $\frac{1}{3}$ et de $\frac{1}{2}$ est égale à

$$\frac{2}{6} + \frac{3}{6} = \frac{5}{6}$$

dont la moitié (veuillez vérifier!) est équivalente à $\frac{5}{12}$, nombre figurant sur la ligne des douzièmes. Donc, la solution d'un problème de difficulté moyenne lui demande $\frac{5}{12}$ d'heure, soit 25 minutes — durée supérieure à celle qu'il consacre à la solution du problème le plus facile, et inférieure à celle qu'il consacre à la solution du problème le plus difficile.

La moyenne de deux nombres quelconques est égale à la moitié de leur somme, et la valeur de cette moyenne est toujours comprise entre celles des deux nombres; les mathématiciens l'appellent *moyenne arithmétique*.

Ce petit exemple d'apparence anodine ouvre d'ailleurs des perspectives vertigineuses; il vaut la peine d'y réfléchir. Mettons, pour commencer, toutes nos lignes ensemble : rien ne nous empêche de représenter toutes les fractions sur une seule ligne droite. C'est pour des raisons de commodité que nous avons choisi de tracer plusieurs lignes droites, pour mieux illustrer l'équivalence de certaines fractions. Voici maintenant nos fractions de la figure précédente alignées « par ordre d'entrée en scène » :

La densité des nombres sur cette ligne est assez considérable, alors que quelques-unes seulement des lignes possibles ont été utilisées : celles des cinquièmes, des septièmes, des treizièmes, des centièmes, etc., n'y figurent absolument pas. Si on les faisait figurer, on obtiendrait, sur la ligne, une densité inimaginable de points. Essayons d'y voir un peu plus clair.

On aurait d'abord tous les nombres entiers, qui peuvent être considérés comme des fractions dont le dénominateur est 1. Par exemple $\frac{3}{1}$, symbole qui signifie 3 divisé par 1, est équivalent à 3. Nombres entiers et fractions ont un nom commun : ce sont les *nombres rationnels* — on devine dès maintenant que nous rencontrerons aussi des nombres moins rationnels. Remarquons que notre figure ne comporte que des nombres rationnels positifs.

En dehors de 0 (qui peut être considéré comme $\frac{0}{2}$, $\frac{0}{3}$, $\frac{0}{4}$, et ainsi de suite), quelle est la fraction la plus petite? Ce ne sera certainement pas $\frac{1}{12}$, puisque $\frac{1}{13}$ est plus petit que lui; en augmentant de 1 le nombre de parts du gâteau, on diminue la taille des parts. Cela reste vrai quelle que soit la fraction considérée : $\frac{1}{101}$ est plus petit que $\frac{1}{100}$, $\frac{1}{1\,001}$, que $\frac{1}{1\,000}$. Donc, parmi les nombres rationnels positifs, il n'y a ni de « plus grand nombre », ni de « plus petit nombre ».

Ne sachant par où commencer leur énumération, choisissons arbitrairement un point de départ, par exemple $\frac{1}{12}$; essayons d'énumérer les autres à partir de celui-ci. Quelle est la fraction qui suit immédiatement $\frac{1}{12}$? Ce n'est pas $\frac{1}{6}$, comme le suggère notre figure, car nous savons que la moyenne arithmétique de ces deux fractions se situe entre les deux : elle sera donc plus près de $\frac{1}{12}$ que ne l'est $\frac{1}{6}$. Mais nous pouvons tenir le même raisonnement à propos de n'importe quel nombre rationnel situé à droite de $\frac{1}{12}$, car la moyenne arithmétique de ce nombre et de $\frac{1}{12}$ est plus près de $\frac{1}{12}$ que ne l'est le nombre en question. D'une façon générale, quels que soient les nombres rationnels considérés, ils ne pourront pas être « voisins immédiats » sur la droite numérique, et il sera toujours possible d'insérer entre eux un autre nombre rationnel, par exemple leur moyenne arithmétique. On dit que l'ensemble des nombres rationnels est *partout dense*.

C'est là un nouvel aspect de l'infini : après la suite infinie des nombres naturels, après la suite infinie des nombres premiers, voici la densité des nombres rationnels. Il n'existe pas de nombre naturel ou premier, aussi grand que l'on voudra, qui ne puisse être dépassé par un autre : tel est le sens précis de la formule selon laquelle ces suites tendent vers l'infini. Et il n'existe pas de nombre rationnel supérieur à $\frac{1}{12}$ duquel on puisse dire : il est, de tous les rationnels, celui qui est situé le plus près de $\frac{1}{12}$; on dit que $\frac{1}{12}$ est un *point d'accumulation* dans l'ensemble des nombres rationnels; bien entendu, il n'est pas le seul : tous les nombres rationnels sont de même des points d'accumulation.

Il est pourtant possible de ranger tous les nombres rationnels en une seule suite, mais pas par ordre de grandeur. Nous avons déjà vu qu'on pouvait les ranger sur une infinité de droites numériques, chacune comportant toutes les fractions de même dénominateur; en convenant de représenter les entiers sous forme de fractions de dénominateur 1, nous obtenons la disposition suivante :

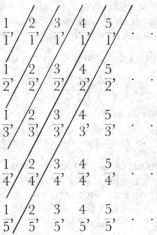

Mais nous voulons les ranger en une seule suite. On peut pour cela les lire en suivant les barres obliques successives :

$$\underbrace{\frac{1}{1}},\ \underbrace{\frac{2}{1},\ \frac{1}{2}}.\ \underbrace{\frac{3}{1},\ \frac{2}{2},\ \frac{1}{2}},\ \underbrace{\frac{4}{1},\ \frac{3}{2},\ \frac{2}{3},\ \frac{1}{4}},\ \underbrace{\frac{5}{1},\ \frac{4}{2},\ \frac{3}{3},\ \frac{2}{4},\ \frac{1}{5}},\ \cdots$$

On obtient ainsi des groupes de plus en plus longs, mais toujours finis, que n'importe qui peut continuer à énumérer, une fois comprise la règle de formation. Il ne sera même pas nécessaire de se servir des barres obliques de notre tableau : dans le premier groupe, la somme du numérateur et du dénominateur est 2; cette somme est 3 dans le deuxième groupe, 4 dans le troisième groupe, et ainsi de suite. Grâce à cette régularité, comme par exemple

$$7 = 6 + 1 = 5 + 2 = 4 + 3 = 3 + 4 = 2 + 5 = 1 + 6$$

le sixième groupe sera :

$$\frac{6}{1}, \frac{5}{2}, \frac{4}{3}, \frac{3}{4}, \frac{2}{5}, \frac{1}{6},$$

et on peut continuer ainsi, de façon tout à fait mécanique. Or, une suite infinie peut être considérée comme entièrement définie si l'on connaît une règle permettant d'énumérer ses termes aussi loin que l'on veut.

Bien entendu, des nombres rationnels équivalents figureront dans notre suite. Par conséquent, si nous voulons que tout nombre rationnel n'y figure qu'une seule fois, il faudra supprimer les fractions réductibles. Parmi les nombres qui figurent plus haut, il conviendra de supprimer $\frac{2}{2}, \frac{4}{2}, \frac{3}{3}, \frac{2}{4}$: $\frac{2}{2}$ et $\frac{3}{3}$ sont équivalents à $\frac{1}{1}, \frac{4}{2}$ à $\frac{2}{1}, \frac{2}{4}$ à $\frac{1}{2}$. La suite des nombres rationnels commence donc en réalité ainsi :

$$\frac{1}{1}, \frac{2}{1}, \frac{1}{2}, \frac{3}{1}, \frac{1}{3}, \frac{4}{1}, \frac{3}{2}, \frac{2}{3}, \frac{1}{4}, \frac{5}{1}, \frac{1}{5}, \ldots$$

ce qui n'empêche pas de la continuer de façon tout à fait mécanique. Nous disposons de règles permettant de « prédire » le premier, le second, le troisième terme de la suite, etc. : celle-ci est « numérotable », on dit aussi (mais cette expression prête à confusion) qu'elle est *dénombrable*.

Il s'ensuit une constatation assez surprenante : bien que l'ensemble des nombres rationnels soit partout dense, il existe, en un certain sens, « autant » de nombres rationnels que de nombres entiers. Comment peut-on comparer ces deux infinis? Très simplement. Pour vérifier si, dans une école de danse, le nombre des jeunes gens est égal au nombre des jeunes filles, je n'ai pas besoin de compter les individus de chaque sexe. Il me suffit de dire aux garçons d'inviter leurs cavalières; si, l'ordre étant exécuté, aucun garçon ne reste sans cavalière et aucune fille ne fait tapisserie, je saurai que le nombre des garçons est égal à celui des jeunes filles. De la même façon, s'il est possible de faire correspondre un à un tous les éléments de deux ensemble infinis, sans répétition ni omission, nous pourrons affirmer que les deux ensembles ont même *cardinal*, ou que leur *cardinalité* est identique.

Or, dans la suite des nombres rationnels, chaque élément

peut, nous l'avons vu, être mis en correspondance avec un élément de la suite des nombres naturels :

$$1, 2, 3, 4, 5, 6, \ldots$$

1 correspondra au premier terme de notre série $\left(\dfrac{1}{1}\right)$, 2 au deuxième terme $\left(\dfrac{2}{1}\right)$, 3 au troisième $\left(\dfrac{1}{2}\right)$, 10 au dixième $\left(\dfrac{5}{1}\right)$ et ainsi de suite. Si je veux connaître le rationnel correspondant à 100, il me suffira d' « exhiber » ce terme, grâce à la règle précédemment définie. Il est clair que ce jeu peut se poursuivre indéfiniment et qu'il est impossible de concevoir un seul terme, soit de la suite des nombres naturels, soit de celle des nombres rationnels, qui n'ait pas de terme correspondant dans l'autre suite. Donc, l'ensemble des nombres rationnels et celui des nombres naturels ont même cardinal, même si, dans l'ensemble partout dense des nombres rationnels, les nombres entiers (qui semblent une infime minorité) se retrouvent isolés, comme des raisins secs dans un gâteau.

Une leçon très importante se dégage de ce qui précède : l'infini est à manier avec beaucoup de prudence. Certains considèrent le principe de l'infériorité de la partie au tout comme un principe logique universel. Or nous venons de voir un contre-exemple : bien que les nombres naturels ne constituent qu'une infime partie de l'ensemble des nombres rationnels, ils sont tout aussi « nombreux » que les premiers. Les principes logiques sont des abstractions fondées sur une multitude d'expériences. Mais chacune de ces expériences se déroule dans le fini, et vouloir appliquer à l'infini les règles valables dans le domaine des choses finies est une erreur, source de beaucoup de confusions.

Si toutefois l'on répugne tant à admettre que la partie puisse être égale au tout, c'est que les principes logiques ne se fondent pas uniquement sur l'expérience; des forces subconscientes concourent également à les étayer, et dire que la partie peut équivaloir au tout, c'est ébranler les coordonnées spirituelles de notre existence. Mais peut-être de telles affirmations nous procurent-elles justement le plaisir du fruit défendu : elles nous permettent de nous évader de l'univers fini et de ses lois inexorables, et nous offrent une échappée vers la plus grande liberté de l'infini.

11. Une autre approche de l'infini

Quittons pour quelque temps l'infini et revenons dans le monde des faits concrets. Nos mains comportent *dix* doigts : ne pourrait-on pas intégrer les fractions dans la numération décimale?

Rappelons qu'en numération décimale la place des dizaines est à gauche de celle des unités, celle des centaines à gauche de celle des dizaines, et ainsi de suite. Prolonger cette écriture vers la droite est une solution qui s'offre d'elle-même : à droite de la place des unités se trouveront les dixièmes, puis les centièmes, puis les millièmes, et ainsi de suite. Mais il conviendra de séparer ces nouvelles quantités de la place des unités, car si j'écris

$$1\,2$$

pour signifier 1 unité et 2 dixièmes, chacun lira : douze. Cette séparation indispensable sera marquée par une virgule :

$$1,2$$

Il ne faut pas oublier que c'est là une abréviation, une formule qui signifie :

$$1 + \frac{2}{10}.$$

De même, on aura :

$$32,456 = 32 + \frac{4}{10} + \frac{5}{100} + \frac{6}{1\,000}.$$

On appelle ces nombres des *nombres décimaux*.

Les fractions dont le dénominateur est 10, 100, 1 000 ou un autre multiple de 10 peuvent toutes s'exprimer en nombres décimaux. Par exemple :

$$\frac{23}{100} = \frac{20}{100} + \frac{3}{100}$$

et $\dfrac{20}{100}$ peut être réduit en divisant par 10 le numérateur et le dénominateur, d'où :

$$\frac{23}{100} = \frac{2}{10} + \frac{3}{100} = 0{,}23.$$

Mais toutes les fractions peuvent-elles vraiment se convertir en décimaux? La façon la plus simple d'opérer cette conversion consiste à effectuer la division indiquée par la fraction.

Pour $\dfrac{6}{5}$, on effectuera

$$\begin{array}{c|c} 6 & 5 \\ 1 & 1 \end{array}$$

le reste est 1, qui, converti en décimaux, se réécrira comme 10 dixièmes; 10 dixièmes divisés par 5 sont égaux à 2. Il conviendra de ne pas oublier la virgule :

$$\begin{array}{c|c} 6 & 5 \\ 10 & 1{,}2 \\ 0 & \end{array}$$

donc

$$\frac{6}{5} = 1{,}2$$

De même pour $\dfrac{7}{25}$:

$$\begin{array}{c|c} 7 & 25 \\ 70 & 0{,}2 \\ 20 & \end{array}$$

le reste est, cette fois, de 20 dixièmes, que l'on peut convertir en 200 centièmes; ceux-ci, divisés par 25, donnent 8 centièmes :

$$\begin{array}{c|c} 7 & 25 \\ 70 & 0{,}28 \\ 200 & \\ 00 & \end{array}$$

Donc :

$$\frac{7}{25} = 0{,}28$$

Mais, souvent, nous rencontrerons des difficultés :

$$\frac{4}{9} = 4 \quad \bigg| \quad 9$$

$$\phantom{\frac{4}{9} =} 40 \quad \bigg| \quad 0{,}44 \ldots$$

$$\phantom{\frac{4}{9} =} 40$$

$$\phantom{\frac{4}{9} =} 4$$

cette division ne se terminera jamais, car le reste sera toujours 4.
$\frac{4}{9}$ ne peut donc pas s'exprimer en décimaux.

Le travail avec les décimaux offre pourtant bien des avantages! Pour ne citer qu'un seul exemple, multiplier un décimal par 10 est un jeu d'enfant. Soit :

$$45{,}365 \times 10.$$

Il suffit de penser que 4 dizaines multipliées par 10 donnent 4 centaines, 5 unités multipliées par 10 donnent 5 dizaines, 3 dixièmes multipliés par 10 donnent 3 unités, et ainsi de suite. On voit que le problème est résolu en déplaçant tout simplement d'un « cran » vers la droite la virgule des décimaux, ce qui donne :

$$453{,}65.$$

Ce faisant, nous avons multiplié par 10 la valeur de chaque chiffre : les dizaines sont devenues des centaines, etc. En multipliant ce nombre à nouveau par 10 :

$$4\,536{,}5$$

nous obtenons une valeur cent fois supérieure au nombre initial (par exemple, aux 5 unités du nombre initial correspondent ici 5 centaines). On voit donc que, pour multiplier par 100, il suffit de déplacer la virgule de deux « crans » vers la droite. De même, pour diviser par 10, il suffit de déplacer la virgule d'un cran vers la gauche, ce qui n'est vraiment pas difficile. Ah! Si toutes les fractions pouvaient se réécrire en décimaux! Revenons donc au point où nous nous sommes arrêtés il y a un instant :

$$\frac{4}{9} = 4 \quad \bigg| \quad 9$$

$$\phantom{\frac{4}{9} =} 40 \quad \bigg| \quad 0{,}44 \ldots$$

$$\phantom{\frac{4}{9} =} 40$$

$$\phantom{\frac{4}{9} =} 4$$

Le reste est toujours 4, car 40 contiendra 9 toujours quatre fois. Cette division ne pourra jamais être achevée, mais nous en connaissons néanmoins le résultat : une suite infinie de 4 ...

Si on ne se préoccupait que de l'utilisation pratique, on pourrait dire : même si la division s'achevait à la première décimale, je n'aurais pas besoin du résultat complet. Tout ce dont je peux avoir besoin, ce sont par exemple des décilitres (1 décilitre est le dixième de 1 litre), des centimètres (1 centimètre est le centième de 1 mètre), des grammes à la rigueur (1 gramme est la millième partie du kilogramme) : les décimales qui suivent les millièmes sont vraiment négligeables. De toute la suite infinie des décimales, je ne retiendrai donc, dans la pratique, que

$$0,4$$

ou

$$0,44$$

ou à la rigueur

$$0,444$$

donc rien ne m'empêche de traiter $\dfrac{4}{9}$ comme n'importe quel décimal.

Certes, le physicien, pour ses mesures de précision, pourra avoir besoin d'aller plus loin, mais sa précision a toujours des limites : il sait qu'en répétant ses expériences il devra, en raison de l'imperfection de la perception humaine et de ses propres instruments, s'attendre à une marge d'erreur; au-delà de ce seuil, il lui est inutile de prendre les autres décimales en considération. Il est vraisemblable que, les instruments devenant de plus en plus perfectionnés, cette marge d'erreur sera de plus en plus réduite, mais elle subsistera néanmoins. Par conséquent, il sera toujours possible d'arrêter à un moment ou à un autre la suite infinie

$$0,4444...$$

des décimales, même si l'on ne sait pas jusqu'où il sera nécessaire d'aller. En fait, nous pourrons aller aussi loin que nous voudrons, puisque nous connaissons très exactement la valeur de $\dfrac{4}{9}$, exprimée sous forme de nombre décimal : c'est une succession infinie de 4.

Si on l'entend de cette façon, toute fraction est-elle convertible en décimaux? Pour le dire en d'autres termes : si une division ne peut jamais être achevée, les décimales qui expriment le résultat se succèdent-elles au moins dans un certain ordre, nous permettant de connaître le résultat final avec une approximation aussi petite que l'on voudra? C'est bien le cas en effet et l'on comprend aisément pourquoi : tout calcul de ce genre comporte une certaine périodicité, et, parmi les chiffres qui composent le résultat, on trouve toujours des groupes qui se répètent. Examinons, par exemple, une fraction comme $\frac{21}{22}$.

Lorsque l'on divise par 22, les restes que l'on obtient sont forcément inférieurs à 22. Si la division ne s'achève jamais, les restes ne peuvent être, à chaque étape de l'opération, que :

$$1, 2, 3, 4, 5, 6, 7, 8, 9, 10, 11, 12, 13, 14,$$
$$15, 16, 17, 18, 19, 20, 21.$$

Supposons que nous ayons une commode à 21 tiroirs dont chacun porte un des numéros ci-dessus. Si, en effectuant la division 21 par 22, nous trouvons, à un moment donné, un reste égal à 7, nous plaçons une bille dans le tiroir n° 7. En poursuivant patiemment l'opération (22 chiffres à droite de la virgule) et en mettant chaque fois une bille dans les tiroirs correspondant aux restes, nous aurons placé 22 billes dans les différents tiroirs et nous serons sûrs qu'un des tiroirs au moins contient deux billes : autrement dit, après avoir aligné 22 chiffres derrière la virgule, nous aurons vu au moins un des restes revenir une deuxième fois (ce retour d'un des restes peut évidemment se produire plus tôt). A partir de ce moment-là, nous verrons immanquablement se répéter la suite des restes et celle des chiffres du quotient. Reprenons l'exemple de $\frac{21}{22}$:

$$
\begin{array}{r|l}
21 & 22 \\
210 & 0,954 \\
120 & \\
100 & \\
12 & \\
\end{array}
$$

Halte! nous avons déjà eu un reste de 12. C'est là que commence la répétition, et l'on a

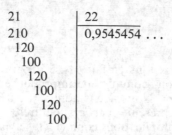

Donc, mis à part le 9 du début, le groupe 54 se répète indéfiniment.

Inversement, à partir d'un nombre décimal comportant une telle périodicité, nous pouvons reconstituer la fraction dont il est le développement. Soit 0,9545454 ... et supposons que la fraction qu'il représente nous soit inconnue. Puisqu'elle est inconnue, désignons-la par x :

$$x = 0,9545454 \ldots$$

Une multiplication par 1 000 amènera le déplacement de la virgule vers la droite, et les chiffres qui occuperont la place des nombres entiers seront précisément le 9 irrégulier, plus une période complète (54) :

$$1\,000\,x = 954,545454 \ldots$$

En multipliant x par 10, le 9 irrégulier viendra à la place des nombres entiers :

$$10\,x = 9,5454 \ldots$$

Si nous retranchons ce dernier nombre du premier, nous devrons à gauche retrancher 10 x de 1 000 x, ce qui donne 990 x, tandis qu'à droite, les chiffres situés après la virgule, constitués d'une alternance infinie de 5 et de 4, s'annuleront par soustraction, il restera la différence de 954 et de 9, qui est égale à 945; par conséquent on aura :

$$990\,x = 945$$

soit, en transférant 990 à droite :

$$x = \frac{945}{990}.$$

Réduisons cette fraction en la divisant par 45 :

$$\begin{array}{c|c} 945 & 45 \\ 45 & 21 \end{array} \quad \text{et} \quad \begin{array}{c|c} 990 & 45 \\ 90 & 22 \end{array}$$

donc

$$x = \frac{21}{22}$$

comme nous le savions en fait dès le départ.

Mais nous avons commis une imprudence en ne tenant pas compte de l'infini. Nous avons admis que 0,9545454 ... était intégralement représenté par ces chiffres, mais nous avons accompli nos multiplications comme s'il s'agissait d'un nombre fini. De quel droit supposons-nous qu'un nombre comme 0,9545454 ... se comporte comme un nombre fini vis-à-vis de la multiplication? Servons-nous, pour la suite de la démonstration, d'un nombre plus simple : la « finitude » de

$$1,11111 \ldots$$

avec répétition des 1 jusqu'à l'infini sera tout aussi problématique. En général, le résultat d'une division allant jusqu'à l'infini ne choque pas, mais on s'étonne facilement d'une addition ayant un nombre infini de termes, on dit encore une *série*, telle que

$$1 + \frac{1}{10} + \frac{1}{100} + \frac{1}{1\,000} + \frac{1}{10\,000} \ldots$$

alors que celle-ci n'est qu'une transcription de celui-là. Or, ce que je trouve répréhensible, ce n'est pas qu'on soit choqué par l'addition, mais que l'on admette aussi facilement la première présentation. En effet, on peut considérer que la suite :

$$1, \frac{1}{10}, \frac{1}{100}, \frac{1}{1\,000}, \frac{1}{10\,000} \ldots$$

est donnée, bien qu'infinie, puisqu'on peut la continuer aussi loin qu'on veut ; mais penser que l'on a parcouru ce trajet infini et se permettre d'en additionner les termes, cela ne manque pas d'audace. Comment peut-on concevoir cela exactement?

A l'âge où il allait encore au lycée, un mathématicien hongrois bien connu [1] eut l'idée suivante pour se représenter le concept de « somme des termes d'une suite infinie » : imaginons que chaque tablette de chocolat d'une certaine marque contienne un coupon et que, contre présentation de 10 coupons,

---

1. László Kalmár, voir p. 10.

on puisse obtenir gratuitement une nouvelle tablette de chocolat. Que vaut exactement une tablette de chocolat avec son coupon? Elle vaut plus qu'une tablette de chocolat, bien entendu, car le coupon vaut lui-même $\frac{1}{10}$ de tablette (puisque 10 coupons valent une tablette entière), plus bien sûr un dixième de coupon; si un coupon vaut $\frac{1}{10}$ de tablette, $\frac{1}{10}$ de coupon vaut $\frac{1}{100}$ de tablette. Ce $\frac{1}{100}$ de tablette est accompagné de $\frac{1}{100}$ de coupon, qui vaut $\frac{1}{1\,000}$ de tablette de chocolat, et ainsi de suite, jusqu'à l'infini. On voit que cette suite ne s'arrête jamais et que ma tablette de chocolat avec son coupon vaut :

$$1 + \frac{1}{10} + \frac{1}{100} + \frac{1}{1\,000} + \cdots$$

de tablettes de chocolat.

Mais je vais démontrer, par ailleurs, que la valeur de ma tablette de chocolat avec son coupon est très exactement $1 + \frac{1}{9}$ de tablette de chocolat (sans coupon). Le nombre 1 représente naturellement la valeur réelle de la tablette de chocolat elle-même; il reste à montrer que le coupon vaut $\frac{1}{9}$ de tablette de chocolat et, pour cela, que 9 coupons valent une tablette — sans coupon. Or, supposons que, détenant 9 coupons, je dise à un épicier : « Donnez-moi une tablette de chocolat, je la mangerai ici et je vous paierai après »; que je mange ma tablette de chocolat en en prélevant le coupon et en ajoutant ce coupon aux 9 autres : je possède alors 10 coupons, c'est-à-dire l'équivalent d'une tablette de chocolat avec coupon, et je paye l'épicier en lui donnant les 10 coupons. Ainsi, la valeur exacte de 9 coupons est bien une tablette de chocolat (sans coupon), donc la valeur d'un coupon est $\frac{1}{9}$ de tablette de chocolat et la valeur d'une tablette de chocolat avec son coupon est de $1 + \frac{1}{9}$ tablette de chocolat.

Donc, la somme infinie :

$$1 + \frac{1}{10} + \frac{1}{100} + \frac{1}{1\,000} + \cdots$$

vaut très exactement $1 + \frac{1}{9}$, de la façon la plus concrète puisque consommable.

On peut reformuler ce résultat en ces termes : si une quantité vaut 1 dans une première approximation [1], $1 + \frac{1}{10}$ dans une approximation moins grossière, $1 + \frac{1}{10} + \frac{1}{100}$ dans une approximation encore plus fine que la précédente, et ainsi de suite jusqu'à l'infini, la valeur exacte de cette quantité est de $1 + \frac{1}{9}$.

Cette formulation me permettra enfin de tenir une de mes promesses : on peut avoir une approximation de la surface du cercle et la loi des nombres premiers est également une approximation. Mais je vous prie de me croire sur parole, car je n'ai pas de place ici pour entreprendre de longues démonstrations.

On peut, en algèbre, définir un nombre de la façon suivante : soit x le nombre qui, divisé par 2, multiplié par 3 et ajouté à 5, donne 11 ; c'est-à-dire :

$$\frac{x}{2} \times 3 + 5 = 11.$$

Ce que nous avons vu plus haut est une autre façon de définir un nombre. La branche des mathématiques qui s'occupe de la définition des nombres à l'aide de valeurs approximatives, mais pourtant avec une précision parfaite, s'appelle l'*analyse*.

Renversons les données de notre problème en partant de $1 + \frac{1}{9}$; 1 étant égal à $\frac{9}{9}$, on a :

---

1. J'exposerai dans les chapitres suivants la notion de « valeur approximative ».

$$1 + \frac{1}{9} = \frac{9}{9} + \frac{1}{9} = \frac{10}{9} = $$

$$\begin{array}{r} 10 \\ 10 \\ 10 \\ 10 \\ 10 \\ 1 \end{array}$$

$$\begin{array}{c|l} & 9 \\ \hline & 1,111 \ldots \text{ jusqu'à l'infini} \end{array}$$

et nous venons de voir le sens exact qu'il faut attribuer à cette égalité entre $1 + \frac{1}{9}$ et ce développement infini. Pour exprimer cette égalité, le mathématicien dira aussi que la suite des sommes partielles

$$1 \quad 1,1 = 1 + \frac{1}{10} \quad 1,11 = 1 + \frac{1}{10} + \frac{1}{100} \quad \ldots$$

tend vers la valeur *limite* (du latin *limes*) $1 + \frac{1}{9}$, ou encore que la *série*

$$1 + \frac{1}{10} + \frac{1}{100} + \ldots$$

est *convergente* et que sa *somme* est égale à $1 + \frac{1}{9}$.

Nous venons d'introduire une nouvelle conception de l'addition; il faudrait voir si elle est conforme aux propriétés déjà énoncées de cette opération. Sans entrer dans les détails de cette investigation, je me borne à vous en indiquer le résultat : il n'y a pas de conformité! Une fois de plus, l'infini échappe à nos règles habituelles; il convient donc d'examiner quelles sont les séries dont on peut intervertir et regrouper les termes à volonté.

$$1 + \frac{1}{10} + \frac{1}{100} + \ldots$$

est une telle série, mais voyons par exemple la série

$$1 - 1 + 1 - 1 + 1 - 1 + \ldots$$

Si nous effectuons les opérations dans un autre ordre, par exemple en groupant les termes deux par deux :

$$\underbrace{1 - 1}_{0} + \underbrace{1 - 1}_{0} + \underbrace{1 - 1}_{0} + \ldots$$

nous obtenons une série composée uniquement de 0, et, les 0 additionnés étant toujours des 0, la somme de cette série semble égale à 0. Mais, en groupant les termes de la façon suivante :

$$1 - \underbrace{1 + 1} - \underbrace{1 + 1} - \ldots$$

nous obtenons

$$1 + 0 + 0 + 0 + \ldots$$

dont la somme sera de toute évidence 1. Il n'est donc pas question d'effectuer les opérations dans n'importe quel ordre. Tout ce qu'on peut dire, c'est qu'on peut multiplier par un même nombre tous les termes d'une série infinie.

Continuons à jouer avec le résultat que nous avons obtenu plus haut; si de

$$1,111 \ldots = 1 + \frac{1}{9}$$

nous retranchons 1, nous obtenons :

$$0,111 \ldots = \frac{1}{9}$$

ce qui, en multipliant par 9, donnera :

$$0,9999 \ldots = \frac{9}{9} = 1$$

puis, en divisant par 10 (c'est-à-dire en déplaçant la virgule d'un « cran » vers la gauche) :

$$0,0999 \ldots = 0,1$$

et en divisant encore par 10 :

$$0,00999 \ldots = 0,01$$

et ainsi de suite. Autrement dit, les décimaux finis 1 0,1 0,01 ... peuvent se réécrire sous la forme d'une infinité de 9 derrière des zéros. Il s'ensuit que tout nombre décimal fini peut être écrit de deux façons sous la forme d'un nombre infini. Soit 0,2 le décimal fini en question : nous pouvons l'écrire d'abord sous la forme :

$$0,20000 \ldots$$

puisque l'addition de 0 centième, de 0 millième, de 0 dix-millième, etc., ne change rien à la valeur du nombre; mais aussi sous la forme :

$$0,19999999 \ldots$$

car le dixième (0,1) que j'ai enlevé à 0,2 est égal au 0,0999999 ...
que j'ai ajouté : on montre d'ailleurs que c'est là l'unique
ambiguïté qui se présente dans l'écriture des décimaux.

Dans la série

$$1 + \frac{1}{10} + \frac{1}{100} + \frac{1}{1\,000} + \cdots$$

chaque terme est le dixième du terme précédent, c'est-à-dire
son produit par $\frac{1}{10}$. On se souvient que nous avons appelé
arithmétiques les séries dans lesquelles la différence de deux
termes voisins quelconques était toujours la même. De même,
on appelle *géométriques* les séries dans lesquelles le quotient
de deux termes voisins quelconques est toujours le même. On
appelle ce quotient la *raison* de la série.

Mais il ne faut pas présumer de nos forces et croire que
nous pouvons trouver la somme de n'importe quelle série
infinie. Soit, par exemple, la série géométrique :

$$1 + 10 + 100 + 1\,000 + \cdots$$

dans laquelle le quotient de deux termes voisins est toujours
égal à 10. Il est clair que, dans une telle série, la somme des
termes sera supérieure à n'importe quel nombre donné (par
exemple, dès le quatrième terme, cette somme est supérieure
à 1 000) et que par conséquent cette série tend vers l'infini.
Il en est de même de la série géométrique de raison 1, dans
laquelle chaque terme est suivi de son produit par 1 soit, si
l'on prend 1 comme premier terme :

$$1 + 1 + 1 + 1 + \cdots$$

car, à partir du millième terme chaque somme partielle est
supérieure à 1 000, à partir du millionième terme chaque somme
partielle est supérieure à 1 000 000, etc.

Enfin, soit une série dans laquelle chaque terme est suivi
de son produit par (-1), par exemple, si l'on prend 1 comme
premier terme :

$$1 - 1 + 1 - 1 + 1 - 1 + \cdots$$

Nous connaissons déjà des aspects désagréables de cette série.

Les sommes partielles des termes seront successivement :

$$1$$
$$1 - 1 = 0$$
$$1 - 1 + 1 = 0 + 1 = 1$$
$$1 - 1 + 1 - 1 = 0 + 0 = 0$$

et ainsi de suite :

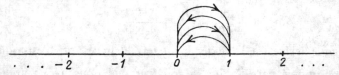

Les sommes partielles « oscillent » entre 1 et 0 et ne convergent vers aucun nombre. On peut avoir une oscillation sur un plus grand écart en prenant un premier terme supérieur à 1, et même une oscillation selon des écarts croissants si l'on prend un quotient inférieur à — 1 entre deux termes voisins, ce qui donne la figure suivante :

Donc, parmi les séries infinies que nous avons vues jusqu'ici, seule

$$1 + \frac{1}{10} + \frac{1}{100} + \frac{1}{1\,000} + \cdots$$

est convergente; sans doute cela tient-il au fait que la valeur des termes y diminue sans cesse et tend vers 0, comme nous l'avons vu à propos de l'exemple des tablettes de chocolat. (Autrement dit, on peut démontrer que si une quantité donnée est égale à 1 dans une première approximation, à $\frac{1}{10}$ dans une seconde approximation, à $\frac{1}{100}$ dans une troisième approximation, etc., elle ne peut être égale qu'à 0. Dans la suite, je ne développerai pas cette règle chaque fois en détail : je me contenterai d'évoquer l'exemple des tablettes de chocolat.)

On peut ainsi concevoir que, si l'on additionne un nombre infini de termes de plus en plus petits, ceux-ci auront de moins en moins d'influence sur le résultat de cette addition, cependant que les sommes partielles de termes de plus en plus nombreux représenteront de mieux en mieux la somme totale.

Mais cela ne suffit pas non plus pour que l'on puisse additionner les termes d'une telle suite. Par exemple, la suite

$$1, \frac{1}{2}, \frac{1}{3}, \frac{1}{4}, \frac{1}{5} \cdots$$

tend vers 0 (plus lentement, certes, que la suite précédente dans laquelle chaque terme à partir du quatrième était inférieur à $\frac{1}{1\,000}$, ce qui n'est vrai ici qu'à partir du millième terme), mais les sommes partielles de la série

$$1 + \frac{1}{2} + \frac{1}{3} + \frac{1}{4} + \frac{1}{5} + \frac{1}{6} + \frac{1}{7} + \frac{1}{8} + \frac{1}{9} + \frac{1}{10} + \frac{1}{11} + \frac{1}{12} +$$
$$+ \frac{1}{13} + \frac{1}{14} + \frac{1}{15} + \frac{1}{16} + \cdots$$

tendent vers l'infini.

Pour s'en convaincre, il suffit de se souvenir que la valeur d'une fraction diminue si celle du dénominateur augmente (plus nous découpons de parts dans un gâteau, et plus ces parts sont petites). Si donc j'écris $\frac{1}{4}$ à la place de $\frac{1}{3}$; $\frac{1}{8}$ à la place de chacune des fractions $\frac{1}{5}, \frac{1}{6}, \frac{1}{7}$; $\frac{1}{16}$ à la place de $\frac{1}{9}, \frac{1}{10}, \frac{1}{11}$; et ainsi de suite en m'arrêtant à chaque terme dont le dénominateur est une puissance de 2 ($4 = 2^2$, $8 = 2^3$, $16 = 2^4$) et en remplaçant par ce terme les termes précédents, je diminue les sommes partielles. Ainsi, les sommes partielles de la série considérée sont certainement supérieures à celles de la série suivante :

$$1 + \frac{1}{2} + \frac{1}{4} + \frac{1}{4} + \frac{1}{8} + \frac{1}{8} + \frac{1}{8} + \frac{1}{8} +$$
$$+ \frac{1}{16} + \frac{1}{16} + \frac{1}{16} + \frac{1}{16} + \frac{1}{16} + \frac{1}{16} + \frac{1}{16} + \frac{1}{16} + \cdots$$

Or la valeur de ces différents groupes est :

$$\frac{1}{4} + \frac{1}{4} = \frac{2}{4} = \frac{1}{2}$$

$$\frac{1}{8} + \frac{1}{8} + \frac{1}{8} + \frac{1}{8} = \frac{4}{8} = \frac{1}{2}$$

$$\frac{1}{16} + \frac{1}{16} + \frac{1}{16} + \frac{1}{16} + \frac{1}{16} + \frac{1}{16} + \frac{1}{16} + \frac{1}{16} = \frac{8}{16} = \frac{1}{2}$$

et ainsi de suite.

Chacun de ces groupes est égal à $\frac{1}{2}$; 2 000 fois $\frac{1}{2}$ font déjà 1 000,

2 000 000 de fois $\frac{1}{2}$ font 1 000 000, etc. : on voit que les sommes partielles de cette série peuvent dépasser n'importe quel nombre donné. A plus forte raison en va-t-il ainsi de la série initiale, dont les sommes partielles sont encore plus importantes.

Pour que l'addition d'une infinité de nombres positifs soit réalisable, il faut donc non seulement que les termes tendent vers 0, mais qu'ils le fassent suffisamment vite.

12. La droite numérique se remplit

La régularité des conversions décimales obtenues à partir des nombres fractionnaires est étonnante : on trouve soit des nombres finis, soit des nombres périodiques. Chemin faisant, nous nous sommes familiarisés avec l'idée qu'une fraction convertie en écriture décimale infinie n'en reste pas moins un nombre bien défini : par exemple 1,11111 . . . est exactement égal à $1 + \dfrac{1}{9}$. La question se pose évidemment de savoir si on peut concevoir une « conversion » en décimaux infinis qui ne soit pas périodique et, dans l'affirmative, si une fraction quelconque correspondra à celle-ci.

Il est tout à fait possible d'écrire un nombre décimal parfaitement « régulier » mais sans groupes de chiffres répétés périodiquement; soit par exemple

$$0,10100100010000100000 1 \ldots$$

formé selon une règle très simple : le nombre des 0 qui suit un 1 augmente chaque fois d'une unité. Ici, il ne peut y avoir de périodicité, car cela supposerait qu'à partir d'un certain moment les 1 se succèdent à intervalles égaux. Un tel nombre décimal ne peut être la conversion d'aucune fraction et ses sommes partielles ne peuvent tendre vers aucun nombre rationnel.

Je vais démontrer qu'elles tendent cependant vers quelque chose, vers une « lacune » dans l'ensemble des nombres rationnels; nous verrons ainsi du même coup que, bien que partout dense, l'ensemble des nombres rationnels comporte des lacunes.

S'arrêter aux dixièmes, c'est négliger toutes les décimales suivantes; les sommes partielles qui dépassent les dixièmes seront toutes comprises entre 0,1 (correspondant à la série $\dfrac{1}{10} + \dfrac{0}{100} + \dfrac{0}{1000} + \ldots$) et 0,2 (correspondant à la série

$\dfrac{1}{10} + \dfrac{9}{100} + \dfrac{9}{1000} + \ldots$, c'est-à-dire $0,19999999\ldots$, qui est bien égal à $0,2$; voir chapitre précédent). Sur la droite numérique, ces sommes partielles, toutes situées entre $0,1$ et $0,2$, prennent place sur le segment imprimé en gras :

```
├───────┼┼───┼────┼────┼────┼────┼────┼────┼────┤
0      0,1  0,2  0,3  0,4  0,5  0,6  0,7  0,8  0,9   1
```

Comme première approximation de leur valeur, nous pouvons prendre un point quelconque de cet intervalle.

On comprend de même qu'en s'arrêtant aux millièmes toutes les sommes partielles seront comprises entre $0,101$ et $0,102$, ce que je n'ai pu représenter que très grossièrement sur la figure, tellement les points correspondant à ces deux nombres (dont la différence est de 1 millième) sont proches. Les deux points qui limitent cet intervalle permettent une approximation bien meilleure; le nouvel intervalle ainsi obtenu est situé à l'intérieur de l'intervalle précédent : on dit que ce sont des *intervalles emboîtés*. En continuant ainsi, toute somme partielle s'inscrirait dans des intervalles de plus en plus petits :

$$0,101001 \quad \text{et} \quad 0,101002,$$
$$0,101001001 \quad \text{et} \quad 0,101001002$$

. . . .

et, si les intervalles se rétrécissaient à un rythme moins vertigineux, on pourrait les représenter par la figure suivante :

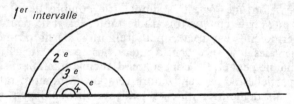

Les longueurs de ces intervalles successifs sont :

$$0,1$$
$$0,001$$
$$0,000001$$
$$0,0000000001$$

soit : un dixième, un millième, un millionième, etc., et elles convergent vers 0 avec une telle rapidité qu'aucun dessin ne

saurait en donner une idée. Nos sommes partielles, si elles
sont suffisamment longues, prendront toutes place dans ces
intervalles qui s'emboîtent les uns dans les autres comme des
poupées russes, ou comme ces volumineux emballages de farces
et attrapes dont les couches successives ne dissimulent souvent
qu'un objet minuscule et sans valeur, par exemple une boulette
de papier. Mais les ennuis que procurent de tels emballages
ne sont pas infinis, tandis que les nôtres le sont...

Le second intervalle est entièrement contenu dans le premier,
le troisième l'est dans les deux premiers, le quatrième dans les
trois premiers, et ainsi de suite. En continuant indéfiniment
à emboîter ces intervalles, ce à quoi ils se réduisent à la fin
sera commun à tous. Or, je suis en mesure de prouver qu'il ne
peut y avoir qu'un seul point appartenant à la fois à tous ces
intervalles. Supposons, en effet, que j'aie trouvé un tel point et
qu'un contradicteur prétende en avoir trouvé un autre, différent du mien et pourtant commun à tous ces intervalles; dans
la figure ci-dessous, pour la clarté de la démonstration, je
représente une distance assez considérable entre ces deux points,
bien qu'évidemment ils ne puissent être que très voisins :

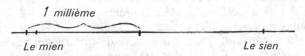

Aussi petite que soit la distance qui sépare ces deux points
(mettons 2 millièmes d'unité), on suppose qu'elle existe puisque,
par hypothèse, les deux points sont différents. Prenons la moitié
de ces deux millièmes d'unité : nous obtenons un millième.
La longueur des intervalles emboîtés tend vers 0, donc, tôt
ou tard, elle sera inférieure à 1 millième d'unité. Mon point
à moi sera contenu dans chacun de ces intervalles et, même s'il
se situe à l'extrémité gauche d'un intervalle de longueur inférieure à 1 millième, l'extrémité droite de cet intervalle ne pourra
atteindre l'autre point, situé à une distance de 2 millièmes :

1 millième

Le mien   Le sien

Le point de mon contradicteur ne pourra pas être contenu
dans cet intervalle ni dans les suivants : il ne peut donc être com-

mun à tous les intervalles. Ainsi, il existe un seul point commun à tous nos intervalles, qui sont en nombre infini, et, comme les sommes partielles d'un rang suffisamment élevé de 0,1010010001... sont contenues dans ces intervalles, elles se rapprochent de plus en plus de ce point, elles tendent vers lui.

Nous avons trouvé ainsi sur la droite numérique un point auquel jusqu'à présent ne correspondait aucun nombre : quelle que soit la densité des fractions sur cette ligne, aucune d'entre elles ne pouvait occuper ce point-là. En effet, le développement décimal des fractions comporte une périodicité que n'a pas notre nombre décimal 0,1010010001... Celui-ci correspond néanmoins à un point bien déterminé, situé à une certaine distance du point O; mais, si nous essayons de mesurer cette distance, nous n'y parviendrons pas à l'aide de nombres entiers, ni à l'aide de nombres fractionnaires. Jusqu'à présent, cette distance n'était pas mesurable; aussi nous dirons que la mesure de cette distance est précisément

$$0,101001000100001\ldots$$

nombre *irrationnel* (inconnu jusqu'ici, mais pourtant existant) vers lequel tend avec de plus en plus de précision la suite des nombres rationnels

$$0,1 \qquad 0,101 \qquad 0,101001\ldots$$

Ce nombre est aussi utile à l'homme pratique ou au physicien que l'était $\frac{4}{9} = 0,444\ldots$ car, dans l'approximation de ce nombre, on ne peut pas concevoir de précision maximale et nous connaissons tous les chiffres décimaux qui figurent dans son écriture décimale.

Nous pouvons montrer de la même façon qu'à tout développement décimal infini non périodique, construit selon telle ou telle autre règle, correspond sur la droite numérique un point précis, donc une distance précise à partir de O; tout développement décimal infini sera considéré comme la mesure de cette distance et sera appelé nombre irrationnel.

Toutes ces considérations paraissent peut-être un peu abstraites. Pourtant, j'avais une élève de quatrième, répondant au nom de Eva, qui avait compris toute seule l'existence de distances dont la valeur ne peut s'exprimer ni en nombres entiers ni en nombres fractionnaires. Elle avait à résoudre le problème

suivant : étant donné un vivier de forme carrée, avec un arbre
à chacun des quatre coins,

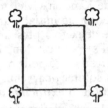

on se propose d'en doubler la surface, en donnant également
au nouveau bassin une forme carrée et sans toucher aux arbres.
Eva avait trouvé la solution :

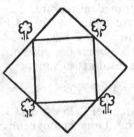

En effet, la surface de ce carré est deux fois plus grande que celle
du carré précédent car, si je trace les diagonales du petit carré,

on conçoit aisément que les quatre triangles ainsi obtenus,
dépliés suivant la figure ci-dessous,

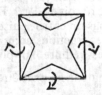

nous redonneront le grand carré. J'ai doublé la surface du petit
carré, en lui ajoutant sa propre surface.

Mais Eva ne voulait pas s'arrêter en si bon chemın. Elle tenait aussi à savoir combien mesuraient les côtés du nouveau bassin si chaque côté de l'ancien vivier mesurait, par exemple, 1 kilomètre. La surface du lac initial étant de $1 \times 1 = 1$ km², celle du grand lac sera deux fois plus importante, c'est-à-dire 2 km². Le problème qui se pose est donc le suivant : quel est le nombre qu'il faut élever au carré pour obtenir 2?

C'est ainsi que nous sommes parvenus à l'opération inverse de celle de l'exponentiation : l'*extraction de racine*. Le problème consiste à calculer $\sqrt{2}$, $\sqrt{2}$ désignant le nombre (s'il existe) dont le carré est 2.

Eva commença à chercher : chacun des côtés du petit carré mesurant 1 km, ceux du grand carré étaient certainement plus grands. Mais ils ne pouvaient mesurer 2 km, car, dans ce cas, la surface du grand carré serait $2 \times 2 = 4$ km². Le côté en question mesure donc entre 1 et 2 km.

Alors, Eva essaya d'ajouter des dixièmes à 1. Au cours de ses essais, elle trouva les résultats suivants :

$$1,4^2 = 1,4 \times 1,4 = 1,96 \quad \text{et} \quad 1,5^2 = 1,5 \times 1,5 = 2,25.$$

1,96 est encore inférieur et 2,25 est déjà supérieur à la surface du lac, qui est de 2 km². Donc la longueur cherchée est comprise entre 1,4 et 1,5 km.

Eva divisa cet intervalle en centièmes et trouva que la longueur cherchée était comprise entre

1,41 et 1,42.

A force de continuer ainsi, elle acquit la conviction qu'elle ne trouverait jamais de nombre dont le carré fût 2. « Il faut pourtant que ce nombre existe! J'ai tracé moi-même les côtés du grand carré, les voici! »

Le pressentiment d'Eva était justifié : il n'existe pas de nombre rationnel dont le carré soit égal à 2. Elle avait déjà démontré que ce nombre n'était pas un entier, puisqu'il se situait entre 1 et 2. Restait à examiner les fractions comprises entre 1 et 2.

Commençons par les réduire au plus petit dénominateur possible. Leur dénominateur ne peut être 1, car $\frac{3}{1}$, par exemple, est égal à 3, et il n'y a pas de nombre entier entre 1 et 2. Mais soit, par exemple,

$$\left(\frac{15}{14}\right)^2 = \frac{15 \times 15}{14 \times 14}$$

$\frac{15}{14}$ n'est pas réductible, car $15 = 3 \times 5$ et $14 = 2 \times 7$ n'ont pas de facteur commun; la multiplication de chacun de leurs facteurs par eux-mêmes ne leur en fournira pas :

$$\left(\frac{3 \times 5}{2 \times 7}\right)^2 = \frac{3 \times 5 \times 3 \times 5}{2 \times 7 \times 2 \times 7}$$

et la fraction obtenue ne sera pas réductible non plus. Or, une fraction non réductible et dont le dénominateur n'est pas 1 ne peut, en aucun cas, être égale au nombre entier 2.

Mais les essais d'Eva constituent un commencement d'enca-drement et donnent par là même le début du développement décimal de $\sqrt{2}$. En tout état de cause, la forme décimale d'un nombre compris entre 1 et 2 commencera ainsi :

$$1,\ldots$$

et tout nombre commençant ainsi peut être considéré comme une première approximation de $\sqrt{2}$.

Si je sais, par ailleurs, que le nombre en question sera compris entre 1,4 et 1,5, son expression décimale continuera ainsi :

$$1,4\ldots$$

les nombres commençant ainsi donneront une approximation plus fine. Le nombre cherché étant compris entre 1,41 et 1,42, son expression décimale continuera ainsi :

$$1,41\ldots$$

Il faudrait maintenant diviser en millièmes l'intervalle entre 1,41 et 1,42 et examiner quel est, parmi les nombres suivants :

$$1,410, \; 1,411, \; 1,412, \; 1,413, \; 1,414, \; 1,415, \; 1,416,$$
$$1,417, \; 1,418, \; 1,419$$

celui dont le carré est encore inférieur à 2, alors que celui du nombre décimal qui lui succède est déjà supérieur à 2. Ces deux nombres cernent la valeur de $\sqrt{2}$ en l'« enfermant » dans une boîte d'un millième de longueur, et donnent donc cette valeur au millième près.

Il existe un procédé plus mécanique pour calculer les termes de l'expression décimale de $\sqrt{2}$, mais l'essentiel du calcul consiste toujours à enfermer cette valeur dans des cadres de plus en plus étroits, à la pousser, en quelque sorte, dans ses derniers retranchements.

On peut continuer ainsi et réaliser des approximations toujours plus fines; nous savons que ce procédé ne peut ni s'interrompre, ni fournir un chiffre décimal périodique, puisque $\sqrt{2}$ n'est pas un nombre rationnel. Nous voyons pourtant de la façon la plus concrète et exacte quelle est la valeur de ce nombre dont les approximations successives donnent une idée de plus en plus précise : elle est égale à la longueur d'un des côtés du vivier agrandi!

C'est d'une façon tout aussi concrète que le théorème bien connu de Pythagore nous présente le nombre irrationnel $\sqrt{2}$. Soit un triangle rectangle isocèle dont les côtés mesurent 1 unité. Construisons un carré sur chacun des trois côtés de ce triangle.

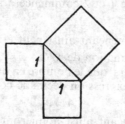

En traçant une diagonale dans chacun des petits carrés et deux dans le grand carré, nous obtenons des triangles égaux,

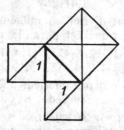

dont quatre constitueront la surface des deux petits carrés et quatre autres celle du grand carré. Ainsi, la surface totale des deux petits carrés est égale à celle du grand carré; autrement dit, puisque la surface du carré est égale au carré de la longueur de ses côtés, la somme des carrés de chacun des deux côtés du triangle est égale au carré de l'hypoténuse. (Ce théorème est valable non seulement pour ce triangle particulier, mais pour tous les triangles rectangles; la démonstration est simplement un peu plus compliquée.) Ici, le carré de l'hypoténuse est donc :

$$1^2 + 1^2 = 1 + 1 = 2$$

et la longueur de celle-ci est par conséquent $\sqrt{2}$.

On peut montrer aussi que les opérations dans le domaine des nombres irrationnels peuvent s'effectuer à l'aide de leurs valeurs approximatives : ces dernières étant des nombres rationnels, aucune règle opérationnelle n'est enfreinte. Ici, l'infini ne ruine pas nos règles habituelles.

Nous pouvons maintenant revenir à une question que nous avions laissée en suspens : peut-on toujours exprimer en centimètres les arêtes d'un cube ou les côtés d'un rectangle? La réponse est négative, car certaines distances ne peuvent être mesurées à l'aide d'aucune fraction de centimètre. Si, par exemple, une distance est couverte exactement 31 fois par $1/20^e$ de centimètre, elle mesure $\frac{31}{20}$ centimètres. Mais nous venons de voir que, si chacun des deux côtés d'un triangle rectangle mesure 1 cm, la longueur de l'hypoténuse, mesurée avec la même unité, n'est égale à aucun nombre rationnel. (Il faut ajouter « mesurée avec la même unité », car à $\sqrt{2}$ correspond une longueur déterminée que nous pourrions choisir comme nouvelle unité et qui pourra, bien entendu, servir à se mesurer elle-même.)

Néanmoins, grâce aux valeurs rationnelles approximatives, on peut montrer, avec la précision des « tablettes de chocolat », que les règles établies pour le calcul de la surface et du volume restent valables même dans le cas des nombres irrationnels.

En ce qui concerne l'équation du second degré, j'ai également une dette vis-à-vis des lecteurs. Nous étions tombés en panne devant l'équation :

$$(x + 3)^2 = 2.$$

Nous sommes désormais en mesure de la résoudre. Disposant de nombres négatifs et sachant que le carré des nombres aussi bien positifs que négatifs est toujours un nombre positif, $+ \sqrt{2}$

et $-\sqrt{2}$ peuvent tous deux être considérés comme le nombre dont le carré est 2. Ainsi, l'on a deux possibilités :

$$x + 3 = \sqrt{2} \quad \text{ou} \quad x + 3 = -\sqrt{2}$$

et, en transférant 3 à droite, nous aurons deux résultats :

$$x = +\sqrt{2} - 3 \quad \text{ou} \quad x = -\sqrt{2} - 3.$$

Mais les nombres négatifs sont la source de nouvelles complications. Que faire, en effet, d'une équation comme

$$x^2 = -9$$

Le carré de $+3$ et celui de -3 valent également $+9$, et nous ne connaissons pas de nombre dont le carré soit -9. Je reviendrai plus loin sur cette question.

Nous avons défini les nombres irrationnels en constatant qu'il y avait des « lacunes » sur la droite numérique, des points auxquels aucun nombre ne correspondait. L'ensemble des nombres rationnels et irrationnels (désignés sous le nom de *nombres réels* — nous rencontrerons, en effet, des nombres qui sont encore plus éloignés de la réalité que les nombres irrationnels) remplit désormais tous les points de la droite numérique. Quel que soit le point que nous considérons sur cette ligne, on pourra, comme le $\sqrt{2}$ de mon élève Eva, l'encadrer au moyen de nombres entiers, puis de dixièmes, de centièmes, etc., et ainsi l'approcher par des nombres décimaux. Si cette approximation s'achève à un moment donné ou si l'on tombe sur des groupes périodiques de chiffres, c'est un nombre rationnel qui correspondra à notre point. Dans le cas contraire, ce sera un nombre irrationnel.

Si, par exemple, nous voulions enfermer dans nos boîtes le point correspondant au $1 + \dfrac{1}{9}$ de notre exemple des tablettes de chocolat, nous verrions que ce nombre est compris successivement entre 1 et 2, entre 1,1 et 2,1, entre 1,11 et 1,12, entre 1,111 et 1,112, et ainsi de suite; donc la suite

$$1 \quad 1,1 \quad 1,11 \quad 1,111 \ldots$$

donne une approximation de plus en plus fine de $1 + \dfrac{1}{9}$, qu'ils peuvent approcher d'aussi près que l'on voudra. Il est normal que ce développement décimal soit périodique, puisque $1 + \dfrac{1}{9}$ est un nombre rationnel.

Y a-t-il beaucoup de nombres irrationnels? Nous n'en avons rencontrés qu'exceptionnellement; on soupçonne néanmoins qu'ils doivent être nombreux, car la périodicité d'un développement décimal semble devoir être plutôt l'exception que la règle. Mais il faut se méfier des intuitions de ce genre : n'avions-nous pas trouvé tout à fait naturel que les nombres rationnels soient plus nombreux que les nombres naturels? Or, nous avons dû admettre plus tard que les nombres rationnels peuvent être ordonnés en une suite unique de telle sorte qu'à chacun d'entre eux on puisse faire correspondre un nombre naturel : 1 au premier terme, 2 au second, et ainsi de suite. Ne pourrait-on pas réaliser un semblable appariement avec les nombres irrationnels?

Considérons l'ensemble des nombres réels rationnels et irrationnels, exprimés sous forme décimale. Bornons nos investigations aux nombres compris entre 0 et 1, c'est-à-dire commençant par 0, afin de ne pas nous compliquer la vie avec les entiers. J'affirme que cette partie de l'ensemble des réels a un cardinal supérieur à celui des nombres naturels : il est impossible de tous les ordonner en une suite dénombrable.

Supposons, en effet, que quelqu'un prétende avoir constitué une suite dénombrable qui comporte tous les nombres réels commençant par 0. Il présente sa suite, en indiquant, bien entendu, une certaine régularité permettant à quiconque d'aller aussi loin qu'il le voudra dans l'écriture de cette suite : c'est la seule façon de présenter les nombres irrationnels, dont le développement décimal est infini. Supposons que sa suite commence par exemple ainsi :

premier terme	0,1
second terme	0,202020...
troisième terme	0,3113111311113...

. . . .

Cette suite, définie par une certaine règle de construction, contiendrait selon lui tous les nombres réels. Or, quelle que soit la règle sur laquelle se fonde la suite, je suis en mesure de trouver immédiatement un nombre réel commençant par 0 qu'elle ne contient certainement pas.

Je commence par ajouter aux décimaux finis des 0 qui ne modifient pas leur valeur. On aura donc :

premier terme	0,10000000000000...
second terme	0,20202020202020...
troisième terme	0,31131113111131...

. . . .

Je peux maintenant me mettre au travail. Mon nombre commencera bien entendu ainsi :

$$0,\ldots$$

Comment choisir les décimales? Ma première décimale ne sera ni 0, ni 9, ni le premier chiffre du premier terme. Ce sera, mettons, 2 (mais j'aurais pu, ici, comme ensuite, prendre tout aussi bien 3, 4, 5, 6, 7 ou 8); si la première décimale du premier terme n'avait pas été 1, j'aurais choisi 1 comme première décimale. Mon nombre commencera donc ainsi :

$$0,2\ldots$$

Comme deuxième décimale, je prendrai le chiffre 1 ou 2, à condition qu'il ne figure pas à cette place dans le deuxième terme; comme à cette place on trouve 0, je peux prendre indifféremment 1 ou 2, mettons 1. Donc, mon nombre s'écrit pour l'instant :

$$0,21\ldots$$

Et ainsi de suite : pour les millièmes, je choisis 2 car la troisième décimale du troisième terme est 1. Donc mon nombre s'écrit pour l'instant :

$$0,212\ldots$$

et chacun peut continuer ainsi en allant aussi loin qu'il voudra, s'il est vrai que les nombres de la suite obéissent à une régularité. J'obtiens ainsi un nombre décimal infini, commençant par 0, et qui ne figure certainement pas dans la suite de mon contradicteur; il diffère, en effet, de chacun des termes de celle-ci par une décimale au moins : la première pour le premier terme, la seconde pour le second terme, etc. Et il est impossible que cette différence soit purement formelle et ne concerne pas la valeur numérique; seuls les nombres uniquement composés, à partir d'un certain moment, de 0 ou de 9, sont capables d'une telle « hypocrisie » (voir p. 132). Or mon chiffre se compose exclusivement de 1 et de 2.

Quelles que soient donc les tentatives pour apparier les nombres réels compris entre 0 et 1 avec les nombres naturels

1, 2, 3, 4, 5..., il y en aura donc toujours au moins un qui échappera à cet appariement : à plus forte raison, si nous étendons notre raisonnement à l'ensemble des nombres réels!

Cette démonstration concerne l'ensemble des nombres réels rationnels et irrationnels. Mais nous savons que les nombres rationnels sont dénombrables, c'est-à-dire qu'ils peuvent être rangés en une suite. Si nous pouvions en faire autant des nombres irrationnels, il serait très facile d'unifier les deux suites en faisant alterner leurs termes respectifs. C'est ainsi que les deux suites des nombres naturels positifs et négatifs :

$$1, 2, 3, 4, 5, \ldots$$

et

$$-1, -2, -3, -4, -5, \ldots$$

peuvent être rassemblées en une seule suite :

$$1, -1, 2, -2, 3, -3, 4, -4, 5, -5, \ldots$$

La suite obtenue contiendrait alors tous les nombres réels; nous venons de montrer que cela est impossible. Il faut donc admettre que l'ensemble des nombres irrationnels ne peut constituer une suite, n'est pas dénombrable et que, pour cette raison, son cardinal est supérieur à celui des nombres rationnels.

Par conséquent, en introduisant la notion de nombres irrationnels, nous avons fait bien davantage que combler les trous laissés par les nombres rationnels : les nombres irrationnels s'étendent tout au long de la droite numérique et les nombres rationnels, malgré leur densité, ressemblent à des raisins secs épars dans la pâte d'un gâteau — on pourrait également risquer une comparaison avec l'éther dont on admettait jadis qu'il remplissait intégralement tous les vides de l'atmosphère terrestre, dans laquelle les molécules d'air, apparemment omniprésentes, seraient alors distribuées de façon éparse.

13. Arrondir les angles

En considérant les dettes que j'ai accumulées au fil des chapitres, je repense à ce 1 isolé au sommet du triangle de Pascal :

$$
\begin{array}{ccccccc}
 & & & 1 & & & \\
 & & 1 & & 1 & & \\
 & 1 & & 2 & & 1 & \\
1 & & 3 & & 3 & & 1
\end{array}
$$

. . . .

Nous avons montré qu'à partir de la deuxième ligne la somme des nombres figurant dans un même rang est successivement :

$$2^1, 2^2, 2^3, \ldots$$

Donc, si le 1 du sommet répondait à cette règle, on pourrait lui attribuer la valeur 2^0. Mais nous avons considéré que 2^0 était dépourvu de sens (on ne peut pas dire que 2 est 0 fois facteur) et, jusqu'ici, la nécessité de lui donner un sens n'est pas encore apparue.

Penchons-nous un peu sur l'exponentiation. Rappelons-nous avec quelle facilité nous avons pu effectuer la multiplication entre puissances d'un même nombre : il suffisait d'additionner les exposants de ces nombres, par exemple :

$$3^2 \times 3^4 = \underbrace{3 \times 3} \times \underbrace{3 \times 3 \times 3 \times 3} = 3^6$$

avec
$$6 = 2 + 4.$$

De même, on a :

$$\frac{3^6}{3^2} = \frac{3 \times 3 \times 3 \times 3 \times 3 \times 3}{3 \times 3}$$

ce qui, divisé par 3×3, se réduit à

$$\frac{3 \times 3 \times 3 \times 3}{1} = 3 \times 3 \times 3 \times 3 = 3^4$$

donc

$$\frac{3^6}{3^2} = 3^4$$

avec

$$4 = 6 - 2.$$

Autrement dit, pour effectuer une division de puissances d'un même nombre, il faut faire la soustraction des exposants.

De même encore :

$$(3^2)^4 = 3^2 \times 3^2 \times 3^2 \times 3^2$$

$$\underbrace{3 \times 3}_{} \times \underbrace{3 \times 3}_{} \times \underbrace{3 \times 3}_{} \times \underbrace{3 \times 3}_{} = 3^8$$

avec

$$8 = 2 \times 4.$$

Donc, pour élever une puissance à une puissance, il suffit de multiplier les deux exposants.

Aussi n'est-il pas sans intérêt de grouper dans un tableau les puissances d'une même base, par exemple 2, dont il est relativement facile de calculer les puissances :

$2^1 = 2$ — Si nous avons deux nombres à multiplier entre

$2^2 = 4$ — eux, avec un peu de chance, nous pouvons trou-

$2^3 = 8$ — ver la solution dans ce tableau. La multipli-

$2^4 = 16$ — cation

$2^5 = 32$

$2^6 = 64$ — $$64 \times 32$$

$2^7 = 128$ — ne pose pas de problème : les deux nombres

$2^8 = 256$ — figurent dans le tableau, et il n'est pas difficile

$2^9 = 512$ — d'additionner les exposants correspondants :

$2^{10} = 1\,024$ — 6 et 5 = 11; un simple regard sur le 11e rang

$2^{11} = 2\,048$ — nous livre alors le résultat :

$2^{12} = 4\,096$ — $$2\,048.$$

S'il s'agit d'élever 32 au carré, l'exposant correspondant est 5; le multiplier par 2 est un jeu d'enfant et le 10e rang du tableau nous indique le résultat :

$$32^2 = 1\,024.$$

Il est dommage que tous les nombres ne figurent pas dans ce tableau. Ne pourrait-on pas redéfinir la notion d'exponentiation de façon que tout nombre (par exemple 3) puisse être écrit comme une puissance de 2? C'est là une autre opération inverse de l'exponentiation : chercher l'exposant qui, appliqué à une base donnée, donne 3. Cette opération (et son résultat, s'il existe) s'appelle *logarithme*.

Rien n'est aussi désagréable que d'opérer avec des fractions; celles-ci ne figurent pas encore dans notre tableau puisque, dès la plus petite puissance de 2, soit 2^1, nous obtenons un nombre entier. Comme les exposants entiers supérieurs à 1 donnent des puissances de 2 entières, ce n'est pas à eux qu'on pourra avoir recours. Si nous voulons que des fractions figurent également dans notre tableau, il faudra utiliser des exposants inférieurs à 1.

En comptant à rebours, en prenant toujours des entiers, nous avons :

$$2^0, 2^{-1}, 2^{-2}, 2^{-3},$$

nombres qui demandent à être interprétés. Or, dans cette extension de l'exponentiation, il faut veiller à ce que toutes les règles de cette opération soient respectées; nous ne devons jamais perdre de vue l'objectif à atteindre : il faut que nos nouvelles puissances offrent les mêmes commodités pour le calcul que les anciennes.

Entre autres, il faudra que le résultat de la multiplication par 2^0 d'une des puissances de 2 soit le même que celui de l'addition de 0 et de l'exposant de cette puissance. L'addition de 0 ne changeant rien à la valeur d'un nombre, il convient donc d'attribuer à 2^0 une valeur telle que la multiplication par ce nombre ne change en rien la valeur du nombre initial. Le multiplicateur qui ne change pas la valeur du nombre qu'il multiplie est 1, donc 2^0 (et, de même, la puissance 0 de n'importe quelle autre base) doit être interprété de la façon suivante :

$$2^0 = 1.$$

Ce qui, du même coup, assure l'homogénéité du triangle de Pascal.

Pour interpréter 2^{-1}, il faudra faire en sorte que

$$2^1 \times 2^{-1} = 2^{1+(-1)} = 2^{1-1} = 2^0 = 1$$

soit possible. Si dans l'égalité :

$$2^1 \times 2^{-1} = 1$$

nous transférons le multiplicateur 2^1 (soit 2) à droite, nous trouvons :

$$2^{-1} = \frac{1}{2^1}.$$

Il s'ensuit, de même, que si nous avons :

$$2^2 \times 2^{-2} = 2^{2+(-2)} = 2^0 = 1$$

nous aurons aussi :

$$2^{-2} = \frac{1}{2^2}$$

et que de :

$$2^3 \times 2^{-3} = 2^{3+(-3)} = 2^0 = 1$$

découle :

$$2^{-3} = \frac{1}{2^3}$$

et ainsi de suite. Donc, si nous voulons respecter toutes les règles de ce procédé de calcul si commode, il conviendra d'interpréter les puissances à exposant négatif comme le produit de la division de 1 par la puissance ayant l'exposant positif correspondant.

C'est ainsi que notre tableau se complétera « en sens inverse », et donnera comme résultats des nombres fractionnaires :

$$2^{-3} = \frac{1}{2^3} = \frac{1}{8} = 1 \quad \begin{array}{c|c} & 8 \\ 10 & \overline{0,125} \\ 20 & \\ 40 & \end{array}$$

$$2^{-2} = \frac{1}{2^2} = \frac{1}{4} = 1 \quad \begin{array}{c|c} & 4 \\ 10 & \overline{0,25} \\ 20 & \end{array}$$

$$2^{-1} = \frac{1}{2^1} = \frac{1}{2} = 1 \quad \begin{array}{c|c} & 2 \\ 10 & \overline{0,5} \end{array}$$

$$\begin{array}{lcl} 2^0 & = & 1 \\ 2^1 & = & 2 \\ 2^2 & = & 4 \end{array}$$

. . . .

Ce tableau offre déjà le moyen d'opérer avec une facilité considérable sur les fractions $\frac{1}{2}, \frac{1}{4}, \frac{1}{8}, \ldots$, c'est-à-dire avec les décimaux 0,5 0,25 0,125 ...

Mais les « lacunes » de ce tableau sont encore énormes, par exemple entre $2^1 = 2$ et $2^2 = 4$. Si nous voulons exprimer un nombre compris entre 2 et 4 (comme 3, mais aussi bien, par exemple, 2,7) comme une puissance de 2, nous devrons recourir à un exposant compris entre 1 et 2. $1 + \frac{1}{2}$ est, par exemple, un tel nombre. Il est égal à $\frac{3}{2}$, puisque $1 = \frac{2}{2}$; nous aurons donc à interpréter 2 à la puissance $\frac{3}{2}$ et, d'une façon générale, toutes les puissances de 2 à exposant fractionnel.

Si nous tenons à respecter les règles de l'exponentiation, nous aurons :

$$\left(2^{\frac{3}{2}}\right)^2 = 2^{2 \times \frac{3}{2}} = 2^{\frac{6}{2}} = 2^3$$

donc $2^{\frac{3}{2}}$ sera le nombre dont le carré est 2^3, nombre que nous avons désigné par le symbole $\sqrt{2^3}$; ainsi

$$2^{\frac{3}{2}} = \sqrt{2^3} = \sqrt{8}.$$

Calculé à un dixième près, $\sqrt{8}$ est égal à 2,8, et comme par ailleurs

$$\frac{3}{2} = 3 \begin{array}{|l} 2 \\ \overline{1{,}5} \end{array}$$
$$\quad\quad 10$$

nous insérerons entre 2^1 et 2^2 la quasi-égalité suivante :

$$
\begin{array}{ll}
2^1 & = 2 \\
2^{1,5} & \simeq 2{,}8 \\
2^2 & = 4
\end{array}
$$

Certes, nous n'avons pas encore atteint notre objectif, c'est-à-dire 3, mais 2,8 se situe assez près de ce nombre. On peut montrer qu'il est impossible d'exprimer 3 par aucune puissance de 2 à exposant fractionnaire, mais on peut l'approcher avec autant de précision que l'on voudra. C'est par de telles approximations que nous définissons une puissance à exposant irrationnel.

Telle est la conception qui est à la base de la confection des tables de logarithmes, et les anciennes tables étaient effectivement conçues de cette façon. Celle que l'on emploie dans les lycées est à base 10 (la base n'y figure pas, seulement les exposants); la volonté de se conformer au « jeu avec les doigts » a ici entraîné d'importants sacrifices dans la précision, car les puissances de 10 (10, 100, 1 000, ...) sont séparées par des « trous » bien plus larges que les puissances de 2, et il faudra se donner beaucoup plus de mal pour les combler.

Dans certaines tables de logarithmes, on trouve aussi un logarithme nommé *naturel*, à base *e*. Cet *e* est un nombre irrationnel commençant par 2,71... Pourquoi l'avoir ainsi pris pour base? Plusieurs explications s'offrent; voici, à mon avis, la plus ingénieuse.

Prendre 10 pour base de logarithme est un choix critiquable, pour les raisons que je viens d'exposer. Il vaudrait mieux descendre au-dessous de 2, pour obtenir les plus petits trous possibles entre les puissances entières de la base considérée. Bien entendu, nous ne pouvons descendre jusqu'à 1, dont toutes les puissances sont égales à 1, et il est exclu de descendre au-dessous de 1, car les puissances d'une fraction réelle sont encore plus petites que cette fraction; par exemple : $\left(\dfrac{1}{2}\right)^2 = \dfrac{1}{2} \times \dfrac{1}{2} = \dfrac{1}{4}$. Essayons de prendre 1,1, ce qui est d'autant plus agréable que les puissances de 11 sont connues grâce au triangle de Pascal; il suffit de penser, en plaçant la virgule, que multiplier par un dixième, c'est diviser par 10 : donc, à chaque multiplication, la virgule glisse d'un cran vers la gauche. Il ne faut pas oublier non plus que la puissance 0 d'un nombre quel qu'il soit est égale à 1.

$$1,1^0 = 1$$
$$1,1^1 = 1,1$$
$$1,1^2 = 1,21$$
$$1,1^3 = 1,331$$
$$1,1^4 = 1,4641$$
$$\cdot \quad \cdot \quad \cdot \quad \cdot$$

Les résultats augmentent très lentement et nous disposons immédiatement d'une grande quantité de nombres compris entre 1 et 2, avant même d'entreprendre de combler les trous.

Prendre une base encore plus petite, située encore plus près de 1, serait encore mieux. Essayons la base 1,001 (nous retrouvons les éléments du triangle de Pascal, séparés à chaque fois par deux 0) :

$$1,001^0 = 1$$
$$1,001^1 = 1,001$$
$$1,001^2 = 1,002001$$
$$1,001^3 = 1,0030003001$$
$$. \quad . \quad . \quad . \quad . \quad . \quad . \quad .$$

Nous avons ici une densité considérable; les puissances entières de 1,001 augmentent avec une telle lenteur que l'on se demande si elles atteindront jamais 2! On peut néanmoins prouver que les puissances de nombres aussi proches de 1 que l'on voudra se rapprochent tout de même, très lentement certes, de l'infini.

Ce tableau a cependant un défaut : les exposants sont beaucoup trop grands par rapport aux bases; il faut aller à peu près jusqu'à la puissance 1 000 pour obtenir 2! Des exposants mille fois plus petits s'harmoniseraient mieux avec les nombres dont ils indiquent la puissance. Qu'à cela ne tienne : nous allons élever la base à la puissance 1 000! En effet :

$$(1,001^{1000})^{\frac{1}{1000}} = 1,001^{1000 \times \frac{1}{1000}} = 1,001^{\frac{1000}{1000}} = 1,001^1$$
$$(1,001^{1000})^{\frac{2}{1000}} = 1,001^{1000 \times \frac{2}{1000}} = 1,001^{\frac{2000}{1000}} = 1,001^2$$

et ainsi de suite; donc, pour obtenir le même résultat avec la base $1,001^{1000}$ qu'avec la base 1,001, il faut élever la première à une puissance égale au produit de l'exposant de 1,001 par $\frac{1}{1000}$.

En calculant les puissances de la base $1,001^{1000}$, nous progresserons donc par millièmes, c'est-à-dire, exprimé en décimaux :

$$\frac{1}{1\,000} = 0,001 \qquad \frac{2}{1\,000} = 0,002 \qquad \frac{3}{1\,000} = 0,003 \ldots$$

ou, en utilisant le rapport que l'on vient de trouver entre les puissances de la base 1,001 :

$$(1{,}001^{1000})^0 \quad\;= 1{,}001^0 = 1$$
$$(1{,}001^{1000})^{0.001} = 1{,}001^1 = 1{,}001$$
$$(1{,}001^{1000})^{0.002} = 1{,}001^2 = 1{,}002001$$
$$(1{,}001^{1000})^{0.003} = 1{,}001^3 = 1{,}003003001$$

. . . .

Il n'y a désormais aucune disproportion entre la grandeur des bases et celle des exposants, et les résultats sont tout aussi denses.

Il est clair que les bases :

$$1{,}0001^{10\,000} \quad 1{,}00001^{100\,000} \quad 1{,}000001^{1\,000\,000} \quad \ldots$$

correspondent de mieux en mieux au but recherché. Or, on peut prouver que cette suite tend vers un nombre irrationnel commençant par 2,71 . . . Ce nombre joue un rôle très important en mathématiques, aussi l'a-t-on désigné spécialement par la lettre e. Le logarithme à base e a reçu le nom de *logarithme naturel* : la recherche de bases de plus en plus utilisables y conduit naturellement.

Les logarithmes nous permettent de combler les trous que comportait la définition de l'exponentiation : celle-ci vaut désormais pour tout exposant, nombre naturel ou non. Nous sommes ainsi en mesure de compléter la courbe, fort incomplète, de la fonction exponentielle. Comme nous savons maintenant manier les équations, nous pouvons représenter cette fonction sous forme d'une équation : choisissons à nouveau 2 comme base; l'exposant sera variable et désigné par x. La valeur de la fonction variera « en fonction » de ce x, et on la désignera par y :

$$y = 2^x.$$

On représentera les valeurs de x par des unités de grandeur ├──────┤ sur la ligne horizontale, qui comportera également un 0 et, à gauche de ce point, des nombres négatifs; et les valeurs correspondantes à y par des unités de grandeur $\lceil$ sur la ligne verticale :

$$\text{pour } x = -3 \qquad y = 2^{-3} = \frac{1}{2^3} = \frac{1}{8}$$

$$\text{pour } x = -2 \qquad y = 2^{-2} = \frac{1}{2^2} = \frac{1}{4}$$

$$\text{pour } x = -1 \qquad y = 2^{-1} = \frac{1}{2^1} = \frac{1}{2}$$

$$\text{pour } x = 0 \qquad y = 2^0 = 1$$

$$\text{pour } x = 1 \qquad y = 2^1 = 2$$

$$\text{pour } x = 2 \qquad y = 2^2 = 4$$

$$\text{pour } x = 3 \qquad y = 2^3 = 8$$

Sur les points $-3, -2, -1, 0, 1, 2, 3$, il faut donc abaisser des segments perpendiculaires ayant pour grandeurs respectives successivement $\frac{1}{8}, \frac{1}{4}, \frac{1}{2}, 1, 2, 4, 8$ unités :

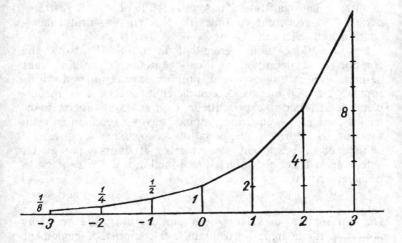

On peut même indiquer les valeurs intermédiaires de x; nous avons vu, par exemple, que

$$2^{1 + \frac{1}{2}} = 2^{\frac{3}{2}} = \sqrt{2^3} = \sqrt{8} = 2,8 \ldots$$

De la même façon, nous pouvons calculer, au dixième près, les valeurs intermédiaires comprises entre d'autres nombres entiers :

pour $x = -2,5$ $y = 0,2$
pour $x = -1,5$ $y = 0,4$
pour $x = -0,5$ $y = 0,7$
pour $x = \ \ \ 0,5$ $y = 1,4$
pour $x = \ \ \ 1,5$ $y = 2,8$
pour $x = \ \ \ 2,5$ $y = 5,7$

Inscrivons ces valeurs dans la figure, en abaissant sur les points $-2,5 -1,5 -0,5\ 0,5\ 1,5\ 2,5$ des segments perpendiculaires mesurant respectivement $0,2\ 0,4\ 0,7\ 1,4\ 2,8\ 5,7$ unités :

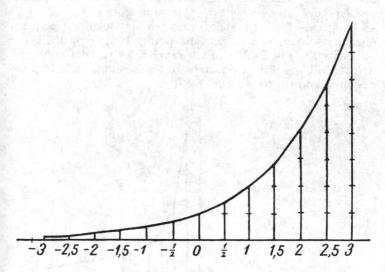

Voilà une « courbe de température » qui ne comporte presque plus d'angles; si l'on continue à compléter la ligne horizontale avec des valeurs rationnelles et irrationnelles de x, on se rapprochera de plus en plus d'une ligne courbe continue.

Quand on va de droite à gauche, cette courbe se rapproche de plus en plus de la ligne horizontale, mais sans jamais l'atteindre : il n'existe pas d'exposant qui, appliqué à la base 2, donne 0.

Il en est de même en ce qui concerne les « courbes de température » des divisions; si je ne les ai pas présentées jusqu'ici, c'est qu'elles n'auraient pas été assez fournies avec les seuls nombres entiers. Soit, par exemple, un dividende comme 12 (dont je sais qu'il admet de nombreux diviseurs); le diviseur étant la variable, je la désigne par x, tandis que le résultat de la division, le quotient, dont la variation dépendra de celle de x, sera désigné par y :

$$y = \frac{12}{x}.$$

Les valeurs positives de y seront représentées par des segments perpendiculaires abaissés sur l'axe, les valeurs négatives par des segments identiques mais dirigés vers le bas. Aux points — 12, — 6, — 4, — 3, — 2, — 1, les quotients — 1, — 2, — 3, — 4, — 6, — 12 seront représentés par des segments perpendiculaires dirigés vers le bas; aux points 1, 2, 3, 4, 6, 12, les quotients 12, 6, 4, 3, 2, 1 seront représentés par des segments perpendiculaires dirigés vers le haut, l'unité étant, dans chaque cas, un segment de grandeur I :

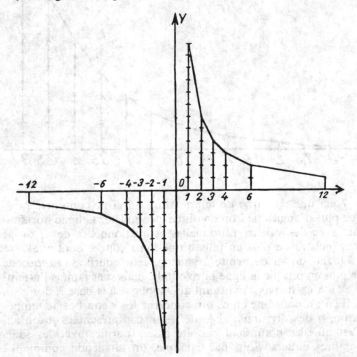

Il est à peine besoin d'intercaler des valeurs intermédiaires pour obtenir une ligne bien courbe; mais examinons ce qu'elle devient aux extrémités. Abaissons sur la ligne horizontale une perpendiculaire aboutissant au point O; la ligne horizontale sera l'axe des x et cette perpendiculaire l'axe des y. Nous voyons que chacune des deux parties de la courbe se rapproche de plus en plus, l'une de l'axe des x, l'autre de l'axe des y, sans jamais les atteindre : on appelle ces segments les *asymptotes* de la courbe. En effet, en continuant vers la droite sur l'axe des x, si $x = 24$, $y = \dfrac{12}{x} = \dfrac{12}{24}$, soit, en simplifiant par 12,

$$y = \frac{1}{2}$$

si $x = 36$, et en simplifiant de même par 12 :

$$y = \frac{12}{36} = \frac{1}{3}$$

si $x = 48$, $\qquad\qquad y = \dfrac{12}{48} = \dfrac{1}{4}$

et ainsi de suite. Au fur et à mesure que l'on progresse sur l'axe des x, les valeurs de y diminuent, mais sans jamais atteindre 0, car aussi grand que soit le nombre par lequel nous divisons 12, le résultat ainsi obtenu sera toujours supérieur à 0. De la même manière, en progressant vers la gauche sur l'axe des x, nous obtenons les valeurs

$$-\frac{1}{2} \quad -\frac{1}{3} \quad -\frac{1}{4} \cdots$$

qui tendent vers 0 sans jamais l'atteindre; l'autre partie de la courbe se rapproche elle aussi, par en bas, de l'axe des x mais ne l'atteint jamais.

Prenons $x = \dfrac{1}{2}$; nous savons que 1 entier est égal à 2 moitiés, donc 12 entiers comportent $12 \times 2 = 24$ moitiés :

$$y = 24.$$

De même, il est clair que 12 contient 36 tiers, 48 quarts :

si $x = \dfrac{1}{3}$ $\quad y = 36 \qquad$ si $x = \dfrac{1}{4}$ $\quad y = 48$ etc.

Donc, quand les x se rapprochent de 0, les valeurs de y augmentent; mais la courbe ne peut jamais atteindre l'axe des y, car, pour avoir $x = 0$, il faudrait que l'on ait $y = \dfrac{12}{0}$, ce qui se heurte à une interdiction absolue : on n'a pas le droit de diviser par 0!

En effet, l'opération inverse de la division est la multiplication : si $20 : 5 = 4$, c'est que $5 \times 4 = 20$.

Mais supposons que $5 : 0 = 0$, on a $0 \times 0 = 0$ et non pas 5;

si $5 : 0 = 5$, on a de même $0 \times 5 = 0$ et non pas 5;

si $5 : 0 = 1$, on a de même $0 \times 1 = 0$ et non pas 5 ...

Quel que soit le nombre que je multiplie par 0, le résultat sera toujours 0 et non 5; et il est donc impossible de diviser 5 par 0.

Et, en effet, si l'on y réfléchit : plus un nombre est petit et plus de fois il est contenu dans 5; plus le diviseur de 5 est petit, et plus le quotient sera grand. S'il existait un nombre qui soit « le plus grand de tous », c'est lui qui devrait être le quotient de la division par le nombre le plus petit, c'est-à-dire par 0. Mais un tel nombre n'existe pas!

Et si nous divisions 0 par 0? Essayons! Supposons $0 : 0 = 1$; on a bien $0 \times 1 = 0$. Parfait! Seulement, si je dis, au hasard : $0 : 0 = 137$, j'ai également raison, car 0×137 vaut également 0. Le résultat est indéterminé puisque, quel que soit le nombre choisi, il est toujours vérifié par la multiplication inverse. Donc, l'interdiction de diviser par 0 subsiste même quand le dividende est 0. J'ai lu, un jour, dans un journal d'étudiants, la phrase suivante : « Ayant installé Adam au Paradis, le Seigneur lui dit : Tu pourras diviser par n'importe quel nombre, sauf par zéro! »

On pourrait penser que, face à une interdiction aussi absolue, nul ne songerait à diviser par 0. Peut-être pas de façon ouverte, en effet, mais 0 peut aussi « se déguiser ». Un tel déguisement sera, par exemple :

$$(x + 2)^2 - (x^2 + 4\,x + 4).$$

On ne voit pas immédiatement que ce qui est proposé, c'est de retrancher de $(x + 2)^2$ sa propre forme développée. Les démonstrations facétieuses qui aboutissent à des résultats tels que $1 = 2$ reposent souvent sur des divisions par 0 « camouflées ». En mathématiques, une seule faute de raisonnement, une seule affirmation en contradiction avec les thèses admises suffit à démontrer les pires absurdités, par exemple $1 = 2$.

Gravons bien dans notre mémoire l'image de notre courbe (qu'on appelle une *hyperbole*) afin de ne pas oublier cette interdiction! La principale caractéristique de cette courbe est précisément de comporter deux morceaux. Chacune de ses branches se développe avec une régularité parfaite mais, au point 0, on a une rupture, une plaie béante, à l'infini : la branche de gauche se dirige vers le bas, la branche de droite vers le haut, et toutes deux s'acheminent vers l'infini. Entre elles, l'axe des y, tel un glaive dressé, semble matérialiser l'avertissement : « Tu peux te rapprocher tant que tu veux, mais n'aie jamais l'audace de t'avancer jusqu'au diviseur 0! »

14. Les mathématiques sont une

Nous avons présenté des fonctions sous forme d'équations, mais n'allons pas croire que ce soit la seule façon de le faire. Essayez donc d'exprimer par une équation simple la fonction suivante : soit 1 la valeur de y chaque fois que x est un nombre rationnel, et 0 chaque fois que x est un nombre irrationnel (on appelle cette fonction *fonction de Dirichlet*). Cette fonction est parfaitement définie; la valeur de y dépend en effet du choix de x, et à toute valeur de x correspond un y bien précis; par exemple, si $x = 1,5$, $y = 1$, et si $x = \sqrt{2}$, $y = 0$. Mais il est impossible d'exprimer cette fonction par une équation, et même de la représenter graphiquement, tant sont fréquentes les oscillations entre 0 et 1, correspondant aux alternances de nombres rationnels et irrationnels.

L'essentiel du concept de fonction est le suivant : à chaque valeur de x correspond une valeur de y. x peut ne pas prendre toutes les valeurs : nous avons vu à propos de la fonction d'équation $y = \dfrac{12}{x}$ qu'elle n'a pas de sens pour la valeur $x = 0$. Pour définir une fonction, il faut indiquer l'ensemble des nombres susceptibles d'être des valeurs de x, et il faut en outre donner une instruction permettant de calculer la valeur de y pour chaque x.

La représentation graphique de la fonction est extrêmement utile : une figure bien faite est toujours plus « parlante » que la description verbale d'une fonction.

Soit une fonction définie de la façon suivante : à chaque x quel qu'il soit correspond un y égal au plus grand nombre entier inférieur à x; par exemple,

$$\text{pour } x = 5{,}45 \qquad y = 5$$
$$\text{pour } x = \sqrt{2} \qquad y = 1$$

(nous avons déjà vu que $\sqrt{2} = 1{,}4\ldots$).

Cherchons à représenter graphiquement cette fonction:

$$\begin{array}{ll} \text{pour } x = 0 & y = 0 \\ \text{pour } x = 0{,}1 & y = 0 \\ \text{pour } x = 0{,}9999 & y = 0 \end{array}$$

et nous voyons que y reste égal à 0 jusqu'à ce que x atteigne 1, après quoi :

$$\begin{array}{ll} \text{pour } x = 1 & y = 1 \\ \text{pour } x = 1{,}000 & y = 1 \\ \text{pour } x = 1{,}99 & y = 1 \end{array}$$

donc y reste à égal à 1 jusqu'à ce que x atteigne 2, et ainsi de suite ; de même dans le secteur des nombres négatifs. Cela donne la représentation graphique suivante :

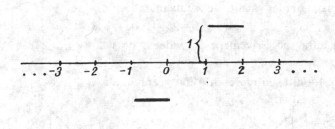

La « courbe » se compose donc de segments horizontaux. Un simple coup d'œil sur le graphique nous donne tous les renseignements sur la fonction : à chaque « saut » de la courbe, la valeur de y augmente d'une unité, tandis que les segments horizontaux indiquent que y garde la même valeur. Ainsi, une fonction peut comporter des discontinuités qui ne soient pas infinies (comme celle de la fonction $y = \dfrac{12}{x}$ au point $x = 0$), mais limitées comme ici. Les parties continues de cette courbe-ci, par ailleurs, sont régulières, alors que la représentation de la fonction de Dirichlet ne présente aucune continuité (on ne peut concevoir de segments suffisamment courts pour ne comporter que des nombres rationnels ou que des nombres irrationnels).

Il ne faut pas croire non plus que si une fonction peut s'exprimer par une formule simple, sa représentation sera pour autant une ligne parfaitement courbe, sans « coudes ». Soit la fonction ainsi définie : pour tout x, y est égal à la *valeur absolue* de x, c'est-à-dire à la valeur de x sans considération du signe $+$ ou $-$ qui le précède. Le signe conventionnel pour désigner la valeur absolue est constitué par deux traits verticaux, de chaque côté du chiffre; par exemple :

$$| - 3 | = 3$$
$$| + 3 | = 3$$

et bien entendu $| \ 0 \ | = 0$.

La fonction ainsi définie peut être exprimée par la formule simple suivante :

$$y = | x | .$$

Ainsi, pour les valeurs de x suivantes :

$$-4, -3, -2, -1, 0, 1, 2, 3, 4$$

on aura successivement les valeurs de y :

$$4, \ 3, \ 2, \ 1, \ 0, \ 1, \ 2, \ 3, \ 4.$$

C'est-à-dire, en représentation graphique :

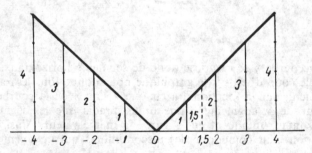

Notre fonction sera donc représentée par deux droites formant un angle, et les valeurs intermédiaires n'y changent rien; par exemple :

$$\text{si } x = 1,5 \qquad y = | \ 1,5 \ | = 1,5$$

valeur que j'ai représentée par une ligne pointillée, aboutissant, comme toutes les autres, à un des côtés de l'angle.

La représentation géométrique donne une image nette et

concrète de la fonction, même si sa précision laisse à désirer : notre crayon peut ne pas tracer des lignes assez fines, notre règle peut ne pas être parfaitement droite, nos yeux, nos mains peuvent nous trahir. De plus, sans même recourir à une représentation dessinée, la géométrie a des renseignements précis à nous fournir sur les différentes figures. Connaissant les propriétés d'une figure géométrique comme l'hyperbole et sachant que la représentation de la fonction $y = \dfrac{12}{x}$ est une hyperbole, je peux dire que je sais tout de cette fonction.

Il arrive aussi que la géométrie s'adresse aux autres branches des mathématiques, par exemple pour emprunter une formule quand elle a besoin de généraliser : nous avons vu qu'une formule est capable de résumer une multitude de problèmes. C'est ce qu'elle fait, par exemple, pour le calcul des surfaces et des volumes. Les mathématiques sont *une*, elles ne se décomposent pas en « algèbre » et en « géométrie » comme l'imagine plus d'un lycéen, surtout quand l'emploi du temps indique « algèbre » pour le lundi et le vendredi et « géométrie » pour le mercredi, donnant ainsi l'impression que les mathématiques sont scindées en deux.

Le système des coordonnées est un des ponts qui relient la géométrie aux autres branches des mathématiques. Les deux perpendiculaires passant par le point 0, l'axe des x et l'axe des y, tels que nous les avons utilisés pour tracer l'hyperbole, permettent de « numéroter » les différents points d'une surface plane. On peut les considérer comme deux chemins traversant une prairie :

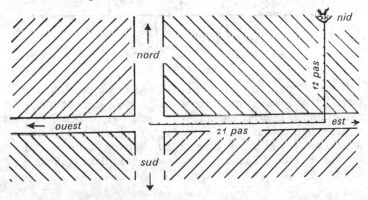

Si je veux repérer un nid d'oiseaux dans un des buissons de cette prairie, ce que j'ai de mieux à faire, c'est de rejoindre, en ligne droite, un des deux chemins, en faisant des pas aussi égaux que possible, puis de compter mes pas, ainsi que ceux que j'accomplis pour retourner à l'intersection des deux chemins : si je veux maintenant conduire quelqu'un jusqu'au nid, et sachant que je dois faire, à partir du carrefour, 21 pas vers l'est puis 12 pas vers le nord, je suis sûr de retrouver l'objet que je cherche. Ces deux nombres orientés sont les deux *coordonnées* du point cherché. En géométrie, nous traduirons, bien entendu, les orientations par les signes + et —, les signes positifs signifiant « droite » et « haut », les signes négatifs « gauche » et « bas ». Les pas seront remplacés par des unités déterminées, qui serviront à mesurer les coordonnées. Ainsi, à chaque point de la surface correspond un couple de nombres, et à chaque couple de nombres un point. Le chemin accompli sur l'axe des x est appelé l'*abscisse* du point (toujours indiquée la première), le chemin accompli sur l'axe des y l'*ordonnée* du point.

Voici, pour nous familiariser avec cette représentation, les coordonnées de quelques points :

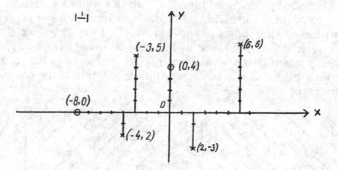

(Bien entendu, ce n'est pas là la seule façon possible d'attribuer des couples de nombres à des points; on peut imaginer, par exemple, que les chemins ne soient pas perpendiculaires; il pourrait aussi n'y avoir qu'un seul chemin, sur lequel je m'avancerais jusqu'au niveau du buisson pour retrouver ensuite, à l'aide d'une boussole, la direction dans laquelle il est situé.)

En désignant les points par des couples de nombres, je crée la possibilité de désigner une droite par une relation entre ces couples, c'est-à-dire par une équation. Soit, par exemple, la droite qui passe par le point 0 et par le point (1,1), c'est-à-dire le point ayant pour abscisse 1 et pour ordonnée 1 également :

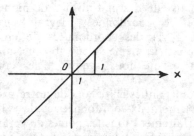

Si c'était la représentation d'un remblai de chemin de fer, sa pente serait désignée ainsi :

$$1 : 1.$$

Lisez : quand nous parcourons 1 mètre en avançant horizontalement le long du remblai, celui-ci s'élève de 1 mètre. L'élévation de la pente étant régulière (2 mètres pour une distance horizontale de 2 mètres, 3 mètres pour une distance horizontale de 3 mètres, etc.), tous les points situés sur notre droite seront caractérisés par l'égalité de leurs deux coordonnées; pour chacun de ces points, on a :

$$y = x.$$

En dehors de notre droite, il n'existe pas de points sur la surface dont les deux coordonnées soient identiques :

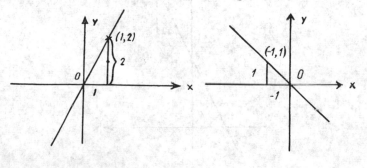

Quels que soient les autres points que nous relions au point de départ, nous obtenons une pente d'angle différent, voire une pente se dirigeant vers le bas. Dans la figure de gauche, la pente est de 2 : 1; autrement dit, chacun des points qui constituent la droite aura une ordonnée *y* deux fois plus grande que son abscisse *x*; dans la deuxième figure, la pente est de 1 : 1, mais elle descend au lieu de monter, ce qui, dans notre système de coordonnées, devrait s'exprimer par les symboles 1 : (— 1); les coordonnées de chacun des points de cette droite ont la même valeur absolue, mais elles sont de signe différent, ce qui nous interdit de les considérer comme égales.

Ainsi, les points situés en dehors de notre première droite ne peuvent avoir leurs deux coordonnées égales : l'équation $y = x$ caractérise parfaitement tous les points de cette droite et seulement ceux-ci; nous pouvons donc la considérer à bon droit comme l'équation de notre droite.

Chemin faisant, nous avons vu que les équations des deux autres droites étaient respectivement :

$$y = 2x$$

pour celle dont la pente est 2 : 1 (nous aurons l'occasion de la rencontrer à nouveau, prière de la reconnaître au moment opportun!), et :

$$y = -x$$

pour celle dont la pente est 1 : (— 1).

Déplaçons la droite à pente 2 : 1 vers le haut, par exemple de 3 unités, mais sans en modifier la direction :

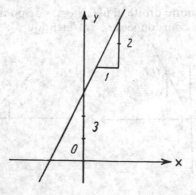

La pente ne s'est pas modifiée ; nous pouvons nous en convaincre en avançant de 1 unité vers la droite, à partir de n'importe quel point de notre droite ; nous verrons qu'à chaque déplacement de ce type correspond une élévation de la pente de 2 unités. La seule différence par rapport à la situation précédente, c'est que l'ordonnée y de chaque point de la droite sera augmentée de 3 unités. Quand nous avions $2x$ sur la droite précédente, nous aurons maintenant $2x + 3$; donc l'équation correspondante à la droite ainsi placée sera :

$$y = 2x + 3.$$

On peut caractériser toutes les équations jusqu'ici obtenues ($y = x$, $1 = 2x$, $y = -x$, $y = 2x + 3$) comme des *équations de premier degré à deux inconnues*. Les inconnues sont bien entendu au nombre de deux, puisque chacun des points est défini par deux coordonnées. Mais ce qu'il faut surtout retenir, c'est que l'équation qui correspond à une droite quelle qu'elle soit est du *premier degré*. Inversement, on peut démontrer que toute équation du premier degré, par exemple l'équation $5x - 3y = 7$, peut être considérée comme l'équation d'une certaine droite déterminée. Équation du premier degré et ligne droite sont deux formulations d'une même réalité.

Ce beau résultat n'est pas bien surprenant : toutes les droites, quelle que soit leur position, appartiennent à une même famille, et il en va de même des équations qui leur correspondent.

Considérons maintenant une ligne courbe quelconque. Chacun connaît le cercle ; pensons à une roue de bicyclette, dont tous les rayons sont égaux : ce seront les rayons du cercle.

Supposons que chacun de ces rayons mesure 5 unités et que le centre du cercle coïncide avec le point d'intersection des axes des coordonnées :

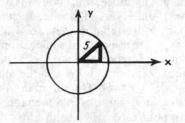

Prenons un point quelconque situé sur la circonférence du cercle, traçons les segments parallèles aux axes et le rayon qui y aboutissent : nous obtiendrons, quel que soit le point choisi, un triangle rectangle. Rappelons-nous la formule qui lie les côtés et l'hypoténuse, c'est-à-dire le bon vieux théorème de Pythagore : le carré de l'hypoténuse est égal à la somme des carrés des côtés. Donc, en élevant au carré les deux coordonnées de n'importe quel point de la circonférence et en les additionnant, nous devons obtenir $5^2 = 25$: c'est-à-dire que l'on a :

$$x^2 + y^2 = 25.$$

Cette relation sera l'équation de notre cercle. On voit tout de suite qu'elle est du second degré et qu'elle n'est pas la plus simple des équations de cette catégorie. Cherchons quelle est la courbe qui correspond à l'équation du second degré la plus simple, c'est-à-dire à

$$y = x^2.$$

pour $x = -3$ $y = (-3)^2 = +9$
pour $x = -2$ $y = (-2)^2 = 4$
pour $x = -1$ $y = (-1)^2 = 1$
pour $x = 0$ $y = 0^2 = 0$
pour $x = 1$ $y = 1^2 = 1$
pour $x = 2$ $y = 2^2 = 4$
pour $x = 3$ $y = 3^2 = 9.$

Prenons aussi quelques valeurs intermédiaires autour de 0 :

$$\text{pour } x - \frac{1}{2} \qquad y = \left(\frac{1}{2}\right)^2 = \frac{1}{4}$$

$$\text{pour } x = -\frac{1}{2} \qquad y = \left(-\frac{1}{2}\right)^2 = \frac{1}{4}.$$

Voici la représentation graphique de ces résultats :

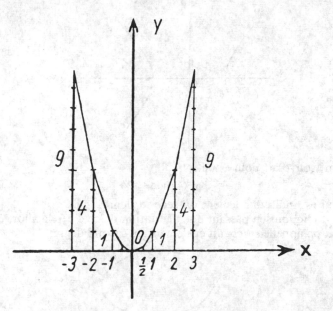

La courbe parfaite que l'on obtiendrait en calculant les coordonnées de plus en plus de points s'appelle une *parabole;* les deux branches de cette courbe s'élèvent vers l'infini avec une pente de plus en plus forte. C'est tout ce qu'on veut sauf un cercle...

Nous avons déjà rencontré une courbe dont l'équation était du second degré, mais sans remarquer cette propriété; je pense à l'hyperbole, dont l'équation était

$$y = \frac{12}{x}$$

en transférant le diviseur x à gauche, nous obtenons :

$$x \times y = 12.$$

Or, dans une équation à deux inconnues, un terme en $x \times y$, dont la somme des exposants est 2, est considéré comme étant du second degré. Au cas où vous ne seriez pas convaincu, j'ajoute qu'en modifiant quelque peu la position de notre hyperbole et en la présentant ainsi :

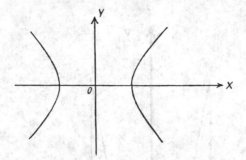

on trouverait pour équation :

$$x^2 - y^2 = 24$$

qui est indiscutablement du second degré.

Indiquons en passant que l'équation de ce « cercle allongé »
qu'on appelle *ellipse* est également du second degré :

et que, quelques figures « dégénérées » mises à part, il n'existe
pas d'autres courbes du second degré que ces quatre-là : en
prenant toutes les positions possibles de ces quatre courbes dans
notre système de coordonnées, nous obtenons la *famille* des
courbes correspondant à des équations du *second degré* à deux
inconnues. Or, il semble difficile d'imaginer une famille dont les
membres seraient aussi différents que le sont nos quatre courbes.
Qu'y a-t-il de commun à toutes ces courbes qui tantôt délimitent
une surface finie, tantôt s'échappent vers l'infini, et qui sont
tantôt continues, tantôt discontinues ? Eh bien, c'est que toutes
sont des *coniques*, c'est-à-dire peuvent s'obtenir par l'intersection d'un cône et d'un plan. Une fois de plus, il nous faut quitter
la surface plane pour entrer dans l'espace ; dommage que nous
ne puissions pas dessiner dans l'espace, comme nous dessinons
sur une surface. Imaginons cependant une couleur qui « marque » l'air ; imaginons ensuite une surface circulaire horizontale, suspendue en l'air, et une droite qui se penche vers l'intérieur de ce cercle, tout en le touchant en un point :

Supposons enfin que quelqu'un ait trempé cette droite dans notre couleur magique (bien entendu, la droite n'a pas d'extrémités, elle est infiniment longue).

Prenons maintenant (toujours en imagination) notre droite d'une main par le point qui se trouve juste au-dessus du centre du cercle, de l'autre par le point où elle touche le cercle, et faisons parcourir à ce dernier tout le périmètre du cercle. Les points de l'espace « marqués » par notre couleur magique, audessus et au-dessous du point fixe, constitueront un solide que l'on appellera un cône.

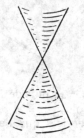

En coupant le cône ainsi constitué par des surfaces planes choisies selon différentes positions, nous obtiendrons sur ces surfaces nos quatre espèces de courbes :

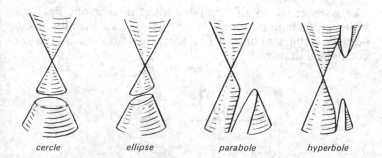

cercle   *ellipse*   *parabole*   *hyperbole*

Seule la quatrième surface plane a coupé la partie supérieure du cône.

Même si nous n'avions pas trouvé cette parenté géométrique entre les quatre courbes, le seul fait que leurs équations soient toutes du second degré permet de mettre au jour un certain nombre de leurs caractéristiques communes. L'algèbre montre les propriétés communes de ces équations, qui sont aussi celles de nos quatre courbes. Considérons, par exemple, leurs points d'intersection avec une droite. Un tel point d'intersection appartenant à la fois à la droite et à la courbe, ses coordonnées doivent satisfaire à leurs deux équations. L'équation de la droite est du premier degré ; l'algèbre nous apprend qu'un système d'une équation du premier degré et d'une équation du second degré à deux inconnues peut admettre 0, 1 ou 2 solutions (réelles). De même, par rapport à chacune de nos coniques, une droite peut avoir 3 positions, selon qu'elle a, avec elle, 0, 1 ou 2 points communs :

et elle ne peut les traverser en plus de 2 points, y compris lorsqu'il s'agit de l'hyperbole.

Tel est le genre de services que l'algèbre peut rendre à la géométrie.

Remarques sur les ondes et les ombres

Nous venons d'évoquer deux thèmes de géométrie : cherchons à les développer.

Le premier est relatif à la façon dont nous avons situé une droite, en mettant en rapport sa pente avec sa direction, c'est-à-dire en établissant une relation entre les deux côtés du triangle rectangle ci-dessous :

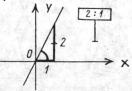

Bien entendu, la direction sera fixée de façon tout aussi univoque si nous indiquons l'angle que cette droite fait avec une direction déterminée, pour laquelle on choisit, en général, la partie positive de l'axe des *x;* cet angle, appelé *angle de direction de la droite*, est aigu si la droite s'élève de gauche à droite, obtus si elle descend :

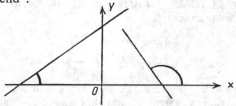

Le rapport des deux côtés détermine entièrement la direction et, par là même, l'angle de direction. On pourra donc mesurer un angle en disant que c'est un angle aigu de pente 2 : 3, autrement dit, en abaissant, de n'importe quel point d'un de ses côtés, une perpendiculaire sur l'autre côté, nous obtenons un triangle rectangle dans lequel le rapport du côté opposé à l'angle considéré et du troisième côté du triangle sera de 2 : 3, ou encore de $\frac{2}{3}$.

Dès que l'on connaît ce rapport $\frac{2}{3}$, il est possible de construire l'angle : faisons 3 pas (3 unités) vers la droite, puis 2 pas (2 unités) vers le haut :

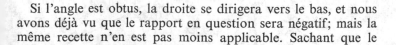

Relions notre point d'arrivée à notre point de départ, et nous trouvons l'angle cherché :

Si l'angle est obtus, la droite se dirigera vers le bas, et nous avons déjà vu que le rapport en question sera négatif; mais la même recette n'en est pas moins applicable. Sachant que le rapport en question est, par exemple, de $-\dfrac{2}{3}$, je sais aussi que la droite s'élèvera vers la gauche; je compte donc 3 unités vers la gauche, puis 2 unités vers le haut, je relie le point ainsi obtenu avec le point de départ, et l'angle obtus que j'obtiens est celui que le segment reliant ces deux points forme avec la partie *positive* de l'axe des *x*.

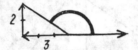

Il est impossible d'enfermer un tel angle obtus dans un triangle, mais le triangle formé à côté de l'angle, lui, est rectangle, et ses côtés sont entre eux dans un rapport de $\dfrac{2}{3}$, qui, au signe près, caractérise aussi notre angle obtus.

On peut montrer que le rapport de deux côtés quelconques d'un triangle suffit pour définir un angle. On appelle ces rapports des *fonctions angulaires* (ils dépendent, en effet, de la grandeur de l'angle pris en considération). Celui que nous venons de voir porte le nom de *tangente*, le rapport du côté opposé à l'angle et de l'hypoténuse s'appelle *sinus*, celui du côté sur lequel se trouve l'angle et de l'hypoténuse s'appelle *cosinus*. Dans le triangle que voici, par exemple,

le sinus de l'angle hachuré est $\dfrac{3}{5}$ et son cosinus est $\dfrac{4}{5}$; les fonctions angulaires existent pour tous les angles, aigus ou non. En consultant un tableau contenant toutes les valeurs des fonctions angulaires et connaissant, d'autre part, les côtés d'un triangle rectangle (les autres triangles peuvent être toujours décomposés en deux triangles rectangles) :

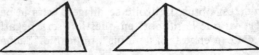

nous connaissons aussi les angles de ce triangle. Certes, on pourrait construire le triangle en question (puisqu'on en connaît les côtés) et mesurer l'angle après coup ; mais la précision obtenue de cette façon reste bien inférieure à celle que permettent les calculs précédents. Car il ne faut pas penser que, pour dresser le tableau, on a eu recours à des mesures ! Les différentes valeurs des fonctions angulaires ont été calculées grâce à la connaissance précise que l'on avait de certaines de ces valeurs. Par exemple, prenons la droite qui divise l'angle droit en deux :

la tangente de son angle de direction est $\frac{1}{1} = 1$. L'angle droit étant l'angle obtenu par un quart de tour, nous savons ainsi que la tangente de l'angle obtenu par un huitième de tour vaut 1. Connaissant les fonctions angulaires des différents angles, nous pouvons nous demander comment, à partir de ces données, on peut calculer les fonctions angulaires de la somme de ces angles, ou les fonctions angulaires du double ou de la moitié d'un angle. On appelle *trigonométrie* la discipline qui étudie ces questions. Ce n'est cependant pas par ce procédé qu'ont été dressés nos tableaux. Je reviendrai là-dessus plus loin.

Les fonctions angulaires ont une importance qui dépasse de loin la trigonométrie. En dessinant, par exemple, la courbe de la fonction sinus lorsqu'on fait varier l'angle progressivement de 0 à un tour complet, nous obtenons une ligne ondulante (que l'on appelle aussi sinusoïdale) :

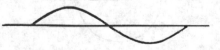

On peut continuer cette courbe. L'angle mesure l'écart d'une droite par rapport à une autre droite fixe ; imaginons que nous déployons lentement un éventail japonais :

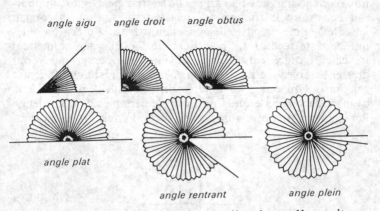

angle aigu   _angle droit_   _angle obtus_

angle plat

angle rentrant   _angle plein_

Nous obtenons ainsi toutes les sortes d'angles, et l'on voit que c'est l'arc de cercle formé autour du sommet qui sert à mesurer la grandeur de l'écart. Bien entendu, la longueur de cet arc de cercle dépend aussi du rayon de l'éventail : quant à nous, nous mesurerons nos angles par la longueur d'un arc de cercle dont le rayon est l'unité :

arc

_1_

(Cette méthode est souvent plus avantageuse que la division en degrés, telle qu'on l'enseigne à l'école.) Or, on peut concevoir (pas avec un éventail, bien sûr, il se déchirerait aussitôt) que notre droite mobile, après avoir décrit un tour complet, continue à tourner :

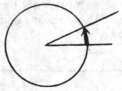

et parcoure ainsi une fois encore l'arc de cercle imprimé en gras. De toute évidence, sa direction est la même, comme si elle ne s'était écartée que de l'arc de cercle ci-dessous :

Autrement dit, dans le cas des angles plus grands que l'angle plein, les valeurs des fonctions angulaires se reproduisent; il en va donc de même des ondulations de la courbe :

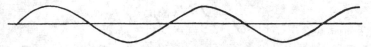

Nous avons là une *périodicité* analogue à celle que nous avons constatée à propos de la conversion des fractions en décimaux; c'est pourquoi la fonction sinusoïdale est appelée une fonction périodique.

Cette courbe est familière à tous les physiciens; c'est celle des mouvements vibratoires, qui joue une si grande importance dans la physique moderne. Les amateurs de radio connaissent certainement la forme « modulée » de ces ondes :

Les périodes rapprochées sont celles de l'onde électromagnétique. Si celle-ci se présentait « pure », sans interférences, elle aurait cet aspect :

mais elle est modulée par les ondes sonores de la voix, qui sont des ondes très amples :

Ici, on reconnaît bien les deux ondes dont résulte l'onde modulée. En réalité, les ondes sonores ne sont jamais aussi simples, car la voix pure n'existe pas, elle est due aux vibrations simultanées de plusieurs sons entre lesquels la différence n'est pas aussi nette qu'entre les ondes sonores et les ondes électromagnétiques; l'interférence, l'enchevêtrement des ondes sonores déforme l'aspect de la figure, qui se présentera par exemple ainsi :

On a souvent besoin de connaître les composantes d'une telle onde « déformée ». Il convient alors de poser la question suivante : étant donné une courbe continue, aussi informe que l'on voudra, mais périodique, ne pourrait-on pas trouver des ondes simples dont les effets conjugués engendrent précisément cette courbe?

Voici la réponse : ce n'est pas vrai de façon précise, mais on peut trouver des ondes qui, en se « télescopant », se rapprochent de notre courbe avec autant de précision que l'on voudra. Cela, même si notre « courbe » n'est qu'une suite de coudes, un assemblage de segments ainsi disposés :

La démonstration se fait dans le langage des fonctions : au lieu de parler d'ondes, on parlera des fonctions angulaires qui leur correspondent. Le mathématicien hongrois Lipot Fejér a accompli dans ce domaine une œuvre de pionnier, qui lui a valu très tôt une renommée mondiale.

L'autre sujet de géométrie que nous avons rapidement évoqué est celui des coniques. Réalisons deux sections transversales de la partie inférieure du cône : la première à l'aide d'une surface plane horizontale, l'autre à l'aide d'une surface légèrement oblique :

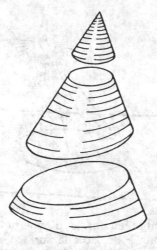

Détachons de cet ensemble le sommet du cône, le cercle et l'ellipse ainsi obtenus :

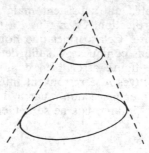

Imaginons que le sommet du cône soit une minuscule ampoule électrique émettant des rayons lumineux dans toutes les directions. Représentons le cercle par un rond de papier qui ne laisse pas passer les rayons lumineux : l'cnvcloppe du cône sera constituée par les rayons tombant le long du cercle, qui projettera une ombre de forme elliptique sur la surface plane oblique située au-dessous.

L'ellipse peut donc être considérée comme l'ombre du cercle, obtenue par la projection, à partir d'un point, d'un cercle sur une surface oblique. De cette même projection

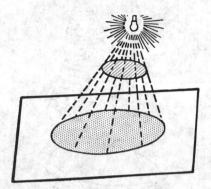

résultera une ombre en forme d'hyperbole ou de parabole
si nous continuons à déplacer la surface plane. (Pour obtenir l'autre branche de l'hyperbole, il faut interposer un cercle
analogue sur la trajectoire des rayons se dirigeant vers le haut.)

La géométrie dite *projective* se consacre à la recherche des
propriétés constantes qui subsistent malgré les déformations
imposées par la projection. On a réussi à trouver des « inva-
riants » de ce genre. Cela permet une nouvelle façon simple
d'étudier les sections coniques : il suffit de borner nos investigations au cercle, figure assez bien connue dont toutes les
propriétés « projectives » se retrouvent intégralement dans les
coniques obtenues par projection à partir de lui. L'ombre peut
s'allonger jusqu'à l'infini, mais ne se détachera jamais de son
maître !

15. Éléments « Putois »

Dans *Putois*, nouvelle d'Anatole France, un personnage, accablé par ses obligations mondaines, invente un autre personnage qui lui sert de prétexte pour décliner les invitations fâcheuses : obligé d'attendre Putois, un jardinier imaginaire, notre héros ne peut, par exemple, dîner en ville. Né d'un concours de circonstances désagréables, Putois sera forcément antipathique : si on peut le faire venir n'importe quand, même le dimanche, c'est que c'est un instable, un propre à rien, un vagabond. C'est ainsi que, de pur alibi, Putois devient petit à petit un personnage en chair et en os à qui il arrive toutes sortes d'aventures : bandit de grands chemins, il séduit les domestiques et aussi des jeunes filles vertueuses, hante l'imagination et les rêves des enfants, etc.

De tels « Putois », éléments imaginaires mais importants, existent également en mathématiques. On les appelle « éléments idéaux ». Tel est, par exemple, le fameux *point à l'infini* où « se rencontrent les parallèles ». Poser un tel élément permet d'assurer une certaine homogénéité au traitement de certains problèmes. On peut en effet prouver l'existence d'une *dualité* entre points et droites : certains théorèmes concernant les points et les droites restent vrais si on y remplace le mot « point » par le mot « droite » et *vice versa*. Par exemple : trois points non situés sur la même droite déterminent un triangle :

Inversement, trois droites non concourantes, c'est-à-dire ne passant pas par le même point, déterminent également un triangle :

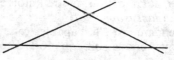

Cette réciprocité est fort commode, car il suffit de démontrer un théorème pour avoir la démonstration de son corollaire; une affirmation en vaut deux!

Pourtant, même dans cet exemple fort simple, il convient d'apporter une restriction : trois droites non concourantes déterminent un triangle, *à condition* de ne pas être parallèles. Pour parer à cet inconvénient, il faut poser que le cas des trois droites parallèles se ramène à celui des droites concourantes : les parallèles se rencontrent au point à l'infini.

Ce point idéal, à l'infini, rend bien d'autres services que d'éviter des bouts de phrases commençant par « à condition de ... ». Attribuer un seul point de rencontre « idéal » à toutes les droites de même direction, c'est-à-dire parallèles, revient à créer autant de points idéaux qu'il y a de directions. En modifiant quelque peu notre système de coordonnées, nous pourrions même formuler l'équation de la droite composée de tous les points à l'infini : on verra que cette équation est semblable à celle de n'importe quelle droite.

Voilà, direz-vous, un jeu complètement gratuit! Écrire l'équation d'une droite inexistante! Quant à se la représenter, mieux vaut, peut-être, y renoncer. Toute droite se prolonge indéfiniment de *deux* côtés, mais nous n'avons posé l'existence que d'un seul point à l'infini (c'est ce qui nous permet d'obtenir la dualité; en attribuant deux points idéaux à chaque direction, nous n'aurions plus de corollaire); les deux « extrémités » d'une droite se rencontrent-elles donc à l'infini, en faisant une sorte de cercle? Transformées en figures circulaires, nos droites seraient-elles alors suspendues, tels des fruits à une branche, à la droite infiniment lointaine dont nous postulons l'existence?

De plus, cette droite elle-même est-elle vraiment une droite? Un de ses points se trouve à la fois à l'est et à l'ouest, un autre au nord et au sud, et ainsi de suite... Allons, dira-t-on! Mieux vaut oublier tout cela, de telles représentations ne sont pas accessibles à notre imagination! Notre Putois est un malentendu, une absurdité, un *lapsus linguae!*

De quoi cependant est-elle capable, cette droite à l'infini? Dès lors que nous tenons son équation, déterminer ses points d'intersection avec, par exemple, une parabole n'est pas une entreprise inepte : il suffit de chercher les solutions communes à deux équations. C'est ainsi que nous verrons cette droite à l'infini, qui apparaissait comme une absurdité, éclairer les problèmes relatifs aux coniques.

Tous ceux qui s'occupent de ce problème se posent immanquablement la question suivante : étant donné une équation du second degré à deux inconnues, comment savoir à quelle sorte de conique elle correspond? La droite à l'infini permet de répondre à cette question : si son équation n'a aucune solution commune avec l'équation considérée, la figure sera une ellipse ou un cercle; s'il existe une seule solution commune, ce sera une parabole; s'il en existe deux, ce sera une hyperbole. Et cela épuise toutes les possibilités.

Il était donc légitime de laisser libre cours à notre imagination, car le résultat obtenu correspond exactement à la façon dont nous avons essayé de nous représenter les choses. L'ellipse est située tout entière dans le fini; il est normal qu'elle n'ait pas de point commun avec la droite à l'infini. En s'écartant, les deux branches d'une parabole ressemblent de plus en plus à deux droites parallèles, il est donc « normal » que celles-ci se rencontrent en un même point à l'infini. Quant aux branches de l'hyperbole, elles suivent deux asymptotes de deux directions différentes; elles rencontrent donc la droite à l'infini en deux points différents. Il aurait été dommage de ne pas se servir de ces points inexistants!

Le moment est venu de revenir au dernier problème que nous avons laissé en suspens, celui des équations du second degré ayant la forme suivante :

$$x^2 = -9.$$

$\sqrt{-9}$ serait le symbole d'un nombre dont le carré serait -9; mais nous n'avons encore jamais rencontré de nombres dont le carré fût négatif : que nous élevions -3 ou $+3$ au carré, le résultat sera toujours $+9$. De même, $\sqrt{-1} = i\ldots$ (imaginaire); on pourrait alors m'interrompre et me dire : « Mais je connais la valeur de $\sqrt{-9}$! Ce sera $3i$ ou $-3i$. » Ma foi, on n'aurait pas tort! S'il existe quelque chose comme $\sqrt{-1} = i$, alors i sera le nombre dont le carré est -1 :

$$i^2 = -1$$

et de cette façon, on aura en effet :

$$(+ 3 i)^2 = 3 i \times 3 i = 9 i^2 = 9 \times (- 1) = - 9$$

ainsi que

$$(- 3 i)^2 = (- 3 i) \times (- 3 i) = 9 \times (- 1) = - 9.$$

Seulement, ce i n'existe pas, c'est un malentendu, un *lapsus calami*, et $\sqrt{-1}$ reste une quantité *imaginaire*.

Mais pourquoi ne pas jouer un peu avec ce lapsus : nous l'avons fait tout à l'heure en essayant de calculer la valeur de $\sqrt{-9}$, pourquoi ne pas continuer sur notre lancée? Peut-être cet élément imaginaire apportera-t-il quelque solution à nos problèmes?

En fait, il nous livre non pas une, mais une multitude de solutions! C'est sur ce nombre imaginaire que se fonde l'étude des fonctions, la branche la plus prestigieuse des mathématiques (au point que, dans l'étude des fonctions, lorsqu'on prend le parti de ne pas opérer avec i, il est nécessaire de préciser que l'étude se borne aux fonctions réelles); chaque fois qu'on veut « aller plus loin » dans un secteur quelconque des mathématiques, on fait appel à ce i. La géométrie ne constitue pas une exception à cette règle, elle qui se préoccupe tout particulièrement d'ordonner ses théorèmes dans un système général, homogène.

Je ne peux donner ici que quelques illustrations de cette façon de procéder : je me suis promis de ne pas employer de formules, et celles-ci sont, évidemment, le terrain d'élection de tels éléments idéaux.

En admettant l'existence de ce i, nous découvrirons entre les différentes fonctions des rapports dont nous ne nous étions jamais doutés. Qui penserait, en effet, qu'il y ait une quelconque relation entre les fonctions angulaires et la fonction exponentielle? Or, on peut démontrer que, les angles étant mesurés par la longueur de l'arc de cercle ayant l'unité pour

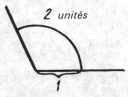

rayon (cette unité de mesure des angles s'appelle le *radian*), on peut exprimer le cosinus d'un angle de deux radians, par exemple (cos 2, sous une forme abrégée), par la formule :

$$\cos 2 = \frac{e^{2i} + e^{-2i}}{2}$$

où *e* est la base du logarithme naturel. Quelle que soit la grandeur de l'angle, la formule reste valable :

$$\cos 3 = \frac{e^{3i} + e^{-3i}}{2}$$

$$\cos 4 = \frac{e^{4i} + e^{-4i}}{2}$$

et ainsi de suite.

Comment le cosinus d'un angle, un nombre réel bien honnête, puisqu'il exprime le rapport entre deux distances, peut-il être égal au nombre inexistant qui figure à droite de nos équations ? C'est que ce nombre n'est pas moins réel : surgi d'un monde imaginaire, le *i* reste avec nous le temps d'effectuer les opérations et d'éclairer certains rapports. Après quoi, il disparaît. Pour mieux comprendre, songeons à des devinettes de ce genre :

« Pense à un nombre, multiplie-le par 3, ajoutes-y 4, multiplie le résultat par 2 et retranche le sextuple du nombre de départ. » J'attends que mon partenaire effectue toutes ses opérations, puis, sans lui poser aucune question, j'indique le résultat : « 8 »! On peut, en effet, transcrire les données du problème de la façon suivante : soit x le nombre auquel il a pensé, son triple est $3\,x$; en y ajoutant 4, j'obtiens $3\,x + 4$; en multipliant par 2, j'ai $2 \times (3\,x \times 4)$; et je retranche enfin le sextuple du nombre de départ, c'est-à-dire $6\,x$; je trouve donc

$$2 \times (3\,x + 4) - 6\,x.$$

Multiplions par 2 chacun des deux termes de l'addition $3\,x + 4$: on a

$$6\,x + 8 - 6\,x$$

soit en modifiant l'ordre :

$$8 + 6\,x - 6\,x$$

or, si à 8 j'ajoute 6 x que je retranche ensuite, le résultat reste 8. Le nombre x a participé aux opérations et a disparu ensuite.

Les rapports entre fonctions angulaires et fonction exponentielle permet d'établir d'autres rapports dans lesquels, apparemment, il n'y a plus de trace de i. Calculons, par exemple, le carré de cos 2, à partir de

$$\cos 2 = \frac{e^{2i} + e^{-2i}}{2}.$$

Pour ne pas avoir à nous encombrer de fractions, commençons par transférer le diviseur 2 à droite, où il devient un multiplicateur :

$$2 \times \cos 2 = e^{2i} + e^{-2i}.$$

Élevons cette égalité au carré. A gauche, j'aurai :

$$2 \times \cos 2 \times 2 \times \cos 2 = 2 \times 2 \times (\cos 2)^2$$

(j'ai de bonnes raisons d'ignorer provisoirement que $2 \times 2 = 4$).

A droite, j'ai une somme de deux termes que j'élève au carré en prenant d'abord le carré du premier terme (on se souvient que l'élévation d'une puissance à une puissance s'effectue par la multiplication des exposants) :

$$(e^{2i})^2 = e^{4i}$$

ensuite, le double du produit des deux termes, en n'oubliant pas que pour multiplier des puissances il faut additionner les exposants et qu'en élevant un nombre quelconque à la puissance 0, on trouve 1 :

$$2 \times e^{2i} \times e^{-2i} = 2 \times e^{2i+(-2i)} = 2 \times e^0 = 2 \times 1 = 2$$

et enfin le carré du deuxième terme :

$$(e^{-2i})^2 = e^{-4i}.$$

En définitive, le carré du membre de droite sera :

$$e^{4i} + 2 + e^{-4i}$$

ou, en modifiant l'ordre :

$$e^{4i} + e^{-4i} + 2$$

et ainsi :

$$2 \times 2 \times (\cos 2)^2 = e^{4i} + e^{-4i} + 2.$$

Transférons un des multiplicateurs 2 de gauche à droite; il faudra alors diviser tous les termes de l'addition : 2 divisé par 2 est égal à 1; quant aux autres divisions, nous ne pouvons que les indiquer sans les effectuer :

$$2 \times (\cos 2)^2 = \frac{e^{4i} + e^{-4i}}{2} + 1.$$

Mais nous venons de rencontrer une vieille connaissance, car

$$\frac{e^{4i} + e^{-4i}}{2} = \cos 4.$$

On a donc

$$2 \times (\cos 2)^2 = \cos 4 + 1$$

ou, en intervertissant l'ordre des termes (ce qui nous évitera de croire qu'il s'agit du cosinus de $4 + 1$, c'est-à-dire de $\cos 5$) :

$$2 \times (\cos 2)^2 = 1 + \cos 4.$$

Transférons enfin le second 2 de gauche à droite en en faisant un diviseur :

$$(\cos 2)^2 = \frac{1 + \cos 4}{2}.$$

Nous obtenons un rapport trigonométrique bien connu, où nous ne trouvons plus la moindre trace de *i*. Nous sommes donc rassurés quant à la justesse de nos calculs, mais nous n'avons rien trouvé de neuf. Rappelons-nous toutefois que la somme de deux termes peut être élevée non seulement au carré, mais aussi, avec l'aide de la formule du binôme, à toutes les puissances : nous pourrons déduire de cette façon toute une série de nouvelles formules de trigonométrie.

Ces calculs fastidieux nous ont, certes, obligés à évoquer une multitude de règles, mais je crois qu'il est indispensable de voir concrètement comment un *i* peut disparaître après avoir facilité certaines opérations.

Tel n'est pas pourtant son rôle le plus important. Qu'il permette de résoudre le dernier problème encore en suspens posé par l'équation du second degré, ce n'est que bien naturel : telle est en effet sa raison d'être; c'est avec son aide que nous avons extrait la racine carrée de nombres négatifs. Certes, nous n'avons obtenu que des résultats « imaginaires », mais le lecteur est peut-être convaincu, après ce qui précède, que ces résultats ne sont pas à négliger. Par exemple, la solution de

$$(x - 2)^2 = -9 \qquad \text{est} \qquad x - 2 = \sqrt{-9}$$

et $\sqrt{-9} = 3\,i$ ou $\sqrt{-9} = -3\,i$; en transférant 2 à droite, nous aurons les deux *racines* (on donne aussi ce nom aux solutions des équations, car on y parvient souvent par l'extraction des racines) :

$$x = 2 + 3\,i$$
$$x = 2 - 3\,i.$$

Ce sont là des nombres qui se composent d'une partie réelle et d'une partie imaginaire; cette étrange alliance a reçu le nom de *nombre complexe*. S'ils semblent en eux-mêmes passablement absurdes, leur somme est en revanche un nombre réel, car, en s'additionnant, $+\,3\,i$ et $-\,3\,i$ s'annulent. Leur produit est également un nombre réel.

Nombres réels et nombres purement imaginaires sont inclus dans les nombres complexes; par exemple $5 + 0 \times i = 5$, nombre réel; $0 + 2\,i = 2\,i$, nombre purement imaginaire.

Quand il faut extraire la racine quatrième, sixième, huitième, etc., d'un nombre négatif, on se heurte aux mêmes difficultés que nous avons rencontrées dans l'extraction de la racine carrée; en effet, une puissance *paire* d'un nombre négatif sera toujours positive; par exemple, la racine quatrième de -16 ne figure ni parmi les nombres négatifs, ni parmi les nombres positifs, car

$$(+\,2)^4 = 2 \times 2 \times 2 \times 2 = 16$$

et

$$(-\,2)^2 = (-\,2) \times (-\,2) \times (-\,2) \times (-\,2) = (+\,4) \times (+\,4)$$

c'est-à-dire $+\,16$ également. On pourrait croire que tout cela conduirait à l'introduction de nouveaux éléments idéaux. Or (et c'est là un beau résultat, assez surprenant) il n'en est rien; i à lui seul suffit pour résoudre tous ces problèmes. On peut aussi prouver que, dans l'ensemble des nombres complexes, toute équation, quel que soit son degré, présente des solutions en nombre égal à son degré; c'est ce qu'on appelle le *théorème fondamental de l'algèbre*. Cette affirmation est une simple « démonstration d'existence » qui ne contredit nullement la démonstration d'Abel selon laquelle nous ne pouvons pas résoudre les équations à partir du cinquième degré; c'est seulement que les opérations dont nous disposons (opérations élémentaires et extraction de racines) ne nous permettent pas de définir les nombres qui sont les solutions de ces équations.

L'extraction de racine carrée livre toujours deux valeurs, de signes opposés; aussi une équation du second degré possède-t-elle deux racines parmi les nombres complexes. Il y a toutefois une restriction : l'équation

$$(x - 3)^2 = 0$$

n'admet qu'une seule solution, car le nombre dont le carré est 0 ne peut être que 0 lui-même, donc

$$x - 3 = 0$$

c'est-à-dire que

$$x = 3$$

est la seule solution. Mais la forme développée de cette équation de départ est

$$x^2 - 6x + 9 = 0$$

forme dont on peut se rapprocher de plus en plus en considérant une suite d'équations dans lesquelles 6 et 9 seraient remplacés par d'autres nombres s'en écartant de moins en moins; chacune de ces équations admet deux racines, de plus en plus rapprochées au fur et à mesure que les équations elles-mêmes tendent vers la nôtre; au moment où on retrouve

$$x^2 - 6x + 9 = 0$$

les deux racines coïncident, on dit qu'il y a une *racine double*.

Combien une équation du quatrième degré a-t-elle de racines? Pour résoudre l'équation

$$x^4 = 1$$

nous n'avons pas besoin, semble-t-il, de recourir à i; et $+ 1$ et $- 1$, élevés à la quatrième puissance, font $+ 1$; apparemment, cette équation a donc deux racines. C'est là qu'intervient i, qui nous dit : « Ce n'est pas de jeu! L'équation étant du quatrième degré, il faut qu'elle ait quatre racines. Ne m'oubliez pas! » Et, en effet, i et $- i$ sont également des racines, car

$$i^4 = i \times i \times i \times i = i^2 \times i^2 = (- 1) \times (- 1) = + 1$$
$$\text{et} \quad (- i)^4 = (- i) \times (- i) \times (- i) \times (- i) = i^2 \times i^2$$
$$= (- 1) \times (- 1) = + 1.$$

C'est ainsi que i met de l'ordre dans les racines des équations;

grâce à lui, on peut prouver que les équations à coefficients complexes admettent autant de racines qu'elles ont de degrés, même si certaines de ces racines peuvent être multiples, doubles par exemple. Telle est la contribution de i à l'algèbre.

Son rôle est aussi particulièrement important dans l'étude des fonctions. Mais, pour en donner simplement une idée, il me faut d'abord introduire une représentation des nombres complexes. Considérons i comme une nouvelle unité à l'aide de laquelle nous faisons nos calculs. Une nouvelle droite numérique sera nécessaire pour représenter ses multiples. Le point 0 de cette ligne pourra coïncider avec le point 0 de la ligne des nombres réels, car $0 \times i = 0$. Les deux droites numériques, celle des nombres imaginaires et celle des nombres réels, peuvent ainsi se disposer comme les deux axes de notre habituel système de coordonnées :

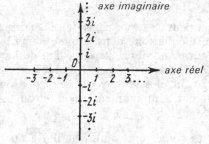

Cela nous permet de représenter les nombres complexes (qui se composent d'une partie réelle et d'une partie imaginaire) comme des points du plan; l'abscisse x correspondra à la partie réelle, et l'ordonnée y à la partie imaginaire. Voici la représentation de certains nombres complexes : ainsi, les

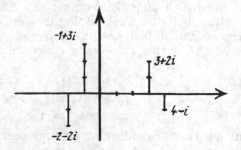

nombres complexes prennent place non pas sur une droite, mais sur un plan numérique.

On entend par *valeur absolue* d'un nombre complexe sa distance par rapport au point O. Cette distance peut être plus ou moins grande, mais une foule de nombres complexes se situent à une distance donnée du point O; ils forment la circonférence d'un cercle ayant le point O pour centre :

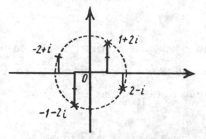

Il n'y a aucune raison pour considérer l'un quelconque de ces points comme « plus petit » qu'un autre. Dans le domaine des nombres complexes, les notions de « plus petit » ou de « plus grand » n'ont en fait pas de sens.

On peut facilement montrer que l'introduction des nombres complexes n'enfreint en rien les règles de calcul déjà établies; il suffit de considérer i comme une inconnue dont nous ne savons qu'une seule chose : à la place de i^2, nous avons le droit d'écrire — 1.

Revenons maintenant sur un résultat déjà acquis. Notre exemple des tablettes de chocolat nous a permis de constater que :

$$1 + \frac{1}{9} = 1 + \frac{1}{10} + \frac{1}{100} + \frac{1}{1000} + \cdots$$

Chaque nombre de droite est $\frac{1}{10}$ fois plus grand que le précédent; on dit que 10 est la *raison* de cette série géométrique. Essayons de convertir $1 + \frac{1}{9}$ de façon à y faire figurer ce $\frac{1}{10}$:

$$1 = \frac{9}{9} \qquad 1 + \frac{1}{9} = \frac{10}{9}.$$

Ayant déjà souvent eu à faire des réductions, nous savons

parfaitement que nous avons le droit de diviser par le même nombre le numérateur et le dénominateur; divisons donc par 10, sans nous préoccuper du fait que le résultat de cette opération ne peut apparaître au dénominateur que sous la forme d'une fraction :

$$1 + \frac{1}{9} = \frac{1}{\dfrac{9}{10}}.$$

Nous pouvons désormais exprimer $1 + \frac{1}{9}$ en fonction de $\frac{1}{10}$; un entier se compose de 10 dixièmes; en en retranchant 1 dixième, il nous reste $\frac{9}{10}$, donc

$$\frac{9}{10} = 1 - \frac{1}{10}$$

et enfin

$$1 + \frac{1}{9} = \frac{1}{1 - \dfrac{1}{10}}.$$

Substituons ce dernier nombre à $1 + \frac{1}{9}$:

$$\frac{1}{1 - \dfrac{1}{10}} = 1 + \frac{1}{10} + \frac{1}{100} + \frac{1}{1000}\cdots$$

Sous cette forme, il est possible d'étendre ce résultat à n'importe quelle série géométrique : si la raison de cette série n'est pas $\frac{1}{10}$, mais par exemple $\frac{2}{3}$, chacun des termes est $\frac{2}{3}$ fois supérieur au terme précédent; donc les termes de cette série seront :

$$1 \quad 1 \times \frac{2}{3} = \frac{2}{3} \quad \frac{2}{3} \times \frac{2}{3} = \frac{4}{9} \quad \frac{4}{9} \times \frac{2}{3} = \frac{8}{27} \quad \text{etc.}$$

et l'on pourra vérifier que :

$$\frac{1}{1 - \frac{2}{3}} = 1 + \frac{2}{3} + \frac{4}{9} + \frac{8}{27} + \cdots$$

Mais attention! toutes les séries géométriques ne sont pas « sommables »; que l'on se souvienne, par exemple, des séries dont la raison était $+ 1$, $- 1$, ou avait une valeur absolue supérieure à ces deux nombres. Mais on peut démontrer que, dès que la raison est un tant soit peu inférieure à 1 en valeur absolue, la série est convergente et que sa somme pourra être exprimée selon la même formule que pour les séries de raison $\frac{1}{10}$ ou $\frac{2}{3}$. On admettra donc ce résultat pour toutes les valeurs de la raison situées, sur la droite numérique, entre $- 1$ et $+ 1$:

Choisissons, sans le nommer, un nombre quelconque compris entre $- 1$ et $+ 1$, et appelons-le x. Les termes de la série géométrique de raison x seront :

$$1 \quad 1 \times x = x \quad x \times x = x^2 \quad x^2 \times x = x \times x \times x = x^3$$
$$x^3 \times x = x \times x \times x \times x = x^4 \ldots$$

et, dans cette série géométrique comme dans toutes les autres, on aura

$$\frac{1}{1 - x} = 1 + x + x^2 + x^3 + x^4 + \cdots$$

à condition, je le répète, que x soit compris entre $- 1$ et $+ 1$.

La valeur de $\frac{1}{1 - x}$ dépend, bien entendu, de celle de x; elle est donc fonction de x. Ce que nous venons de faire s'appelle le *développement en série* de la fonction; en l'occurrence, on trouve la série infinie composée des puissances croissantes de x. Les sommes partielles de cette série se rapprochent de plus en plus de la valeur de $\frac{1}{1 - x}$; 1 constitue une première approximation, très grossière, $1 + x$ une meilleure, $1 + x + x^2$ une encore meilleure, etc. On peut se demander si, d'une façon générale, il est toujours possible de développer une fonction en série. (Bien entendu, nous nous attendons à voir apparaître, dans le cas général, non pas une série identique à la précédente, mais une série dans laquelle les puissances de x seront multipliées par certains nombres.) Une fonction comme $\dfrac{1}{1-x}$ est assez simple et, si x correspond à un nombre donné, la valeur de la fonction est facile à calculer. Mais on a réussi à développer l'exponentielle, en tant que fonction de l'exposant; cette opération est particulièrement simple, si la base est notre fameux $e = 2,71 \ldots$ La série s'écrit alors, quel que soit x :

$$e^x = 1 + x + \frac{1}{2!} \times x^2 + \frac{1}{3!} \times x^3 + \frac{1}{4!} \times x^4 + \ldots$$

où (on ne l'a peut-être pas encore oublié)

$$2! = 1 \times 2 \quad 3! = 1 \times 2 \times 3 \quad 4! = 1 \times 2 \times 3 \times 4$$

et ainsi de suite.

Cette série nous apporte une aide considérable pour le calcul de e^x, lorsqu'on remplace x par un nombre déterminé. Calculer les puissances de e, nombre décimal irrationnel et donc infini, n'est certes pas une partie de plaisir. Mais si la valeur de x est suffisamment petite, $1 + x$ sera une assez bonne approximation de la valeur de e^x; et calculer $1 + x$, c'est-à-dire ajouter 1 à un nombre donné, est vraiment un jeu d'enfant. S'il faut un calcul plus précis, on prendra une somme partielle plus longue; il faudra alors calculer certaines puissances du nombre donné, mais il est toujours plus facile d'élever par exemple $x = \dfrac{3}{10}$ au carré, au cube, à la puissance 4, etc., que d'extraire la racine dixième du nombre irrationnel $(2,71 \ldots)^3$; car telle est bien la signification du symbole $(2,71 \ldots)^{\frac{3}{10}}$. Et, fort heureusement, ce développement en série vaut pour toute valeur de x!

Il est également possible de développer en série les fonctions angulaires et la fonction logarithme : c'est par ce procédé que l'on en dresse les tables.

Mais toutes ces séries ne sont pas toujours convergentes.

Il convient de ne pas oublier combien vaut x, pour ne pas être tenté de substituer à des nombres des valeurs approchées lorsqu'il n'est pas question de convergence ni, par conséquent, d'approximation. On peut donc se poser la question suivante : étant donné une fonction, comment reconnaître les x pour lesquels elle sera développable?

Considérons encore une fois notre série géométrique. Nous avons dit que le développement

$$\frac{1}{1-x} = 1 + x + x^2 + x^3 + x^4 + \ldots$$

était correct pour tout x compris entre -1 et $+1$

Peut-on voir directement, à partir de l'expression de $\dfrac{1}{1-x}$, que x doit être compris entre -1 et 1? Bien sûr! Car si $x = 1$, on a

$$\frac{1}{1-1} = \frac{1}{0}$$

et on n'écrit pas une chose pareille sans éprouver un sentiment de malaise : nous sommes là face au fruit défendu, la division par 0! Donc, sans que nous ayons même à considérer la série, c'est la fonction elle-même qui nous enjoint à nous arrêter au point 1!

La fonction nous indique-t-elle toujours avec autant de netteté la limite à ne pas franchir? Malheureusement non, tant que les nombres sont réels; c'est là l'occasion de bien des ennuis. Il était grand temps que i intervienne et fasse la lumière!

Voyons un exemple. Quand on est un tant soit peu familiarisé avec les formules, on voit immédiatement que la fonction $\dfrac{1}{1+x^2}$ peut être développée en série de la façon suivante :

$$\frac{1}{1+x^2} = 1 - x^2 + x^4 - x^6 + \ldots$$

et que cette série n'est convergente que si x est compris entre -1 et $+1$.

La fonction révèle-t-elle toujours ses limites? Substituons
$+ 1$ à x :

$$\frac{1}{1 + 1^2} = \frac{1}{1 + 1} = \frac{1}{2}$$

pas d'accroc (l'opération est faisable). Peut-être est-ce l'autre
limite qui est signalée : substituons $- 1$ à x :

$$\frac{1}{1 + (-1)^2} = \frac{1}{1 + 1} = \frac{1}{2}$$

pas d'accroc non plus. Nous voilà bien embarrassés. C'est
alors qu'intervient i : « Pourquoi ne pas me substituer à x? »
nous demande-t-il. Essayons :

$$\frac{1}{1 + i^2} = \frac{1}{1 + (-1)} = \frac{1}{0}$$

halte! c'est une division par 0. En repensant au plan numérique
des nombres complexes, nous voyons immédiatement que i est
situé à une distance de 1 unité de 0; il ne faut donc pas dépasser
la limite de l'unité!

La valeur d'une fonction mérite d'être prise en considération,
non seulement quand il s'agit de nombres réels, mais aussi
dans le cas des nombres complexes. D'une façon générale,
il suffit qu'une fonction cesse de se conformer à une certaine
règle en un seul point, pour que, au-delà de ce point, elle ne
se prête plus à un développement en série. Il faut donc chercher
dans le plan numérique des nombres complexes les points où la
fonction « ne se conforme pas » à notre règle; nous aurons
alors délimité le secteur dans lequel la fonction reste développ-
pable :

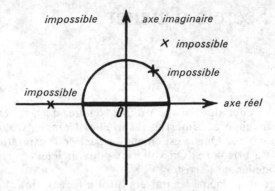

Nous obtenons ainsi un cercle de centre O, à l'intérieur duquel (y compris, éventuellement, certains points du pourtour) la série est convergente. Hors du cercle, point de salut. Un tel cercle découpe toujours sur l'axe des nombres réels un intervalle situé autour de O; je l'ai indiqué en gros traits sur notre figure.

i est venu, a tout remis en ordre, et disparaît si nous le voulons : nous pouvons, en effet, nous contenter d'utiliser l'intervalle des nombres réels délimité avec son aide. Mais le mathématicien, fasciné, ne veut plus le laisser partir. Un nombre capable de tant d'exploits ne peut être considéré comme inexistant! Cela vaut la peine de parcourir l'étude des fonctions complexes, cet univers créé à partir de rien et dans lequel règne un ordre supérieur à celui de l'univers réel.

16. Secrets d'atelier

Passé l'effet du charme qu'une œuvre d'art a exercé sur nous, on aime à s'interroger sur elle. Comment naissent les chefs-d'œuvre? Quelle est en eux la part de l'inspiration? de la sueur? du bricolage? On voudrait pouvoir jeter un coup d'œil dans l'atelier de l'artiste.

Quittons de même les univers qu'il a forgés, pour essayer de surprendre les secrets d'atelier du mathématicien. Il me serait impossible de dissimuler entièrement au lecteur le côté fastidieux de ce travail. L'écrivain dont la curiosité est à l'origine de ce livre voulait savoir ce qu'est le « quotient différentiel » ou *dérivée;* celle-ci fait partie des accessoires techniques du mathématicien et, si elle ne paraît pas aussi brillante que les objets étudiés ci-dessus, n'en est pas moins importante. Il n'y a pas d'œuvre d'art sans bricolage.

Nous n'avons cessé de répéter, depuis le début du livre, que la notion de fonction est la poutre maîtresse de l'édifice mathématique. Ce qui permet de représenter une fonction, c'est sa courbe. Mais cette représentation est forcément imparfaite : nous avons construit notre courbe à partir de segments de droites que nous avons cherché à multiplier pour arrondir les angles, supprimer les aspérités. Or, dans toute représentation graphique, le but est très vite atteint, trop vite : les traits de crayon ne permettent plus de distinguer droites et courbes; sur un dessin, un polygone régulier de 16 côtés diffère à peine d'un cercle. Impossible d'admettre qu'une représentation aussi grossière puisse fournir des conclusions sérieuses. Nous aurions besoin d'un instrument de précision, sensible au moindre écart, capable de suivre avec le maximum d'exactitude les variations des fonctions. La dérivée est un tel instrument.

Considérons nos dessins. Quand j'ai cherché à donner une idée de la parabole, j'ai dit que ses branches s'élèvent de façon de plus en plus « abrupte ». Mais comment parler de « direction » à propos d'une courbe? Je sais ce qu'il faut entendre par la direction d'une droite, dont je peux, en chaque point, connaître la pente, et dont je sais qu'elle ne s'écartera jamais de la direction prise. Mais une courbe, par définition, change toujours de direction. Essayons de l'attraper en un de ses points et de lui demander : « Ici, en ce point, quelle est donc ta direction ? »

Sans daigner répondre, elle nous glisse entre les mains. On devine pourtant, intuitivement, qu'elle avait une direction bien déterminée au point considéré et que parler de paraboles de « plus en plus abruptes » n'était pas une absurdité.

Revenons en arrière, à un stade où notre courbe n'était pas encore aussi « courbe ». Choisissons un des points de cette figure :

En ce point, il y avait un coude, et il est certain qu'à ce stade de sa construction la courbe n'avait pas encore de direction précise : avant d'arriver à ce point, sa direction était la suivante :

et après son passage par ce point, elle était devenue celle-ci :

Le point était l'endroit même où avait lieu ce changement de direction. Repassons au ralenti le film des événements (du passage de la droite à la courbe) en prenant un certain nombre de points intermédiaires :

Ici, le coude est moins aigu :

et les directions des deux segments qui aboutissent à notre point ne sont pas aussi différentes.

Mes dessins seraient incapables de représenter ce qui se passe quand les points intermédiaires se multiplient; on imagine aisément que les coudes s'estompent de plus en plus et que les directions des droites qui passent par un même point diffèrent de moins en moins. La direction de la courbe n'est autre que cette direction commune dont les deux bras du coude se rapprochent de plus en plus avant de se fondre dans la courbe.

Sachant qu'ils se rapprochent d'une direction commune, il suffit désormais de nous occuper de l'un d'entre eux. Prenons, par exemple, les demi-droites situées à droite du point étudié; leur direction est mieux visible si nous les prolongeons :

Nous obtenons à chaque fois des droites qui coupent la courbe. Au fur et à mesure que nous multiplions les points intermédiaires, le point le plus proche s'approche de notre point et le segment de la droite délimité par la courbe est de plus en plus court. On voit bien ce phénomène quand on remplace la droite par une règle, à laquelle on imprime un mouvement de rotation vers le bas autour du point choisi :

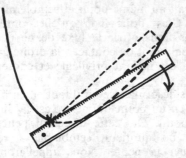

Il arrivera un moment où le point le plus proche coïncidera avec le nôtre et la règle commencera à s'éloigner de la courbe.

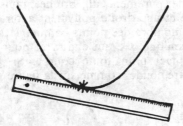

La sécante devient une tangente :

Nous avons bien l'impression de tenir la direction vers laquelle tend le bras supérieur du coude. Si une règle occupant cette position s'approchait de notre courbe :

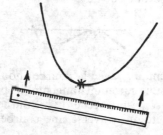

elle la toucherait au même point et semblerait alors en épouser les contours. C'est donc bien qu'elles ont même direction. Nous pouvons nous offrir le luxe de ne pas examiner cette direction au seul point de contact : la droite garde indéfiniment le souvenir de cet instant privilégié et conserve partout cette direction.

Nous savons désormais ce qu'il faut entendre par la direction d'une courbe en un point donné : c'est la direction de la tangente en ce point. Or, cette direction peut être exactement exprimée par un quotient, semblable à celui qui nous a servi à indiquer la pente. Nous appellerons ce quotient la dérivée.

Nous avons déjà rencontré la notion de tangente lorsque, par un procédé purement algébrique, nous avons montré qu'une conique et une droite pouvaient avoir 0, 1 ou 2 points communs; si le nombre des points communs est 1, la droite est tangente à la conique. Ce qui était vrai pour une conique ne l'est pas forcément pour toute courbe. Si, par exemple, la courbe a un autre coude, comme sur la figure suivante :

la droite qui passe par ce point ne peut nullement être considérée comme une tangente, même si elle n'a qu'un seul point commun avec la courbe, car elle n'indique aucune direction; en ce point, la courbe n'a pas de direction déterminée, car nous ne savons pas si notre droite se dirige vers la droite ou vers la gauche.

Par ailleurs, la droite suivante :

a deux points communs avec la courbe; nous devons pourtant la considérer comme lui étant tangente au premier point, tant sa direction épouse de près celle de la courbe.

Même une droite qui traverse une courbe

peut être considérée comme une tangente lorsque, comme sur la figure, elle en épouse à la fois la partie supérieure et la partie inférieure.

On attribue la qualité de tangente à toute droite vers laquelle tendent des segments coupant la courbe en deux points de plus en plus rapprochés. Il en va bien ainsi dans les deux derniers cas; veuillez le vérifier à l'aide d'une règle. Ainsi, si nous voulons déterminer la direction d'une tangente, nous ne pouvons guère éviter l'observation minutieuse et fastidieuse des segments qui s'en rapprochent de plus en plus.

Nous ne prétendons évidemment pas que faire glisser une règle sur une feuille de papier puisse constituer une méthode précise. Si nous avions à formuler une loi pour la détermination de la direction de la courbe, nous n'aurions pas l'audace de proposer un résultat obtenu avec des moyens aussi rudimentaires. Seul le calcul peut constituer une méthode précise [1].

Je vais partir d'un exemple concret, celui de la fonction :

$$y = x^2$$

dont je me propose de suivre l'évolution. Nous savons que celle-ci a pour image une parabole : cherchons à déterminer avec une précision absolue la direction de sa tangente au point d'abscisse $x = 1$. L'ordonnée y en ce même point sera :

$$y = 1^2 = 1$$

notre parabole passe donc par le point (1, 1), et ce que nous cherchons, c'est la direction de la tangente au point (1, 1).

Nous connaissons bien l'aspect de cette courbe :

---

1. Ceux que les notions de dérivée et d'intégrale n'intéressent pas et qui se lassent facilement du travail minutieux mais fastidieux qu'exigent les calculs de détail peuvent exceptionnellement sauter la fin de ce chapitre, ainsi que le chapitre suivant.

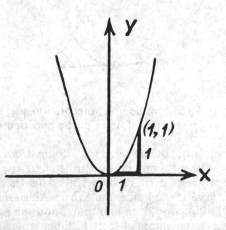

Nous savons ce que nous avons à faire : prendre sur la courbe des points voisins de (1, 1) et de plus en plus proches de lui, tracer les droites qui passent à la fois par (1,1) et par un des points voisins, calculer la direction de ces droites, par exemple sous forme de quotient (comme nous l'avons fait pour le remblai ferroviaire), et déterminer enfin la direction que tendent à prendre ces droites lorsque nos points tendent vers (1,1).

Nous choisirons, par exemple, les points voisins à droite du point (1,1) avec des abscisses supérieures à 1, d'abord d'une unité, puis d'un dixième, d'un centième, d'un millième, etc. Les abscisses successives de ces points seront donc :

$$1 + 1 = 2 \quad 1 + 0,1 = 1,1 \quad 1,01 \quad 1,001 \ldots$$

Il faut calculer leurs ordonnées $y = x^2$, et, pour cela, élever au carré les différentes valeurs de x; la chose est facile, car le deuxième rang du triangle de Pascal nous apprend que l'on a (en intercalant des 0 et des virgules, comme nous l'avons fait plus haut) :

$$1,1^2 = 1,21 \quad 1,01^2 = 1,0201 \quad 1,001^2 = 1,002001 \ldots$$

Je tiens à rappeler dès maintenant (de façon à ne pas être gêné par ces considérations de détail quand il s'agira de tirer des conclusions) que, si on peut diviser par un même nombre le numérateur et le dénominateur d'une fraction, on peut aussi faire l'opération inverse. Soit une réduction par 2, par exemple :

$$\frac{6}{8} = \frac{3}{4}$$

l'inverse est bien entendu également vrai :

$$\frac{3}{4} = \frac{6}{8}.$$

Nous sommes donc autorisés à multiplier numérateur et dénominateur par un même nombre, en l'occurrence 2. Ce procédé ne vise nullement à simplifier les fractions, mais peut rendre service par exemple pour la transformation des décimaux. Soit la désagréable division :

$$\frac{0,21}{0,1}.$$

Nous savons que, pour multiplier un décimal par 10, il suffit de déplacer la virgule d'un cran vers la droite. Comme il est inutile de faire précéder les nombres entiers par des 0, la multiplication par 10 du numérateur et du dénominateur de la fraction ci-dessus nous permettra d'écrire

$$\frac{0,2\,1}{0,1} = \frac{2,1}{1} = 2,1.$$

De même

$$\frac{0,0201}{0,01}$$

deviendra, en multipliant par 100 le numérateur et le dénominateur :

$$\frac{0,02\,01}{0,01} = \frac{2,01}{1} = 2,01$$

et ainsi de suite.

Voyons maintenant nos calculs. L'abscisse du premier point désigné selon le procédé ci-dessus décrit étant 2, son ordonnée sera $2^2 = 4$; nous tracerons notre première droite en la faisant passer par les points (1, 1) et (2, 4) :

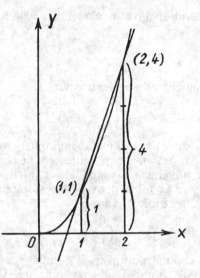

Il s'agit de déterminer la direction de cette droite. Par rapport au point (1, 1), nous avons progressé de 1 unité vers la droite (c'est la différence des abscisses) et de 3 unités vers le haut, car l'ordonnée du deuxième point dépasse celle du point (1, 1) de trois unités. Voici ces différences représentées par de gros traits :

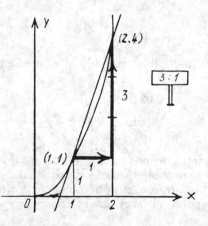

La pente de la première droite est donc

$$3 : 1$$

c'est-à-dire $\frac{3}{1} = 3 = 2 + 1$ (j'ai de bonnes raisons d'adopter cette formule). Prenons maintenant le point suivant; on a $x = 1{,}1$, donc, selon nos calculs précédents, $y = 1{,}1^2 = 1{,}21$: il s'agit du point $(1{,}1,\ 1{,}21)$. La droite qui passe par le point $(1{,}1)$ et par celui-ci (et dont la pente est représentée en gros trait sur la figure ci-dessous) s'écarte bien moins de la direction de la courbe que la droite précédente.

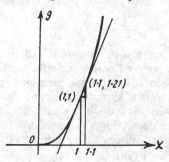

Examinons à la loupe la partie de la figure qui nous intéresse :

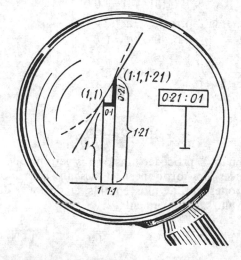

De combien avons-nous progressé vers la droite? de 0,1 unité; telle est la différence entre les abscisses des deux points. Et de combien l'ordonnée du deuxième point sera-t-elle supérieure à celle du point (1,1)? de $1,21 - 1 = 0,21$ unité. Donc, la pente de la deuxième droite est :

$$0,21 : 0,1$$

c'est-à-dire

$$\frac{0,21}{0,1}.$$

Comme je l'ai indiqué plus haut, cette fraction est égale à

$$2,1 = 2 + \frac{1}{10}.$$

Pour distinguer le point suivant dont l'abscisse est 0,01 et dont l'ordonnée (selon nos calculs préalables) est $1,01^2 = 1,0201$, nous aurions besoin d'une loupe bien plus puissante que la précédente. Mais nous n'avons plus besoin de la représentation graphique : nous avons vu qu'il s'agissait, à chaque fois, de diviser la différence des ordonnées par la différence des abscisses. La différence des ordonnées de ce point et du point (1, 1) est

$$1,0201 - 1 = 0,0201$$

celle des abscisses est :

$$1,01 - 1 = 0,01$$

donc la pente de la droite sera :

$$0,0201 : 0,01$$

c'est-à-dire

$$\frac{0,0201}{0,01}$$

soit

$$2,01 = 2 + \frac{1}{100}.$$

En continuant à procéder ainsi, nous verrons que le rapport des différences des ordonnées et des abscisses indiquant la pente des droites qui, de plus en plus, tendent à se détacher de la courbe, vaut successivement :

$$2 + 1 \qquad 2 + \frac{1}{10} \qquad 2 + \frac{1}{100} \qquad 2 + \frac{1}{1\,000} \cdots$$

Or, nous savons que la suite

$$1 \qquad \frac{1}{10} \qquad \frac{1}{100} \qquad \frac{1}{1\,000} \cdots$$

tend vers 0 (voir notre exemple des tablettes de chocolat); le nombre exact vers lequel tendent ces différents rapports est donc 2.

La tangente à la parabole au point (1,1) aura par conséquent une pente de 2, c'est-à-dire $\frac{2}{1}$. Nous pouvons représenter cette tangente :

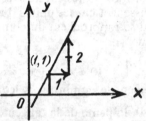

et, si nous cherchons à préciser le dessin de la parabole à l'aide d'innombrables points intermédiaires, nous avons bien, en effet, l'impression que cette droite lui est tangente.

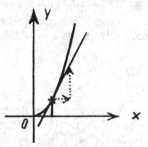

Donc, malgré l'imprécision de nos dessins, nous avons obtenu un procédé général de calcul pour la détermination exacte de la direction de la tangente : ce procédé consiste à prendre un point de la courbe voisin de notre point initial, à diviser la différence des ordonnées des deux points par la différence de leurs abscisses, et à se demander vers quoi tendent les rapports ainsi obtenus quand les points voisins tendent vers notre point initial.

On appelle *dérivée* cette valeur vers laquelle tendent les rapports ainsi obtenus; le *calcul différentiel* est une méthode précise pour déterminer les tangentes à une courbe et pour étudier les variations de celle-ci.

Ce procédé vaut, en effet, pour tous les points de la courbe : si celle-ci est sans coude, tous ses points peuvent servir d'appui à une tangente d'une direction déterminée. Au point (2,4), la parabole est plus « abrupte » qu'au point (1,1) situé plus bas; si nous calculons les pentes successives des droites passant par le point d'abscisse 2 et par les points d'abscisses $2 + 1$, 2,1, 2,01, 2,001, ... qui se rapprochent du point (2,4), nous trouverons successivement

$$4 + 1 \quad 4 + \frac{1}{10} \quad 4 + \frac{1}{100} \quad 4 + \frac{1}{1\,000}$$

et 4 est très exactement le nombre vers lequel tend cette suite. Donc, au point (2,4), la pente de la tangente est $4 = \frac{4}{1}$, nombre effectivement supérieur à $2 = \frac{2}{1}$, qui est la pente de la tangente passant par le point (1,1).

On peut montrer de même qu'au point d'abscisse 3 la pente de la tangente sera 6; au point d'abscisse 4, elle sera 8 et, d'une façon générale, elle est égale, en chaque point de la courbe, au double de l'abscisse du point considéré. On dit alors que la dérivée de

$$y = x^2$$

est, pour tout x

$$2\,x.$$

Comme point de départ fixe, on peut dire, grâce à une simple lecture de l'équation de la fonction, que la parabole passe par le point 0, car, si $x = 0$, $y = x^2 = 0^2 = 0$. Le reste nous sera révélé par la dérivée.

Soit maintenant x un nombre négatif. Son double, $2\,x$, sera également négatif, et de même la pente de la tangente; au point déterminé par cette abscisse, la tangente est dirigée vers le bas, et la courbe également. Quand x est positif, son double l'est également et la courbe s'élève. Quand $x = 0$, on a $2\,x = 0$ et la tangente est de pente nulle : c'est tout simplement une droite horizontale, en l'occurrence l'axe des x lui-même. Au fur et à mesure que grandit la valeur absolue de x, son double grandit également et la tangente sera de plus en plus abrupte.

En possession de toutes ces données, nous pouvons déterminer la forme de la courbe : à gauche du point 0, elle se dirige vers le bas, au point 0, elle prend la position horizontale, épousant la direction de l'axe des x, pour remonter ensuite. C'est au point d'abscisse 0 qu'elle descend le plus bas, et, au fur et à mesure qu'elles s'en éloignent, ses deux branches deviennent de plus en plus abruptes. Nous savions déjà tout cela en ce qui concerne la parabole; mais, s'il s'était agi d'une courbe moins connue, la dérivée aurait suffi à nous fournir ces renseignements.

D'ailleurs, même dans le cas de la parabole, la dérivée nous apporte des informations supplémentaires : déjà, à propos de nos premières courbes de température, nous avons vu que

$$2\,x$$

la fonction multiplication, est représentée par une ligne droite (ce qui est naturel, l'équation étant du premier degré); cette fonction croît uniformément. Les branches de la parabole deviennent de plus en plus abruptes, mais leur pente croît de façon régulière.

Une parabole peut occuper des positions différentes de celle que nous avons vue :

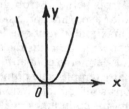

Par exemple :

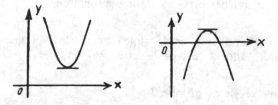

et, en de tels cas, il peut sembler difficile de déterminer son point le plus haut — ou le plus bas. La dérivée nous fournit immédiatement la réponse, puisque ce point n'est autre que celui où la tangente de la parabole est horizontale.

La recherche de ces sommets et de ces fonds, ou, dans le langage des fonctions, des *maxima* et des *minima* des différentes fonctions, peut donner lieu à des applications très variées.

Supposons qu'à partir d'un carton carré nous nous proposions de confectionner une boîte, en découpant un petit carré dans chacun des coins du grand et en pliant ensuite les quatre côtés suivant le dessin ci-dessous :

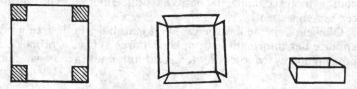

et qu'il s'agisse de trouver la grandeur des carrés découpés pour laquelle la boîte aura le plus grand volume.

Ne connaissant pas le côté du petit carré, je l'appelle x. Il est facile de voir comment le volume du cube dépend du choix de ce x. Si x est petit, c'est-à-dire si nous découpons de petits carrés, nous aurons une boîte large et basse; si nous découpons de grands carrés, la boîte sera plus haute et plus étroite. Donc x ne devra être ni trop petit, ni trop grand, mais « moyen ». La dérivée nous dit, avec une précision parfaite, que, pour obtenir un volume maximal, il faut que le côté des petits carrés soit exactement le sixième de celui du carré de départ. Grâce à la dérivée, on peut de même connaître exactement le sommet d'une trajectoire, par exemple celle d'une pierre qu'on a lancée. De telles applications sont, en fait, innombrables.

Soit une courbe moins commune que la parabole; les rapports des différences des coordonnées nous apprennent qu'en chaque point de la courbe correspondant à la fonction

$$y = x^3$$

la pente de la tangente est le triple du carré de l'abscisse du point considéré; donc, la dérivée de cette fonction est :

$$3\,x^2.$$

Que nous révèle ce nombre?

Notre point de départ sera fourni par la fonction elle-même :

$$\text{si } x = 0 \qquad y = 0^3 = 0$$

donc la courbe passe par le point 0. Et maintenant, écoutons ce que nous dit la dérivée. On remarque, tout d'abord, que x est au carré (dans l'expression de la dérivée). On peut en tirer deux conclusions : premièrement, que dans le cas de la courbe $y = x^3$, il n'y a pas augmentation uniforme de la pente : celle-ci augmente très rapidement dès que la courbe s'éloigne du point 0. Deuxièmement, que les abscisses soient positives ou négatives, x^2 sera toujours positif, de sorte que la tangente (et, par là même, la courbe) s'élèvera toujours, tant à gauche qu'à droite du point 0. La courbe passe par le point 0; pour qu'elle puisse monter avant d'y arriver, il faut qu'elle ait été jusque-là située en dessous de ce point, en dessous de l'axe des x. Après son passage par le point 0, la courbe se trouvera, en revanche, au-dessus de cet axe. Par ailleurs, pour $x = 0$, on a

$$3 x^2 = 3 \times 0^2 = 3 \times 0 = 0$$

donc, au point 0, la pente de la tangente est 0, elle est horizontale, et n'est autre que l'axe des x lui-même. Par conséquent l'axe des x, tout en traversant notre courbe au point 0, constituera aussi sa tangente en ce point. Quand on se rapproche de ce point en venant de gauche, la pente s'atténue; puis, une fois que la courbe a dépassé le point 0, la pente, comme si elle avait retrouvé sa vigueur, s'élève à nouveau, d'abord lentement, puis de façon de plus en plus abrupte.

Tous ces renseignements nous conduisent à donner à la courbe la forme suivante :

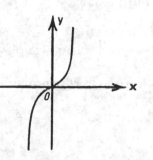

Cherchons maintenant à la construire à partir de la fonction $y = x^3$:

$$
\begin{array}{llll}
\text{pour } x = & 0 & y = & 0^3 = & 0 \\
\text{pour } x = & 1 & y = & 1^3 = & 1 \\
\text{pour } x = & 2 & y = & 2^3 = & 8 \\
\text{pour } x = & -1 & y = & (-1)^3 = & -1 \\
\text{pour } x = & -2 & y = & (-2)^3 = & -8
\end{array}
$$

et, en certains points intermédiaires :

$$\text{pour } x = \frac{1}{2} \qquad y = \left(\frac{1}{2}\right)^3 = \frac{1}{2} \times \frac{1}{2} \times \frac{1}{2} = \frac{1}{8}$$

$$\text{pour } x = -\frac{1}{2} \qquad y = \left(-\frac{1}{2}\right)^3 = -\frac{1}{8}$$

$$\text{pour } x = \frac{1}{4} \qquad y = \left(\frac{1}{4}\right)^3 = \frac{1}{4} \times \frac{1}{4} \times \frac{1}{4} = \frac{1}{64}$$

Or, tout dessin au crayon ne pourrait que donner une idée très grossière de $\frac{1}{64}$, et, dans notre dessin, la courbe semble déjà épouser l'axe des x en ce point (un examen plus approfondi de la dérivée nous montrera pourquoi). Il conviendra donc, aux points

$$0 \qquad \frac{1}{2} \qquad 1 \qquad 2$$

de progresser vers le haut, respectivement de

$$0 \qquad \frac{1}{8} \qquad 1 \qquad 8 \quad \text{unités}$$

et aux points

$$-\frac{1}{2} \qquad -1 \qquad -2$$

de progresser vers le bas, respectivement de

$$-\frac{1}{8} \qquad -1 \qquad -8 \quad \text{unités :}$$

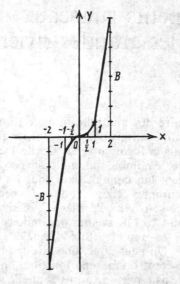

C'est bien là l'image que nous avait donnée la dérivée. Aucun écart ne peut survenir aux points intermédiaires : la dérivée l'aurait révélé! De plus l'image qu'elle permet de concevoir n'est, elle, pas du tout approximative; elle révèle avec une précision absolue la direction de la courbe en chaque point.

Il n'est donc pas étonnant que les mathématiciens aient calculé les dérivées de toutes les fonctions concevables et qu'à force de les pratiquer ils les connaissent par cœur. Quand le physicien interroge le mathématicien sur une fonction, celui-ci lui en fournit en même temps la dérivée, qui est, en quelque sorte, son « mode d'emploi ».

17. Les petits ruisseaux font les grandes rivières

A force de faire des multiplications, on finit par connaître la table des multiplications par cœur, même quand l'opération est présentée sous la forme inverse. On devine immédiatement que, par exemple, le nombre qui, multiplié par 4, donne 20 est 5. Le mathématicien, lui, connaît dans tous les sens les dérivées des fonctions courantes et les reconnaît immédiatement, quelle que soit la forme sous laquelle elles se présentent. Nous parle-t-on de la fonction $2\,x$? nous nous demandons aussitôt où nous avons rencontré ce nombre. Bien sûr, c'est la dérivée de la fonction $y = x^2$. On peut donc, une fois de plus, parler d'opération inverse : étant donné une fonction, on peut essayer de savoir s'il n'en existe pas une autre dont elle soit la dérivée et, si oui, laquelle. Si elle existe, on l'appellera l'*intégrale* de cette fonction; par exemple, l'intégrale de $2\,x$ sera la fonction $y = x^2$. Là encore, comme dans la solution des équations, il existe des « trucs » qui facilitent la recherche de l'intégrale, quand celle-ci n'est pas évidente. Soit $y = x^2$ la fonction dont on cherche l'intégrale. Sa forme rappelle beaucoup celle de $y = 3\,x^2$, dont nous savons déjà qu'elle est la dérivée de la fonction $y = x^3$. Notre x^2 est exactement le tiers de $3\,x^2$. Peut-être $y = x^2$ sera-t-il alors la dérivée du tiers de x^3, de la fonction $y = \dfrac{x^3}{3}$? Il est facile de prouver qu'il en est bien ainsi.

Mais, dans la plupart des cas, les « trucs » ne suffisent pas et on a besoin de recourir à une méthode plus générale. De plus, la méthode de « reconnaissance » qui vient d'être employée a un autre défaut : la dérivée ne nous dit pas, par exemple, si la courbe de la fonction $y = x^2$ passe par le point 0; ce renseignement nous a été fourni, vous vous en souvenez, par la fonction elle-même. Comment, dans ces conditions, la dérivée suffirait-elle, à elle seule, pour reconstituer la courbe dans son intégralité?

En effet, déplaçons notre parabole d'une unité vers le haut :

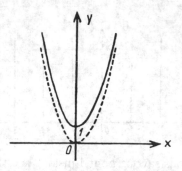

Ce déplacement n'a pas changé la forme de la courbe, dont la pente est donc restée identique en tous points; elle a donc la même dérivée que précédemment. Son équation a pourtant changé, car la coordonnée x de chaque point a été augmentée d'une unité; le y qui auparavant était égal à x^2 vaut maintenant $x^2 + 1$, et l'équation de la parabole déplacée est :

$$y = x^2 + 1.$$

La direction de la courbe (c'est-à-dire la dérivée) ne permet pas à elle seule de deviner si nous sommes en présence de cette fonction, de la précédente ou d'une autre des innombrables fonctions que l'on peut obtenir en déplaçant la parabole vers le haut ou vers le bas.

Mais il suffit d'indiquer un seul point de la courbe cherchée pour lever cette incertitude; si, par exemple, nous ajoutons que la courbe passe par le point 0, notre dérivée ne peut être que celle de la fonction $y = x^2$. C'est ce que nous verrons par la suite.

Pour la démonstration de la méthode générale, je vais utiliser la parabole, en supposant que nous n'avons pas vu tout de suite quelle était l'intégrale de la fonction $2\,x$. Nous cherchons donc une courbe telle qu'elle passe par le point $(0, 0)$ et que la pente de sa tangente soit, en tous points, égale à $2\,x$.

Nous commençons par la représentation graphique, mais notre but est d'obtenir une méthode précise. Divisons l'axe des x en segments d'une unité chacun et, à partir des points ainsi obtenus, traçons des perpendiculaires sur lesquelles porter les ordonnées, encore inconnues.

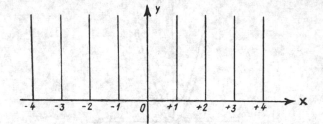

Tout ce que nous savons pour l'instant, c'est que $y = 0$ pour $x = 0$. C'est ainsi que nous commençons à ébaucher notre courbe.

Pour cette représentation graphique, nous partons du principe que, dans un certain secteur, très réduit, la tangente épouse la courbe, donc qu'à une faible distance de part et d'autre du point de contact on peut les considérer comme identiques. Je prendrai ici, comme « faible distance », l'intervalle entre deux verticales. Je commence donc par tracer la tangente au point $(0, 0)$, et je suppose qu'elle représente notre courbe jusqu'au point d'abscisse $+ 1$ vers la droite et jusqu'au point d'abscisse $- 1$ vers la gauche. Je considère les deux points $(1, 0)$ et $(- 1, 0)$ comme appartenant à la courbe. Je vais ensuite tracer les tangentes en ces deux points, jusqu'à la perpendiculaire suivante, et ainsi de suite. Bien entendu, ce qui me guide dans la représentation de ces tangentes, c'est que leur pente est donnée : elle est, au point $x = 0$

$$2 x = 2 \times 0 = 0$$

et au point $x = 1$

$$2 x = 2 \times 1 = 2$$

et nous savons que la fonction de multiplication $2 x$ croît régulièrement; donc, aux points suivants, toujours équidistants, la pente augmentera de 2 chaque fois; elle sera de 4, 6, 8 ... En allant vers la gauche, elle décroîtra au même rythme : $- 2$, $- 4, - 6$ ... Donc, la pente de la tangente aux points

$$0 \quad 1 \quad 2 \quad - 1 \quad - 2$$

sera respectivement

$$0 \quad 2 \quad 4 \quad - 2 \quad - 4.$$

Mais nous savons aussi qu'une pente 2, c'est-à-dire $\frac{2}{1}$, signifie que nous devons progresser de 1 unité vers la droite et de 2 unités vers le haut; de même une pente — 2 signifie que nous devons avancer de 1 unité vers la gauche et de 2 unités vers le haut. Notre progression vers le haut sera la même aux deux points + 1 et — 1, donc notre courbe sera symétrique; il suffira d'en dessiner la partie droite pour avoir du même coup la partie gauche.

Commençons donc la construction. La pente 0 au point (0,0) signifie que la direction de la courbe est horizontale. Nous irons donc horizontalement jusqu'au point 1; de là nous rejoindrons, avec une pente $2 = \frac{2}{1}$, la perpendiculaire suivante, puis, avec une pente $4 = \frac{4}{1}$, la perpendiculaire suivante, etc.

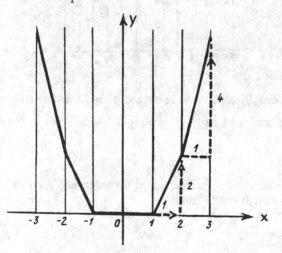

C'est bien là l'image, encore très grossière, d'une parabole.

Vérifions nos résultats par le calcul : bornons-nous au point $x = 3$ et calculons l'ordonnée de la courbe $y = x^2$ en ce point :

$$x = 3 \qquad \text{donc } y = 3^2 = 9.$$

Certes, nous ne devrions pas encore savoir qu'il s'agit de la fonction $y = x^2$! Mais, comme nous le savons quand même,

nous nous en servirons pour examiner dans quelle mesure l'ordonnée du point $x = 3$ de notre courbe grossière s'écarte de ce 9.

Comme l'indique le dessin, nous sommes parvenus à l'ordonnée de notre tracé en nous élevant progressivement, en additionnant les pentes successives à partir du point 0; autrement
dit, on a, ici

$$y = 0 + 2 + 4 = 6 = 9 - 3$$

ce qui donne un écart de 3 unités, encore assez considérable.
Multiplions les segments en traçant maintenant nos perpendiculaires à des intervalles de $\frac{1}{2}$ unité.

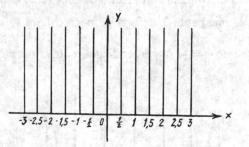

Au point 0, la pente de la tangente sera toujours 0 (la tangente
est horizontale). Au point $x = \frac{1}{2}$, elle sera

$$y = 2\,x = 2 \times \frac{1}{2} = 1$$

et la pente croît régulièrement d'un intervalle à l'autre, c'est-à-
dire chaque fois de 1 unité.

La pente de la tangente aux points

0   0,5   1   1,5   2   2,5 $-$ 0,5 $-$ 1 $-$ 1,5 $-$ 2 $-$ 2,5

sera respectivement

0   1   2   3   4   5 $-$ 1 $-$ 2 $-$ 3 $-$ 4 $-$ 5

Pour commencer à dessiner, il faut ici encore nous dire que
la pente au point 0 est 0 : il faut donc aller horizontalement
jusqu'au point $\left(0, \frac{1}{2}\right)$, ce qui correspond parfaitement à nos

intentions. Mais au point $\frac{1}{2}$, la pente est 1, c'est-à-dire $\frac{1}{1}$, il faudrait donc, à partir de là, progresser de 1 unité vers la droite et de 1 unité vers le haut. Or, si nous avons tracé nos perpendiculaires à des intervalles de 1 demi-unité, ce n'était pas pour recommencer à avancer de 1 unité à chaque fois. Il suffit cependant de penser que, si la pente d'un remblai ferroviaire est $\frac{1}{1}$, c'est-à-dire si, quand on le longe pendant 1 mètre, il s'élève de 1 mètre, alors, quand on le longe pendant un $\frac{1}{2}$, sa hauteur n'augmentera que d'un $\frac{1}{2}$:

De même, dans le cas d'un remblai de pente de $2 = \frac{2}{1}$, en le longeant pendant 1 mètre, nous verrons sa hauteur augmenter non pas de 2, mais de 1 mètre :

Si donc nous progressons par demi-unités dans le sens horizontal, les pentes successives seront réduites de moitié par rapport aux pentes précédentes; soit, en allant vers la droite à partir de 0 : aux points

$$0 \quad 0,5 \quad 1 \quad 1,5 \quad 2 \quad 2,5$$

au lieu de

$$0 \quad 1 \quad 2 \quad 3 \quad 4 \quad 5$$

unités, il faut s'élever de

$$0 \quad \frac{1}{2} \times 1 = 0,5 \quad \frac{1}{2} \times 2 = 1 \quad \frac{1}{2} \times 3 = 1,5$$

$$\frac{1}{2} \times 4 = 2 \quad \frac{1}{2} \times 5 = 2,5\cdot$$

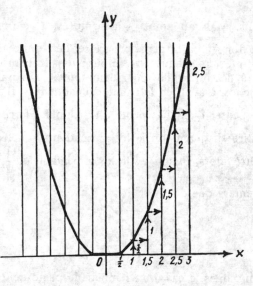

Rien ne nous empêche désormais d'exécuter notre dessin : cela commence à ressembler à une parabole : tous les angles sont arrondis; mais elle « colle » encore trop à l'axe x.

Calculons à nouveau la valeur de l'ordonnée correspondant à $x = 3$. Elle ne se composera pas, cette fois, de la somme des pentes successives de 0 à 3, mais des moitiés de ces valeurs; il vaut mieux les réécrire : au lieu de

$$0 \quad 0,5 \quad 1 \quad 1,5 \quad 2 \quad 2,5$$

nous écrirons, comme précédemment :

$$\frac{1}{2} \times 0 \quad \frac{1}{2} \times 1 \quad \frac{1}{2} \times 2 \quad \frac{1}{2} \times 3 \quad \frac{1}{2} \times 4 \quad \frac{1}{2} \times 5$$

et, en l'occurrence :

$$y = \frac{1}{2} \times 0 + \frac{1}{2} \times 1 + \frac{1}{2} \times 2 + \frac{1}{2} \times 3 + \frac{1}{2} \times 4 + \frac{1}{2} \times 5.$$

On peut supprimer $\frac{1}{2} \times 0 = 0$. Chaque terme devant être multiplié par $\frac{1}{2}$, on a intérêt à les additionner et à diviser le résultat par 2 :

$$y = (1 + 2 + 3 + 4 + 5) \times \frac{1}{2}.$$

Ainsi, tous les chiffres à additionner sont des entiers et, pour le calcul, on peut appliquer la méthode de mon élève Suzy : en prenant le « milieu » de la série, 3, que nous multiplions par 3, nous obtenons 15, que nous multiplions par $\frac{1}{2}$ pour aboutir à $\frac{15}{2}$; en ajoutant 3 à 15, on obtient le nombre 18, qui est divisible par 9; donc, en fin de compte :

$$y = \frac{15}{2} = \frac{18}{2} - \frac{3}{2} = 9 - \frac{3}{2}$$

L'ordonnée correspondante de la courbe précédente s'écartait de 3 unités par rapport à 9, celle-ci ne présente plus qu'un écart de $\frac{3}{2}$.

Ainsi, en cherchant à « lisser » nos « courbes » anguleuses (ce qui, étant donné les moyens rudimentaires dont nous disposons, ne peut donner qu'un résultat très approximatif), nous obtenons en fait un procédé général de calcul, que l'on peut affiner à l'infini, pour calculer l'ordonnée correspondant à l'abscisse 3. Il est clair qu'en continuant ainsi, c'est-à-dire en prenant maintenant des intervalles de $\frac{1}{4}$, la pente au point $(0,0)$ sera 0 et la pente pour $x = \frac{1}{4}$

$$2x = 2 \times \frac{1}{4} = \frac{2}{4}, \text{ soit, sous forme réduite, } \frac{1}{2}.$$

La tangente s'élèvera donc de $\frac{1}{2}$ unité dans chacun des intervalles successifs, d'où, à partir du point 0, la pente de la tangente aux points suivants :

0 0,25 0,5 0,75 1 1,25 1,5 1,75 2 2,25 2,5 2,75

sera respectivement

0 0,5 1   1,5 2 2,5 3   3,5 4 4,5 5   5,5.

Ici, nous voulons avancer vers la droite par quarts d'unité; par conséquent, pour notre calcul, il suffit de prendre le quart de toutes ces valeurs : si nous avançons le long de notre remblai ferroviaire non pas de 1 unité, mais de $\frac{1}{4}$ d'unité, la hauteur de ce remblai augmentera elle aussi, non pas de 1 unité, mais de $\frac{1}{4}$ d'unité. La somme de ces quarts donnera l'ordonnée correspondant à $x = 3$.

$$y = \frac{1}{4} \times \frac{1}{2} + \frac{1}{4} \times \frac{2}{2} + \frac{1}{4} \times \frac{3}{2} + \frac{1}{4} \times \frac{4}{2} + \frac{1}{4} \times \frac{5}{2} +$$
$$+ \frac{1}{4} \times \frac{6}{2} + \frac{1}{4} \times \frac{7}{2} + \frac{1}{4} \times \frac{8}{2} + \frac{1}{4} \times \frac{9}{2} + \frac{1}{4} \times \frac{10}{2} + \frac{1}{4} \times \frac{11}{2}$$

Bien entendu, $\frac{1}{4} \times 0$ peut être supprimé.

Ici, il faut donc prendre le quart de chaque terme, donc les diviser tous par 4; et le dénominateur de chacune de ces fractions indique de plus une division par 2. Or, nous savons que diviser un nombre successivement par 4 et par 2, c'est le diviser par 8. On peut additionner les dividendes avant d'effectuer la division par 8. Soit :

$$y = (1 + 2 + 3 + 4 + 5 + 6 + 7 + 8 + 9 + 10 + 11) \times \frac{1}{8}.$$

Les termes sont nombreux, et nous sommes bien contents de pouvoir disposer de la méthode de Suzy; prenons donc le nombre qui constitue le milieu de la séquence, soit 6, multiplions-le par 11, nous obtenons 66 qui, divisé par 8, donne $\frac{66}{8}$. En ajoutant 6 à 66, on obtient 72, divisible par 9, donc :

$$y = \frac{66}{8} = \frac{72}{8} - \frac{6}{8} = 9 - \frac{6}{8} = 9 - \frac{3}{4}.$$

A cette étape de l'affinement de nos résultats, c'est une distance de $\frac{3}{4}$ qui nous sépare de 9. Nous sommes parvenus à ce résultat sans exécuter le moindre dessin, mais en nous demandant, à chaque instant, comment nous nous y prendrions si nous avions à le faire. On peut, bien sûr, poursuivre l'opération, sans plus penser à aucun dessin. La démarche suivante consisterait à diviser le segment de 0 à 3 en intervalles de $\frac{1}{8}$; aux extrémités de chaque segment, la pente augmenterait successivement de

$$2\,x = 2 \times \frac{1}{8} = \frac{2}{8} = \frac{1}{4}.$$

Donc, la pente en ces points serait successivement

$$0 \quad \frac{1}{4} \quad \frac{2}{4} \quad \frac{3}{4} \quad \frac{4}{4} \quad \frac{5}{4} \cdots$$

Il conviendrait ensuite de multiplier chacun de ces nombres par $\frac{1}{8}$, longueur des intervalles, et d'additionner les chiffres ainsi obtenus jusqu'à atteindre l'abscisse 3.

Le résultat sera alors

$$y = 9 - \frac{\mathbf{3}}{\mathbf{8}}$$

et l'on voit qu'on peut continuer ainsi aussi longtemps que l'on voudra. Or, la suite

$$3, \frac{3}{2}, \frac{3}{4}, \frac{3}{8} \cdots$$

tend vers 0 (en attribuant trois gâteaux à un nombre sans cesse croissant de personnes, les parts de chacun seront de plus en plus petites) et le nombre vers lequel tendent les ordonnées correspondant à l'abscisse 3 sur nos « courbes » de plus en plus lisses est donc *très précisément* 9, c'est-à-dire 3^2, valeur de la fonction $y = x^2$ pour $x = 3$.

On peut démontrer de la même façon que les ordonnées de nos courbes tendent, pour $x = 1$, vers $1 = 1^2$, pour $x = 2$, vers $4 = 2^2$, pour $x = 4$, vers $16 = 4^2$, bref, vers le carré de l'abscisse pour toute valeur de celle-ci. C'est ainsi que nos « courbes » anguleuses finissent par aboutir à la parabole

$$y = x^2$$

ce qui, en terme de fonctions, s'exprime de la façon suivante : en connaissant une seule valeur de la fonction, il est possible de retrouver, à partir de la fonction

$$y = 2\,x,$$

celle dont elle est la dérivée.

Chemin faisant, nous avons obtenu la méthode exacte cherchée : elle consiste à segmenter l'axe des x à partir de l'abscisse pour laquelle on connaît la valeur de l'ordonnée, jusqu'à l'abscisse pour laquelle nous la cherchons (dans notre exemple, il s'agissait respectivement des points 0 et 3), à multiplier la longueur des intervalles ainsi obtenus par les valeurs successives prises par la fonction en chacune des extrémités des segments successifs et à additionner les résultats ainsi obtenus. Nous obtenons ainsi des approximations successives de l'intégrale et, plus nos intervalles seront petits et donc nombreux, plus ces approximations seront proches de la valeur de l'intégrale au point considéré. C'est un calcul fastidieux, je l'admets : les opérations inverses donnent toujours du fil à retordre.

Il est possible de représenter ces approximations par des surfaces. En effet, chacun des termes de la somme équivalant à chacune de ces approximations est le produit de deux termes : la longueur de l'intervalle et la valeur de la fonction approchée. Or, nous savons que nous pouvons représenter tout produit par la surface d'un rectangle dont les deux côtés correspondent aux deux facteurs du produit. Ainsi, à chaque terme de cette addition correspondra un rectangle, et les nombres entiers successifs peuvent être représentés en alignant ces rectangles bout à bout. Essayons; notre première addition était :

$$0 + 2 + 4.$$

Ici, nous ne voyons pas que ces nombres sont des produits, mais nous avons obtenu ce résultat pour des intervalles de longueur 1; nous pouvons donc récrire cette addition sous cette forme :

$$1 \times 10 + 1 \times 2 + 1 \times 4$$

et la représenter ainsi :

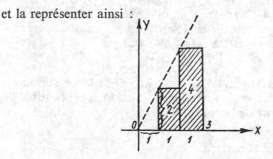

(1 × 0 peut être considéré comme un rectangle de longueur 1 et de hauteur 0; il est, bien entendu, représenté par un segment horizontal.)

Notre deuxième approximation s'écrivait :

$$\frac{1}{2} \times 0 + \frac{1}{2} \times 1 + \frac{1}{2} \times 2 + \frac{1}{2} \times 3 + \frac{1}{2} \times 4 + \frac{1}{2} \times 5$$

dont voici la représentation :

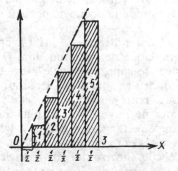

Notre troisième approximation était une addition de 12 termes :

$$\frac{1}{4} \times 0 + \frac{1}{4} \times \frac{1}{2} + \frac{1}{4} \times \frac{2}{2} + \frac{1}{4} \times \frac{3}{2} + \frac{1}{4} \times \frac{4}{2} + \frac{1}{4} \times \frac{5}{2} +$$
$$+ \frac{1}{4} \times \frac{6}{2} + \frac{1}{4} \times \frac{7}{2} + \frac{1}{4} \times \frac{8}{2} + \frac{1}{4} \times \frac{9}{2} + \frac{1}{4} \times \frac{10}{2} + \frac{1}{4} \times \frac{11}{2}$$

facile à représenter par des intervalles de $\frac{1}{2}$; je n'ai pas la place d'indiquer les chiffres, je me contente donc du dessin :

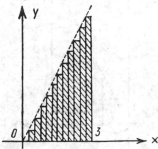

On voit que ces figures en escalier se rapprochent de plus en plus de la surface d'un triangle rectangle, celui dont j'ai indiqué l'hypoténuse par une droite en pointillé sur chaque figure. En effet, dans chacune de celles-ci la droite est la même : la première figure nous montre bien que sa pente est

$$2 : 1$$

et il est facile de vérifier que ce rapport ne varie pas dans les deux autres figures. Je vous ai demandé plus haut de ne pas oublier que l'équation de la droite de pente 2 : 1 et passant par le point (0,0) est $y = 2\,x$.

Or c'est exactement notre fonction! La droite est donc la représentation graphique de cette fonction. Donc, les approximations successives se rapprochent de plus en plus de la surface du triangle dont l'hypoténuse est constituée par une portion de la droite représentant la fonction donnée... Quel dommage que nous ne l'ayons pas su plus tôt, car calculer la surface d'un triangle rectangle est vraiment très facile : il suffit de multiplier les côtés entre eux et de diviser par 2 le résultat ainsi obtenu. Le côté horizontal du triangle est le segment considéré, il mesure donc 3 unités; quant au côté vertical, nous allons le calculer :

$$\text{pour } x = 3, \text{ on a } y = 2\,x = 2 \times 3 = 6.$$

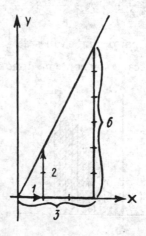

La surface du triangle sera :

$$\frac{3 \times 6}{2} = \frac{18}{2} = 9$$

unités, ce qui correspond bien au résultat obtenu plus haut, mais avec quelle peine!

C'est ainsi que le calcul des surfaces vient en aide au calcul des intégrales. Ce n'est pas un hasard : à moins d'avoir affaire à une fonction complètement farfelue, comme celle de Dirichlet (dont les valeurs oscillent constamment et pour laquelle les approximations d'intégrale n'ont pas la moindre possibilité de converger), dans le cas d'une fonction normale donc, les sommes approchées peuvent toujours être représentées par des surfaces disposées en escalier :

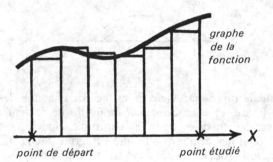

graphe
de la
fonction

point de départ   point étudié

Celles-ci s'approchent, avec la même précision que dans l'exemple des tablettes de chocolat, de la surface délimitée par l'axe des *x* et la courbe de la fonction entre les perpendiculaires élevées au point de départ et au point étudié. Autrement dit, la surface ainsi délimitée par la courbe et l'intégrale de la fonction sont deux formulations d'une même réalité.

Mais le calcul des surfaces doit bien plus encore au calcul des intégrales. Nous savons calculer la surface d'un triangle rectangle; nous savons aussi que tout triangle peut être décomposé en triangles rectangles et tout polygone en triangles. Calculer la surface de figures planes limitées par des droites n'est donc pas un problème. Nous avons également (tant bien que mal) accepté l'idée que la surface du cercle pouvait se calculer en le supposant composé de triangles de plus en plus serrés. Mais comment calculer, d'une façon générale, la surface d'une figure limitée uniquement par des courbes?

On peut la découper par des droites, de façon à la coucher sur l'axe des x :

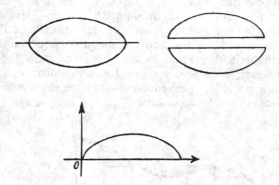

Nous calculerons séparément la surface de chacune des parties de cette figure, et c'est au *calcul intégral* que revient la tâche de trouver les surfaces dont les contours supérieurs sont des courbes. Si nous tombons sur une intégrale facile à calculer, nous pouvons fournir la réponse en un clin d'œil.

Par exemple, nous avons déjà deviné que l'intégrale de x^2 était la fonction $y = \dfrac{x^3}{3}$ (à une constante près : ce pourrait être $\dfrac{x^3}{3} + 1$, etc.). Cela nous permet de calculer très facilement la surface limitée par la parabole d'équation $y = x^2$ et l'axe des x. Par exemple, si l'on va jusqu'à l'abscisse $x = 1$, cette surface sera égale à la valeur de l'intégrale correspondant au point $x = 1$, soit

$$\frac{1^3}{3} = \frac{1}{3} \text{ d'unité de surface.}$$

Donc la surface de la partie hachurée (qui, de toute évidence, ne constitue qu'une partie du carré que nous prenons comme unité) vaut exactement le tiers de celle de ce carré.

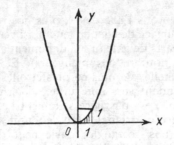

Pourquoi s'intéresser ainsi à la mesure d'une surface limitée par une parabole? C'est qu'elle permet de calculer très rapidement la surface comprise entre les deux branches de la parabole et ce, jusqu'à n'importe quelle hauteur. Par exemple si, comme dans notre exemple, un tiers du carré pris comme unité reste en dehors de la parabole, c'est que les deux tiers restants se situent à l'intérieur de cette même parabole; en y ajoutant par symétrie la partie de gauche qui lui est symétrique, nous savons que la surface de la partie hachurée de la figure ci-dessous sera

$$2 \times \frac{2}{3} = \frac{4}{3} = \frac{3}{3} + \frac{1}{3} = 1 + \frac{1}{3} \text{ unités.}$$

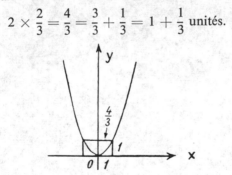

Je voudrais une fois de plus attirer l'attention sur les « petits rectangles » qui nous ont permis d'approcher la valeur de la surface :

Plus nous segmentons l'axe des x, plus nos rectangles deviennent étroits; la surface de chacun tend ainsi vers 0 (c'est l'exemple rebattu des parts de gâteau qui diminuent au fur et à mesure qu'augmente le nombre des mangeurs). Et pourtant, prises ensemble, ces lamelles de plus en plus étroites, de plus en plus proches de 0, tendent vers une surface déterminée, bien différente de 0 et qui n'est pas nécessairement petite : dans notre exemple, la surface du triangle était de 9 unités. C'est que, tout en rétrécissant, nos rectangles deviennent de plus en plus nombreux : « Les petits ruisseaux font les grandes rivières. » En s'accumulant, de très faibles couches de sable finissent par recouvrir les pyramides. Beaucoup de gens peuvent, ensemble, faire naître une idée capable de modifier la marche du monde. Les petits effets ont pour « intégrale » une grande cause.

3. L'autocritique
de la raison pure

18. Et pourtant les mathématiques sont plusieurs

Il n'existe guère de mathématicien tant soit peu connu qui n'ait reçu un jour la visite de quelque mystérieux inconnu lui remettant, sous le sceau du secret, un manuscrit plus ou moins volumineux sur la « quadrature du cercle ».

Qu'est-ce là au juste? Si quelqu'un me dit : « Connaissant les deux côtés d'un triangle rectangle j'ai construit ce triangle », je lui demanderai aussitôt : « Avec quels instruments? » Supposons que mon interlocuteur ait utilisé une équerre en bois comme on en vend dans les magasins :

On ne peut guère se fier à la précision de ces instruments. « Retourne donc cette équerre en la faisant pivoter sur le côté vertical du rectangle qu'il t'a permis de dessiner et décalque ses trois côtés avec un crayon », lui dirai-je, et, la plupart du temps, le résultat sera lamentable :

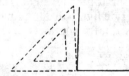

car l'angle droit de l'équerre n'est pas tout à fait droit.

Les Grecs de l'Antiquité choisissaient leurs instruments avec un soin extrême. Chez eux, la règle ne pouvait servir qu'à tracer une ligne droite (et jamais à décalquer un angle droit). C'était déjà un compromis, car une règle est rarement tout à fait droite. Pour tracer un cercle, nous disposons d'instruments plus précis : au lieu de décalquer le pourtour d'un cercle en bois préfabriqué, nous pouvons construire notre cercle nous-mêmes, à l'aide d'un compas; si les deux branches du compas n'ont pas de « jeu », en fixant la pointe métallique en un point, le crayon monté dans l'autre branche tracera autour du point fixe une ligne dont tous les points en seront également éloignés; nous obtiendrons ainsi un « vrai » cercle.

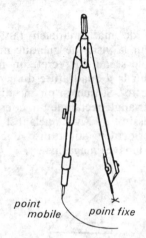

Les Grecs ne permettaient pas l'usage d'autres instruments pour la construction de leurs figures géométriques; et, bien entendu, plus on recourait au compas et moins à la règle, plus le dessin obtenu était précis. Il apparut, bien des siècles plus tard, que l'on pouvait se passer entièrement de la règle : le compas suffisait pour réaliser toutes les figures. Cet instrument ne permettant pas de tracer de lignes droites, un carré, par exemple, était représenté par ses quatre sommets de la façon suivante :

Ces quatre points offrent une assez bonne représentation du carré.

Mais conservons pour l'instant le compas et la règle. Quelles figures pourra-t-on construire à l'aide de ces deux instruments ? C'est ici que se pose le problème de la quadrature du cercle : étant donné un cercle, il s'agit de construire un carré dont la surface soit exactement égale à celle du cercle.

Nous savons déjà qu'à l'aide de figures limitées par des droites et se rapprochant de plus en plus du cercle, on peut déterminer très exactement la surface de celui-ci. Soit un cercle dont le rayon est l'unité, sa surface est mesurée par un nombre irrationnel tout à fait déterminé, qui commence par

$$3,14 \ldots$$

et que l'on peut calculer avec autant de précision que l'on voudra. En raison de son importance en mathématiques, ce nombre irrationnel a reçu un nom spécial ; on le désigne — tout lycéen le sait — par la lettre grecque « pi », dont le symbole est

$$\pi$$

Connaissant avec une totale précision la surface du cercle dont le rayon est l'unité, nous pouvons indiquer immédiatement quel est le carré dont la surface est égale à celle de ce cercle. Pour calculer la surface du carré, nous élevons la longueur du côté à la puissance deux, c'est-à-dire au carré ; or, il existe bien un nombre dont le carré est π, celui que l'on désigne par $\sqrt{\pi}$; donc le carré dont chaque côté mesure $\sqrt{\pi}$ unités sera celui que nous cherchons.

Cependant, il ne s'agit pas de savoir si un tel carré existe ou non, mais de le construire à l'aide d'une règle et d'un compas. Que $\sqrt{\pi}$ soit un nombre irrationnel, cela ne nous empêchera pas nécessairement de construire notre carré : en doublant la surface de notre vivier, nous avons déjà vu un carré dont chaque côté était $\sqrt{2}$ (irrationnel), et qu'il était facile de réaliser par des constructions très précises, à partir des instructions données dans cet exemple. $\sqrt{\pi}$ ne pourrait-il pas, de même, donner lieu à une figure réalisable à l'aide d'un compas et d'une règle ?

Durant de longs siècles, les essais faits dans ce sens s'étaient révélés infructueux. Seule, la traduction de ce problème géométrique en langage algébrique a permis d'apporter une solution. Que peut-on tracer à l'aide d'un compas et d'une équerre ? Des droites et des cercles. Nous savons qu'en langage algé-

brique les droites correspondent à des équations du premier
degré et les cercles à un certain type d'équations du second
degré. Les solutions communes qu'admettent ces équations
correspondent à toutes les figures que l'on peut construire à
l'aide de la règle et du compas.

Or, on a réussi à démontrer que ni $\sqrt{\pi}$, ni π lui-même ne
pouvaient représenter la solution de ces équations ni d'aucune
équation algébrique de quelque degré que ce soit, à moins
d'introduire subrepticement π dans une équation (par exemple,
dans l'équation $x - \pi = 0$ en transférant π à droite et en le
transformant en terme d'une addition, on aurait $x = \pi$). On
dit que π n'est pas un nombre algébrique, mais un *nombre
transcendant*.

Il est donc démontré que la quadrature du cercle est impossible; une fois de plus, les mathématiques ont réussi à apporter
la preuve de leur propre impuissance, à limiter les solutions
que l'on peut apporter à un problème.

Indépendamment de la découverte des nombres transcendants
qui ne peuvent, en aucun cas, représenter la solution d'une
équation algébrique (on peut montrer que $e = 2,71 \ldots$, base
du logarithme naturel, est également transcendant, de même
d'ailleurs que l'immense majorité des nombres irrationnels),
je voudrais attirer l'attention sur un point : la pureté des
méthodes employées par les anciens Grecs. Il ne s'agissait pas
de savoir si l'on pouvait, de façon générale, fabriquer un carré
dont la surface fût égale à celle d'un cercle (on a construit,
à la fin du siècle dernier, un mécanisme capable d'engendrer
de tels carrés à volonté), mais s'il était possible, très précisément,
de construire un tel carré avec la règle et le compas. Posé en
de tels termes, le problème est désormais résolu (dans un sens
négatif) pour tout mathématicien; seuls quelques illuminés
refusent de l'admettre, fascinés par l'expression « quadrature
du cercle », qui ne cesse de hanter leur imagination.

C'est cette pureté dans les méthodes, cette clarté dans la
formulation qui fait que les mathématiciens ne poursuivent
jamais de dialogues de sourds, comme cela arrive si souvent
dans d'autres disciplines; les mathématiciens de tous les temps
et de tous les pays se sont toujours compris. Ils ont la réputation
d'être incompréhensibles, mais toute leur façon de s'exprimer
vise en fait à s'assurer qu'ils sont bien compris des autres.
Naturellement, les concepts mathématiques sont, comme tous

les concepts, chargés de connotations individuelles. Des concepts comme le « point » ou la « droite » peuvent couvrir des réalités fort différentes dans l'esprit de leurs utilisateurs. Je me souviens qu'à son premier cours M. Kürschák, un de mes professeurs, avait interpellé en ces termes une de mes camarades de promotion :

« Avez-vous déjà vu un point, mademoiselle ? — Non, monsieur répondit l'interpellée. — En avez-vous déjà dessiné un ? — Oui », dit-elle ; mais, se rendant aussitôt compte de son étourderie, elle modifia sa réponse : « A dire vrai, j'aurais bien voulu le faire, mais je n'y suis pas parvenue. » Je crois que cette réponse fut déterminante dans la prédilection de notre professeur pour notre promotion. Les dépôts de crayon ou de craie que l'on appelle communément des « points » et qui, sous une loupe grandissante, apparaissent souvent comme des montagnes, n'ont bien entendu rien à voir avec de véritables points. Chacun a sa vision de ce qu'est un point et, en le dessinant, il cherche à s'y conformer. Quant à l'idée que l'on peut se faire d'une droite, elle varie peut-être encore plus d'une personne à une autre. La droite n'est pas une ligne simple : quand ils dessinent, les enfants et les personnes de peu de culture tracent spontanément des lignes courbes. Pour tracer une droite, il faut déjà une grande discipline intérieure. Aussi le mathématicien qui croit avoir démontré quelque chose à propos des points et des droites ne peut-il en faire part à son prochain qu'à peu près en ces termes : « J'ignore quelle est l'idée que tu te fais des figures géométriques. Quant à moi, je pense pouvoir relier deux points, quels qu'ils soient, par une droite et une seule. Cette idée que j'ai de la droite concorde-t-elle avec la tienne ? » C'est seulement si la réponse est affirmative qu'il poursuivra : « J'ai fait une démonstration dans laquelle, parmi toutes les propriétés du point et de la droite, je n'ai utilisé que celle sur laquelle nous venons de nous mettre d'accord. Tu peux donc tranquillement penser aux points et à la droite tels que tu les conçois, car je suis sûr que tu me comprendras. »

Les mathématiciens ne s'imaginent pas pouvoir énoncer des vérités absolues. Leurs thèses, leurs théorèmes sont toujours de modestes phrases hypothétiques, du type : « Si..., alors... » *Si* nous n'utilisons que le compas et la règle, *alors* le cercle ne peut être converti en carré. *Si* nous entendons par point et par droite des configurations ayant telle ou telle propriété, *alors* telle ou telle proposition est vraie.

Certes, l'école ne nous a pas habitués à de telles formulations et ce n'est pas en ces termes que nous avons énoncé nos règles et propositions dans le présent ouvrage. Il vaut mieux, en transmettant un savoir, ne pas présenter les résultats comme acquis une fois pour toutes, mais décrire leur genèse, même lorsqu'ils ne sont pas encore décantés. Les grandes périodes de création sont toujours suivies de périodes de critique, de remise en cause. Les mathématiciens considèrent alors le chemin parcouru et reviennent sur les résultats acquis pour en examiner les fondements.

Euclide fut un de ces grands bâtisseurs de systèmes : son œuvre géométrique est restée un modèle pendant de longs siècles. Il commence par énumérer les concepts et les conditions de base (c'est ce qu'on continue à appeler les *axiomes*) : les démonstrations qui suivent cet exposé ne s'adressent qu'à ceux qui admettent ses axiomes intéressant les points, les droites et les surfaces planes. Aussi ces axiomes sont-ils sélectionnés avec un soin extrême, choisis parmi des affirmations que chaque humain peut, semble-t-il, admettre. En voici une : étant donné deux points, on peut toujours faire passer par eux une droite et une seule :

Cette œuvre a plus de deux mille ans, et un seul de ses axiomes a donné lieu à contestation : le célèbre *axiome des parallèles* selon lequel, étant donné un point situé en dehors d'une droite, il existe une droite et une seule passant par ce point et qui ne coupe jamais la première droite, aussi loin qu'on les prolonge :

Avant de m'étendre sur ce point, je voudrais souligner une autre possibilité intéressante de cette méthode axiomatique : si les démonstrations sont rédigées de telle sorte qu'en les lisant chacun puisse imaginer librement, comme il le voudra, les points, les droites et les surfaces planes (à condition qu'ils soient conformes à ce qui en est dit dans les axiomes), il n'est pas en fait nécessaire que les objets en question soient des points, des droites ou des surfaces planes : si d'autres objets satisfont également aux conditions fixées par les axiomes, la démonstration pourra porter sur eux et n'en être pas moins juste. C'est en quelque sorte « faire d'une pierre deux coups »; nous l'avons déjà constaté à propos de la dualité : les théorèmes ainsi formulés resteraient vrais, même pour un individu suffisamment pervers pour entendre par « droite » ce que d'autres entendent par « point » et *vice versa* (veuillez vous rappeler l'exemple que j'ai cité à ce propos : trois points non situés sur la même droite déterminent un triangle et, inversement, trois droites non concourantes ni parallèles déterminent un triangle).

Supposons, autre exemple, que quelqu'un restreigne la notion de point aux points situés à l'intérieur d'un cercle donné, à l'exclusion de tous ceux qui en forment le pourtour, et qu'il entende par droite uniquement les segments de droite qui peuvent prendre place à l'intérieur du cercle :

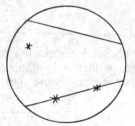

Même dans cet univers quelque peu étriqué, il demeurera vrai qu'on ne peut tracer qu'une seule droite (c'est-à-dire un seul segment de droite allant jusqu'au pourtour du cercle) passant par deux points (situés à l'intérieur du cercle); donc tout théorème sur les droites et les points déduit à partir de cet axiome demeurera vrai.

Revenons maintenant à l'axiome des parallèles... Je crois que tous ceux qui ont un peu réfléchi au problème admettent aisément que, par un point donné, on ne peut tracer qu'une seule droite parallèle à une autre droite. Ils ne voient pas où est le problème. Et en effet, la façon de voir de la plupart des personnes est telle qu'elles admettent sans discussion l'axiome des parallèles.

Mais voilà ce qui m'est arrivé, un jour, en classe de sixième :

chacun de mes élèves avait un carré entre les mains; ils devaient me faire part de toutes leurs observations le concernant. Le mot « parallèle » ne tarda pas à être prononcé; c'était un terme que les enfants connaissaient déjà. Je leur demandai ce qu'ils entendaient par là. L'un d'eux répondit que les parallèles avaient toujours la même direction, un autre, qu'elles étaient toujours séparées par la même distance, un troisième, qu'elles ne se rencontraient jamais. « Tout cela est vrai, dis-je, et chacune de ces propriétés peut être reconnue comme caractéristique des parallèles; les deux autres en découlent. »

Alors, au premier rang, la petite Anna, la plus sérieuse et la plus profonde de toutes les élèves de la classe, se leva et dit : « Il ne serait pas juste d'admettre, parmi leurs propriétés caractéristiques, le fait qu'elles ne se rencontrent pas. Je peux imaginer deux droites qui se rapprochent toujours et ne se rencontrent jamais, aussi loin qu'on les prolonge. »

Elle dessina alors les deux droites suivantes :

C'était sa vision des choses à elle, je ne pouvais que l'accepter. Bien entendu, toute vérification empirique est impossible. En penchant un tout petit peu notre ligne parallèle de tout à l'heure :

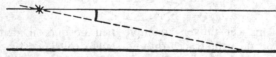

et en prolongeant suffisamment les deux droites, je peux, à la rigueur, montrer qu'elles se coupent. Mais, en la penchant infiniment moins, avec une pente qui ne soit, par exemple, que de $\frac{1}{10}$, $\frac{1}{100}$, $\frac{1}{1\,000}$, ... en allant très loin dans cette suite, comment savoir si je ne parviendrai pas à une pente si infime que toute rencontre entre les deux droites soit inconcevable? Je ne peux, en effet, aller jusqu'au *bout* de cette suite infinie pour le vérifier.

Nous avons d'ailleurs l'exemple d'une ligne qui se rapproche toujours d'une droite sans jamais l'atteindre : c'est le cas des branches de l'hyperbole. Il n'est donc pas étonnant que certains imaginent deux droites se rapprochant suivant ce modèle. Nos conceptions sont influencées par nos sentiments, et je peux admettre, par exemple, que quelqu'un, séparé depuis très longtemps d'un être qui lui est cher, puisse concevoir un rapprochement infini, quoique sans possibilité de rencontre.

Le fait est que, depuis Euclide, il n'a jamais manqué de gens qui partageaient la conception des parallèles de ma petite élève Anna. Ils n'étaient pas très sûrs de leurs idées, qui s'opposaient à celles de l'immense majorité de l'humanité, mais ils contestaient que l'axiome sur les parallèles fût aussi évident que les autres. « Prouvez-le en recourant à des éléments de démonstration qui nous semblent indiscutables; si vous y parvenez, nous l'admettrons », disaient-ils. Durant des siècles, des mathématiciens se sont efforcés de démontrer l'axiome des parallèles à partir d'autres axiomes, mais leurs efforts n'ont jamais été couronnés de succès.

Le Hongrois János Bolyai fut le premier à rompre la lance en faveur de la conception adverse, celle d'Anna : « L'axiome des parallèles ne peut être déduit des autres, parce qu'il est faux. Quant à moi, voilà ma vision des choses : étant donné un point extérieur à une droite, si je trace une droite passant par ce point, elle coupera la première. Mais si je lui imprime ensuite un mouvement de rotation de cette sorte

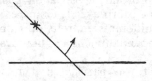

elle coupera l'autre droite en des points de plus en plus éloignés et finira par s'en « détacher » :

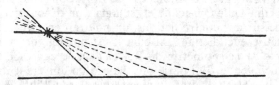

La première des droites qui se détache ainsi se penchera encore légèrement vers l'autre mais, si je continue mon mouvement de rotation, elle s'en éloignera de plus en plus pour amorcer, de l'autre côté, un mouvement de rapprochement :

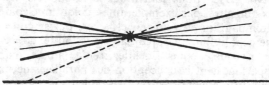

Donc, par le point extérieur à la droite donnée, passent deux droites qui s'en détachent, et aucune des droites (en nombre infini) situées entre elles ne coupe la droite donnée; celles dont la pente est plus forte, en revanche, la coupent toutes. Que ceux qui ont la même vision des choses se rallient autour de moi, je vais construire notre géométrie à nous! »

Bolyai prit donc le contre-pied de l'axiome des parallèles, tout en conservant les autres axiomes euclidiens, et entreprit des recherches sur les théorèmes que l'on peut en déduire concernant les points, les droites et les plans. Ainsi fut construite la géométrie de Bolyai, où bien des choses se passent autrement que dans celle d'Euclide. Laquelle des deux faut-il adopter? affaire de goût.

D'autres eurent d'ailleurs la même intuition en même temps que lui, ce qui n'enlève rien à son mérite mais le réduisit au désespoir le plus profond. C'est là un phénomène assez fréquent : un problème mûrit avec le temps, et il peut y avoir plusieurs savants, en différents endroits du globe, qui cueillent en même temps, indépendamment les uns des autres, les fruits arrivés à maturité.

Mais si, un jour, on parvient à démontrer l'axiome des parallèles, s'ensuivra-t-il que la géométrie de Bolyai, fondée sur de fausses bases, soit entachée d'une contradiction interne? Que l'on se rassure : la géométrie de Bolyai présente autant de garanties que celle d'Euclide et, si jamais on découvrait qu'elle débouche sur des contradictions, on pourrait en dire autant de la géométrie euclidienne. En effet il est possible de construire un *modèle* de la géométrie de Bolyai dans le cadre de la géométrie euclidienne. J'ai parlé plus haut d'un univers « étriqué » où les points et les droites prennent tous place à l'intérieur d'un cercle euclidien. J'ai montré que ces points et ces droites au sens restreint satisfont à l'un des axiomes euclidiens, et l'on peut démontrer qu'ils obéissent de même à tous ses axiomes, à l'exception de celui des parallèles (et à condition de reformuler celui de l'identité). En ce qui concerne l'axiome des parallèles, c'est bien l'axiome de Bolyai qui se vérifie à l'intérieur du cercle :

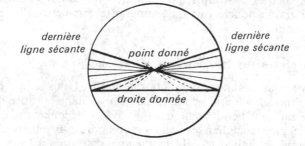

Les droites qui se détachent sont celles qui relient le point donné aux extrémités de la droite donnée et conduisent ainsi au pourtour du cercle; les droites comprises entre elles ne coupent pas la droite donnée (à l'intérieur du cercle), selon Euclide. Ainsi, l'axiome de Bolyai est vrai dans ce petit univers, même en conservant celui d'Euclide pour le plan tout entier.

Nous voici donc en présence de deux géométries de même valeur, et rien ne nous empêche de parler des géométries au pluriel. Car, quelle que soit la vision de chacun, nous pouvons continuer ce jeu : prendre le contre-pied de tout axiome non démontrable à l'aide des autres axiomes et voir quels sont les théorèmes ainsi déductibles. Nous pouvons même adopter des postulats de base complètement différents; pourquoi s'attacher, en effet, à des axiomes découlant de cette vision dont la géométrie de Bolyai a montré la fragilité? Ils peuvent conduire à des résultats complètement différents, si chacun suit sa vision des choses. Ainsi peuvent se construire toute une série de géométries; et ce n'est pas là un jeu gratuit : la physique moderne recourt précisément à ces géométries abstraites pour expliquer certains aspects de la réalité.

La conception de l'homme n'est pas immuable : elle varie en fonction du développement des sciences. Lorsqu'on a découvert que la Terre n'était pas un disque plat et qu'il fallait bien admettre que les habitants de l'autre hémisphère se promènent « la tête en bas », comme disaient les tenants de la théorie ancienne, la conception de l'homme a fait un immense bond en avant. Si les résultats de la théorie de la relativité se révèlent durables et finissent par imprégner toutes les consciences au point de passer dans le discours courant, la vision euclidienne ne sera plus partagée par l'immense majorité des gens, et l'une des géométries abstraites qui, aujourd'hui, passe encore pour un jeu gratuit pourra fort bien apparaître comme le reflet exact de la réalité.

Remarques sur la quatrième dimension

Je voudrais revenir sur le mot de *modèle*. Nous avons parlé d'un « modèle » de la géométrie de Bolyai dans le cadre de la géométrie euclidienne quand nous avons découpé un cercle dans le plan euclidien et fait correspondre aux objets de la géométrie de Bolyai les objets euclidiens dessinés à l'intérieur de ce cercle. A chaque théorème de la géométrie de Bolyai correspondait ainsi un théorème démontrable à l'intérieur du cercle. Nous avons déjà rencontré de tels exemples de correspondance entre deux branches scientifiques, puisque l'algèbre nous a fourni plus d'un modèle pour la géométrie : nous avons fait correspondre des couples de nombres à des points, des équations du premier degré à deux inconnues à des droites, etc. Nous avons ainsi délimité tout un secteur de l'algèbre, à l'intérieur duquel chaque figure géométrique est représentée par un objet algébrique et chaque théorème de géométrie par un théorème d'algèbre. Cela nous a permis de démontrer des thèses de géométrie par des procédés algébriques et, inversement, nous avons utilisé les résultats obtenus par la géométrie dans nos raisonnements sur les équations des courbes.

Ces procédés peuvent être étendus à l'espace : dans l'espace, il faut trois nombres, et non plus deux, pour déterminer un point (si le nid d'oiseaux de notre exemple s'était trouvé non pas dans un buisson mais au sommet d'un arbre, il aurait fallu, pour en déterminer exactement l'emplacement, indiquer aussi la hauteur de l'arbre ou celle de l'échelle nécessaire pour atteindre le nid), et les figures géométriques de l'espace correspondent à des équations à trois inconnues. Désignons ces trois inconnues par x, y et z. Si nous avons affaire à une équation du type

$$z = 3x + 2y$$

nous voyons tout de suite que la valeur de z dépend à la fois du choix de x et de celui de y; z est ce qu'on appelle une *fonction à deux variables* (ces fonctions sont assez banales dans la vie courante : les primes d'assurance-vie sont à la fois fonction de l'âge de l'assuré et de la somme pour laquelle on l'assure). Nos démonstrations concernant les figures de l'espace mettront par conséquent en jeu des fonctions à deux variables.

Inutile de tout recommencer : la plupart des résultats que nous avons obtenus pour le plan sont applicables à l'espace. Soit, par exemple, la distance séparant un point donné, mettons le point (3, 4), du point O

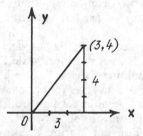

Elle est égale à l'hypoténuse du triangle rectangle ayant pour longueur des côtés les deux coordonnées du point considéré. Selon le théorème de Pythagore, le carré de l'hypoténuse est égal à la somme des carrés des deux côtés, et l'hypoténuse elle-même vaut :

$$\sqrt{3^2 + 4^2}.$$

On peut démontrer que la distance d'un point situé dans l'espace et désigné par ses trois coordonnées, par exemple (3, 4, 5), et le point O vaut de même :

$$\sqrt{3^2 + 4^2 + 5^2}.$$

C'est par des procédés aussi simples que nous pourrons étendre à des objets situés dans l'espace les résultats obtenus à propos du plan. En ce qui concerne plus particulièrement les fonctions, on peut dire qu'un grand nombre des lois démontrées pour les fonctions à une variable sont valables pour les fonctions à deux variables.

Nous pouvons aussi avoir affaire à des fonctions à trois, à quatre, à n variables. Or, s'il nous était possible de passer des deux dimensions du plan aux trois dimensions de l'espace, nous ne pouvons pas aller plus loin sur ce chemin, car nous ne connaissons pas d' « espace » à quatre dimensions. Cependant, le modèle algébrique nous permet de faire comme si cet espace existait : appelons « point » le quadruplet numérique suivant $(3, 4, 5, 6)$, $\sqrt{3^2 + 4^2 + 5^2 + 6^2}$ sera alors la « distance entre ce point et le point O ». Traitons ces nombres comme nous avons traité les nombres correspondant à des points réels et examinons les conclusions que l'on peut en tirer concernant les fonctions à trois variables : on peut démontrer la justesse des conclusions ainsi obtenues à partir de prémisses fictives. Faire comme si une quatrième dimension existait est donc, en définitive, une opération payante.

On peut de même concevoir des espaces abstraits à 5, à 6, à n dimensions, toujours sur le modèle de l'espace tel que nous le connaissons, et toujours dans le but de les utiliser pour examiner les propriétés des diverses fonctions.

Cette façon de faire ne nous est pas totalement étrangère; les points à multiples dimensions sont comme les éléments idéaux qui nous viennent d'un univers imaginaire : ils disparaissent, si nous le voulons, après avoir accompli leur tâche, et laissent derrière eux des résultats sûrs.

19. L'édifice s'ébranle

Les grandes périodes critiques s'attachent toujours à remonter à l'origine des résultats obtenus, à jeter la lumière sur les conditions dans lesquelles les thèses communément admises ont été élaborées; en un mot, l'*axiomatisation* est une de leurs activités principales. Ce faisant, elles contribuent à délimiter les divers secteurs des mathématiques; appartient à un secteur donné tout ce qui est déductible à partir d'un même système d'axiomes.

Mais, en jetant un coup d'œil rétrospectif sur le chemin parcouru, nous constatons certains recoupements parmi les concepts utilisés : malgré nos efforts pour bien délimiter les secteurs, nous ne pouvons pas les isoler complètement, ils sont présents ensemble dans différentes branches des mathématiques. Ainsi s'ouvre un autre domaine de recherche : l'étude des éléments présents dans plusieurs sous-disciplines.

Souvenons-nous qu'à l'exception du diviseur 0 il était toujours possible de multiplier et de diviser entre eux des nombres rationnels et que le résultat de ces opérations était également un nombre rationnel. Ainsi (0 mis à part) tous les nombres rationnels se présentaient comme constituant un ensemble *fermé* du point de vue de la multiplication et de la division. Il n'en est pas de même en ce qui concerne les nombres entiers, dont l'ensemble n'est pas fermé du point de vue de la division, puisque la division de 1 par 2, par exemple, n'a pas pour résultat un entier.

Nombres entiers et nombres rationnels constituent cependant des ensembles fermés du point de vue de l'addition et de la soustraction. L'addition ou la soustraction de deux nombres entiers (positifs ou négatifs) donne toujours un nombre entier; de même pour les nombres rationnels. De tels ensembles fermés peuvent être constitués d'un petit nombre d'éléments; soit les deux nombres

$$+ 1 \qquad - 1.$$

Quelle que soit la multiplication ou la division effectuée entre eux, le résultat sera soit + 1, soit − 1.

Ce type de raisonnement ne s'applique pas seulement aux opérations d'arithmétique. Souvenons-nous de nos vecteurs; avec leur façon étrange de s' « additionner », ils constituent également un groupe fermé, puisque la résultante de deux vecteurs était également un vecteur :

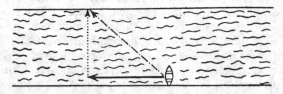

Je pourrais énumérer beaucoup d'exemples de ce genre. La *théorie des groupes*, c'est-à-dire l'étude de tels ensembles fermés par rapport à une opération, s'est révélée extrêmement fructueuse; elle constitue la base même de l'algèbre moderne, et la physique contemporaine y recourt également; quant aux diverses géométries, elles peuvent être considérées comme autant de théories de groupes particuliers. Les groupes sont, on l'a vu, des *ensembles* possédant certaines propriétés. La notion d'ensemble est très répandue, on la rencontre à chaque pas dans les domaines les plus divers des mathématiques, où l'on est inévitablement amené à évoquer tôt ou tard des ensembles de points, de nombres, de fonctions, etc. C'est Cantor qui le premier fut amené à isoler cette notion et à en faire un objet d'étude indépendante; il est le père de la *théorie des ensembles*.

Nous avons déjà parlé plus haut de l'ensemble des nombres rationnels et de l'ensemble des points qui lui correspondent sur la droite numérique; nous avons dit que chacun des points de ce dernier ensemble est un *point de condensation*. C'est là une notion très importante dans la théorie des ensembles de points; on appelle ainsi un point d'un ensemble qui admet toujours dans son voisinage, aussi réduit soit-il, un autre point du même ensemble.

Nous avons même vu les méthodes dont se sert la théorie des ensembles de points. En voici un autre exemple : les nombres naturels

$$1, 2, 3, 4, 5 \ldots$$

constituent une suite infinie, sans point de condensation; la distance entre chaque terme et le terme suivant est toujours d'une unité. Mais si nous insérons une suite infinie de nombres dans un intervalle numérique fini, tels les termes de la suite :

$$1, \frac{1}{2}, \frac{1}{3}, \frac{1}{4}, \frac{1}{5} \cdots$$

qui sont tous compris dans l'intervalle numérique allant de 0 à 1,

on peut affirmer avec certitude qu'ils ont quelque part un point de condensation dans cet intervalle. On peut généraliser cet exemple particulier et faire la démonstration suivante : supposons que tous les points d'un ensemble infini soient compris dans l'intervalle numérique allant de 0 à 1

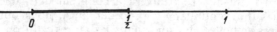

quel que soit leur emplacement. Partageons l'intervalle en deux; au moins l'une des deux moitiés ainsi obtenues comprend encore une infinité de points, car si dans chacune des moitiés leur nombre était fini, par exemple 1 million dans le premier et 10 millions dans le deuxième intervalle, leur total (11 millions), si considérable qu'il soit, ne serait qu'un nombre fini. Dans notre exemple, c'est la moitié gauche de l'intervalle qui comprend une infinité de points.

Au lieu de l'intervalle initial, considérons maintenant cette moitié d'intervalle — ou, s'il s'avère que chacune des moitiés ainsi obtenues possède cette propriété, considérons n'importe laquelle des deux. A ce nouvel intervalle numérique

nous pouvons appliquer le même raisonnement : en le partageant en deux, nous obtenons toujours au moins une moitié contenant un nombre infini de points. Nous pouvons procéder de la sorte indéfiniment, et nous obtenons des intervalles numériques emboîtés, de moins en moins étendus; soit, sur notre exemple :

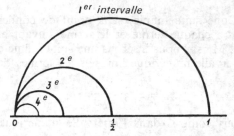

Il est facile de voir que la longueur de ces intervalles numériques tend vers 0. Nous sommes une fois de plus en présence d'un de ces emballages facétieux dont chaque couche contient un autre emballage — et le dernier une boulette de papier : de même, ici, un seul point appartiendra à tous les intervalles numériques successivement obtenus et ce point sera certainement un point de condensation de l'ensemble, puisqu'il admet dans son entourage des intervalles numériques aussi réduits que l'on voudra, mais contenant chacun non pas un, mais un nombre infini de points appartenant à l'ensemble.

Nous voici suffisamment armés pour résoudre « mathématiquement » le problème de la capture du lion. On connaît la méthode du physicien, méthode rudimentaire s'il en est : le physicien verse le Sahara sur un tamis; les trous laissent passer le Sahara et retiennent le lion. Le mathématicien, lui, procède de façon plus méthodique. Deux cas sont à distinguer.

Premier cas. Le lion est immobile. Construisons une cage sans fond assez grande pour contenir un lion. Ensuite, partageons le Sahara en deux : le lion se trouvera certainement dans une des deux parties ainsi obtenues (s'il est sur la ligne de partage, il appartiendra aux deux parties à la fois). Considérons maintenant le demi-Sahara ainsi obtenu. Partageons-le en deux : notre lion se trouvera à coup sûr dans une des deux moitiés. En continuant à procéder ainsi, nous obtenons des surfaces emboîtées les unes dans les autres : tôt ou tard, nous arriverons à une surface inférieure à celle du fond de la cage. Posons celle-ci sur cette surface : nous sommes sûrs de tenir le lion.

Deuxième cas. Le lion bouge. La méthode n'est pas applicable, un point, c'est tout.

Voilà pour ce qui concerne la théorie des ensembles de points. Mais nous avons déjà rencontré des démonstrations liées à la théorie des ensembles et où il ne s'agissait pas d'ensembles de points. Telle était, par exemple, la méthode d'appariement grâce à laquelle nous avons constaté que l'ensemble des nombres rationnels avait même cardinal que celui des nombres naturels, tandis que l'ensemble des nombres irrationnels avait un cardinal supérieur à celui des nombres rationnels. Cette méthode est applicable à n'importe quel ensemble : notre point de départ était l'ensemble des garçons et l'ensemble des filles présents à un cours de danse. Ce que nous disons du cardinal d'un ensemble est valable pour tout ensemble : couples dansants, nombres réels, phrases correctes de la langue française. Cantor a traité des ensembles au niveau le plus général et démontré toute une série de beaux théorèmes sur le cardinal des ensembles infinis, étendant la notion de nombre fini à la notion de nombre infini. C'est ainsi qu'il a montré qu'il n'existait pas seulement deux cardinaux différents, celui de l'ensemble des nombres naturels et celui de l'ensemble des nombres réels : on ne peut concevoir d'ensemble dont le cardinal, si grand soit-il, ne puisse être dépassé par celui d'un autre ensemble. Ce sont là, comme dans le vers du poète hongrois Babits, les « édifices de l'infini », dont les tours se chevauchent indéfiniment. Cantor est allé jusqu'à introduire des opérations sur ces nombres infinis, additions et multiplications, sur le modèle des nombres finis. Voilà un jeu digne de ce nom : le jeu avec l'infini! Il semblait que l'esprit humain ne puisse pas aller plus haut!

Et c'est à ce moment-là que l'édifice s'ébranla. Vers la fin du siècle dernier, des contradictions furent découvertes dans les mathématiques, la discipline réputée la plus rigoureuse, à l'abri de toute surprise, de tout imprévu. Ces contradictions ont surgi précisément dans le domaine où les mathématiques avaient atteint les hauteurs les plus vertigineuses : la théorie des ensembles.

Je ne citerai qu'une seule de ces contradictions, sans doute la plus grave : l'antinomie de Russell. La voici sous sa forme facétieuse, la plus répandue : la tâche du coiffeur du régiment est de raser tous les soldats qui ne se rasent pas eux-mêmes; mais il lui est interdit (pour gagner du temps) de raser ceux qui se rasent eux-mêmes. Ce coiffeur-soldat se rase-t-il lui-même? Si oui, il compte parmi ceux qui se rasent eux-mêmes et, à ce titre, en tant que coiffeur, il lui est interdit de se raser. Si non, il est de ceux qui ne se rasent pas eux-mêmes, c'est-à-dire de ceux qu'il a pour fonction de raser. Dans l'un et l'autre cas, il est pris dans une contradiction insoluble : mieux vaut qu'il soit autorisé à porter la barbe...

Mais une plaisanterie comme celle-ci ne se laisse pas formuler avec toute la rigueur voulue. Considérons un exemple plus sérieux. En général, un ensemble ne peut pas être un élément de lui-même. Par exemple, les éléments de l'ensemble des nombres naturels sont des nombres et non des ensembles, et cet ensemble, de par sa qualité d'ensemble, ne peut appartenir à ses propres éléments. Certes on peut imaginer des ensembles qui soient éléments d'autres ensembles. Représentons-nous, par exemple, tous les ensembles numériques possibles et considérons l'ensemble de tous ces ensembles. Un des éléments de l'ensemble ainsi obtenu sera l'ensemble des nombres naturels, un autre élément sera constitué par l'ensemble des nombres inférieurs à 10, etc. Mais l'ensemble lui-même ne fait pas partie de ses propres éléments, car ceux-ci sont des ensembles de nombres tandis qu'il est, lui, un ensemble d'ensembles.

Toutefois, si nous prenons l'ensemble de tous les ensembles concevables, nous aurons là un ensemble qui sera en même temps élément de lui-même. En effet, étant lui-même un ensemble, il figure obligatoirement dans l'ensemble dont les éléments sont tous les ensembles concevables.

Si vous ne voulez pas vous donner la peine d'aller jusqu'au bout de ce raisonnement, vous pouvez vous en dispenser : nous n'en aurons pas besoin par la suite. Disons pour l'instant que dans ensemble « normal », de telles anomalies ne se produisent pas et appelons « normal » un ensemble qui ne figure pas parmi ses propres éléments, sans nous préoccuper de l'existence d'ensembles autres que « normaux ». Donc : soit l'ensemble de tous les ensembles « normaux ». Cet ensemble sera-t-il lui-même « normal » ? S'il est « normal », il sera, comme tout ensemble « normal », un élément de lui même ... Ah! mais ce n'est pas normal, cela!

Et, s'il n'est pas « normal », il ne peut figurer parmi ses propres éléments, qui sont tous normaux... mais c'est précisément ainsi que nous avons défini la normalité!

Donc, si cet ensemble est normal, il est anormal, et s'il est anormal, il est normal. De toute façon, nous sommes dans une contradiction. Impossible d'en sortir. Et impossible aussi de « laisser tomber » la théorie des ensembles en la traitant de « fantaisiste » et en nous limitant aux autres domaines (plus modestes, mais aussi plus sûrs) des mathématiques. Car il y a de la théorie des ensembles dans toutes les branches des mathématiques. Si cette théorie est entachée d'erreur, tout, en mathématiques, est vulnérable.

Les remous que cela a provoqués ne sont pas encore apaisés. Face à cette situation, les mathématiciens se comportent comme se comportent généralement les gens soumis à un danger permanent. La plupart d'entre eux ne veulent pas y penser, chacun poursuit son travail et, à l'évocation du danger, on proteste avec nervosité. Quelques-uns seulement cherchent à sauver la situation. C'est naturellement à l'antinomie de Russell qu'on s'est tout d'abord attaqué. Russell lui-même pensait que la définition de l'ensemble qui figure dans cette antinomie était erronée. C'est un cercle vicieux, car l'ensemble à définir figure parmi les termes de la définition : on ne peut réunir en un seul ensemble tous les ensembles « normaux » qu'après avoir décidé si l'ensemble ainsi constitué est normal et doit être admis parmi les ensembles constituants.

Malheureusement, les mathématiques ont constamment recours à des « cercles vicieux » de ce genre. Dans le domaine des nombres naturels, par exemple, il n'est pas rare de lire des propositions comme : « Considérons le plus petit de tous les nombres ayant telle ou telle propriété... » Là encore, le nombre en question figure dans sa propre définition : pour « considérer » le plus petit d'entre eux, il faut considérer l'ensemble des nombres ayant telle ou telle propriété; or, le nombre en question fait partie de cet ensemble.

La plus énergique des tentatives de briser le cercle est celle des *intuitionnistes* (cette désignation n'est pas très heureuse, ne nous interrogeons pas, pour l'instant, sur ses origines). C'est une tendance antérieure aux antinomies, mais à laquelle celles-ci ont donné un nouvel élan. Le néo-intuitionnisme est l'œuvre de Brouwer. Ce mathématicien, rejetant les mathématiques telles qu'elles ont été constituées, a cherché à les asseoir sur de nouvelles bases. Pour cela, il n'accepte que les objets que l'on peut *construire* d'une façon ou d'une autre : ce qui est construit existe sans conteste et résiste à toutes les antinomies. Il rejette donc tous les « théorèmes d'existence », par exemple la vieille démonstration du théorème fondamental de l'algèbre, qui ne donne aucunement le moyen de trouver les racines de l'équation. Il ne veut rien savoir de l' « infini actuel » car, dans la construction d'un ensemble, on opère toujours avec des éléments en nombre fini, même si le processus de construction peut être poursuivi indéfiniment. Pour lui, un ensemble ne peut être que « virtuellement infini », il est toujours en voie de constitution et celle-ci ne peut jamais être considérée comme achevée.

Pour les intuitionnistes, les mathématiques classiques ne sont plus que ruines; le peu qui en subsiste devient d'une complexité inextricable, en raison des procédés de construction indispensables dans chaque cas particulier. En dehors de ce choix désespéré, seule la tentative de Hilbert peut être considérée comme une véritable entreprise de sauvetage. Elle fait plus que conjurer un danger, car elle a donné lieu à toute une nouvelle branche, très fertile, des mathématiques. Il en sera question dans le chapitre suivant.

20. Considérations de pure forme...

Il ne faut pas croire que la théorie des ensembles continue à s'encombrer du fardeau des antinomies. Le moment venu (moment dont la venue avait été hâtée par l'existence des contradictions), les mathématiciens ont su mettre de l'ordre dans la théorie primitive, « naïve » des ensembles, en restreignant suffisamment la notion d'ensemble. Cette définition conserve tout ce qui est précieux dans la théorie des ensembles et exclut les ensembles qui engendrent de la confusion. Mais ce procédé semble assez artificiel. Pour reprendre une comparaison de Poincaré, on a entouré le troupeau par un enclos, afin de le protéger des loups, mais on ignore si quelques loups ne s'étaient pas cachés dans la bergerie. Rien ne nous garantit contre l'apparition de nouvelles contradictions.

Pendant les vingt dernières années de sa vie, Hilbert, l'un des plus grands mathématiciens de notre époque, s'est fixé pour tâche d'éclairer les moindres recoins de la bergerie. Il reconnaît le bien-fondé des inquiétudes que peuvent inspirer certaines définitions « circulaires », les « théorèmes d'existence », l' « infini actuel », qui renferment tous un péril mortel pour les mathématiques. Mais pourquoi donc travaille-t-on avec ces concepts « transfinis », si dangereux et qui dépassent notre raison finie ? C'est qu'ils nous rendent de grands services, et nous ne sommes pas prêts à les abandonner, à moins que des raisons impérieuses ne nous y contraignent. Ces concepts permettent, en effet, de construire de grandes synthèses, d'établir des rapports entre des domaines apparemment éloignés les uns des autres. Nous ne tenons pas du tout à renoncer à des concepts qui, aussi dangereux soient-ils, permettent de rassembler les diverses parties des mathématiques en un seul et immense édifice.

Les éléments transfinis jouent, en logique, un rôle comparable à celui qu'assument en mathématiques la droite à l'infini ou le nombre i; ils peuvent être considérés comme les « éléments idéaux » de la logique. Il convient d'ailleurs de leur réserver le même traitement qu'à ceux-là : les introduire s'ils peuvent rendre des services (et ils en rendent de très grands), mais non sans se demander à chaque fois s'ils ne sont pas en contradiction avec les règles déjà admises. La tâche qui nous incombe est donc de vérifier si les procédés fondés sur l'utilisation des éléments transfinis sont exempts de contradictions.

La démarche de Hilbert consiste à soumettre la logique, telle qu'elle est utilisée en mathématiques dans les déductions et les démonstrations, à l'investigation mathématique. Pour ce faire, et afin de travailler sur des formes simples et univoques, il fallait d'abord débarrasser ces propositions de tout ce qu'elles comportaient d'imprécis et d'aléatoire, de tout ce qu'avait pu déposer en elles un usage linguistique équivoque.

De même que, pour pouvoir opérer avec les nombres, il avait fallu renoncer à parler de cinq doigts, de cinq pommes ou de cinq phrases et ne retenir que l'élément formel commun à tout cela (élément formel que nous avons appelé un nombre et désigné par le signe 5), de même, pour vérifier la justesse d'affirmations données, il faut faire abstraction de leur contenu précis; dans des propositions comme « $2 \times 2 = 4$ », « une droite et une seule peut passer par deux points », « la neige est blanche », ne nous intéresse que ce qu'elles ont de commun, c'est-à-dire leur véracité. Pour signaler cette qualité, nous introduisons un signe nouveau, par exemple celui-ci :

$$\uparrow$$

Des propositions comme « $2 \times 2 = 5$ », « deux droites se coupent en deux points », « la neige est noire » ont une valeur logique commune, leur fausseté, dont le signe pourrait être

$$\downarrow$$

(ces symboles — arbitraires — rappellent le pouce levé ou baissé dans les cirques de l'Antiquité romaine : on « accorde la grâce » aux affirmations de la première catégorie, on la refuse aux autres).

En mathématiques, nous ne nous intéresserons qu'aux propositions susceptibles de prendre une de ces deux valeurs logiques (autrement dit : qui sont ou vraies ou fausses). C'est là une arithmétique bien plus simple que celle des nombres naturels, car ceux-ci sont en nombre infini, alors qu'ici nous n'opérons qu'avec deux valeurs. Il sera facile d'en dresser la « table de multiplication ».

En effet, il s'agira bien d'arithmétique : nous aurons des opérations logiques établissant des rapports entre des affirmations que nous utilisons constamment en mathématiques. Quels sont ces rapports? Tout mathématicien (à moins de connaître toutes les langues de culture de tous les pays) peut les définir aisément; il lui suffit de prendre un livre de mathématiques écrit dans une langue qu'il ignore et de noter les mots qu'il est obligé de chercher dans le dictionnaire. Il sera peut-être étonné de voir que, s'il parvient à reconnaître des mots comme : « non », « et », « ou », « si... alors », « dans ce cas et seulement dans ce cas », « tout », « il existe un... qui », « celui qui », sa lecture devient tout à fait courante et qu'au bout d'un certain temps, il n'aura même plus conscience de lire une langue étrangère. Les formules sont internationales, le texte ne fait que les commenter et n'est pas indispensable; quant aux liens logiques (eux, indispensables), ils sont indiqués par les quelques mots et expressions dont nous venons de donner la liste.

Quelle sera la table de multiplication d'un mot comme « non »? Elle sera fort simple; la négation d'une affirmation vraie (par exemple : « 2×2 *n'est pas* égal à 4 ») est fausse, celle d'une affirmation fausse (par exemple : « 2×2 *n'est pas* égal à 5 ») est vraie, donc toute la table de multiplication consistera en

$$\text{non} \uparrow = \downarrow$$
$$\text{non} \downarrow = \uparrow$$

On peut aussi remplacer le mot « non » par un symbole comme :

$$\rceil$$

de sorte que, par exemple :

$$\rceil (2 \times 2 = 5)$$

est la négation de l'affirmation « $2 \times 2 = 5$ ». En utilisant ce symbole, notre table de multiplication se présentera comme suit :

$$\rceil \uparrow = \downarrow$$
$$\rceil \downarrow = \uparrow$$

Il est tout aussi facile de construire la table de multiplication des opérations logiques à base de « et ». Relier deux affirmations vraies par le mot « et », c'est obtenir une nouvelle affirmation vraie. Donc

$$\uparrow \quad \text{et} \quad \uparrow = \uparrow$$

(par exemple : « $2 \times 2 = 4$ » et « une seule droite passe par deux points »). Mais il suffit qu'une des deux affirmations ainsi reliées soit fausse pour détruire cette égalité : « $2 \times 2 = 4$ et $2 \times 3 = 7$ » est une affirmation fausse, même si un de ses termes est vrai. A plus forte raison deux affirmations fausses reliées par un « et » aboutiront-elles à une affirmation fausse. Voici donc la suite de notre table de multiplication :

$$\uparrow \quad \text{et} \quad \downarrow = \downarrow$$
$$\downarrow \quad \text{et} \quad \uparrow = \downarrow$$
$$\downarrow \quad \text{et} \quad \downarrow = \downarrow$$

Toutes les éventualités ayant été envisagées, notre table de multiplication est complète. Elle est beaucoup plus simple que celle des multiplications des nombres entiers.

Et celle de « ou »? Il faut tout d'abord éclaircir ce que nous entendons par « ou », car le mot a plusieurs sens. Dans une affirmation poétique comme :

Ou bien nous sommes fous et nous périrons tous,
Ou bien notre croyance deviendra réalité.   (André Ady)

on peut être sûr que l'une et seulement l'une des deux éventualités deviendra réalité : elles s'excluent mutuellement.

Autres exemples : « En partageant le Sahara en deux, une de ses deux parties contiendra le lion. » Une des deux parties le contiendra en effet, mais, si le lion est couché sur la ligne de partage, il sera dans les deux parties à la fois.

« Ou l'on mange, ou l'on parle » : les deux éventualités s'excluent, mais aucune d'entre elles ne se réalisera forcément, on peut aussi ne pas ouvrir sa bouche.

En mathématiques, on emploie surtout « ou » dans la seconde acception : les affirmations reliées par « ou » ne peuvent aboutir à une affirmation vraie que si *au moins* l'une d'entre elles est vraie, et, à la rigueur, si les deux sont vraies; mais si aucune d'elles ne l'est, l'affirmation obtenue grâce à notre opération ne peut être que fausse. Donc, la « table de multi-plication » de l'opération « ou » est la suivante :

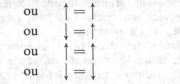

Cette table peut être considérée comme la définition de l'opération logique « ou », débarrassée de toute équivoque issue de l'usage linguistique de ce terme. Grâce à cette table, la relation « ou » est définie de façon univoque. Les deux autres acceptions du terme peuvent d'ailleurs se définir avec précision à partir de l'acception mathématique du mot « ou ».

Ici aussi, nous avons des « règles opérationnelles » : l'ordre des deux affirmations peut être interverti dans l'opération « et » et dans l'opération « ou », exactement comme celui des facteurs d'une multiplication.

Je ne me propose pas d'épuiser le sujet, encore que les combinaisons offertes par les valeurs logiques soient peu nombreuses. Je voudrais plutôt montrer l' « arithmétique » de ces opérations. On sait, par exemple, que pour multiplier les puissances d'une même base, il faut additionner leurs exposants : par là, nous ramenons la multiplication à une addition. Les opérations logiques admettent-elles de telles interrelations ?

Empruntons notre exemple à la problématique du roman policier. Soit un procès criminel : deux prévenus, Pierre et Paul, sont suspectés d'avoir commis un meurtre. Les quatre dépositions se résument en ces propositions :

Premier témoin : « Tout ce que je sais, c'est que Pierre est innocent. »

Deuxième témoin : « Tout ce que je sais, c'est que Paul est innocent. »

Troisième témoin : « Je sais qu'au moins l'un des deux témoignages précédents est vrai. »

Quatrième témoin : « J'affirme en toute certitude que la déposition du troisième témoin est fausse. »

Les faits donnent raison à ce quatrième témoin. Qui est l'assassin ?

Procédons par étapes : le quatrième témoignage s'est révélé

vrai, donc la déposition du troisième témoin était fausse. Il n'est donc pas vrai que l'une au moins des deux premières dépositions soit vraie : aucune d'elles ne l'est. Ni Pierre, ni Paul ne sont innocents : ils sont donc complices, tous deux coupables de l'assassinat.

Réduisons ces déductions à leur charpente logique. J'ai beau connaître les dépositions, je ne connais pas leur valeur logique, puisque j'ignore si elles sont vraies ou fausses. Appelons x et y les valeurs logiques des affirmations des deux premiers témoins. Le troisième témoin prétend qu'au moins l'une de ces deux dépositions est vraie, c'est-à-dire (notre « ou » exprimant précisément ce « au moins ») :

$$x \text{ ou } y$$

est vrai. C'est ce que nie le quatrième témoin, dont on sait qu'il a raison, et, $\rceil$ étant le symbole de la négation, la vérité s'énonce ainsi :

$$\rceil (x \text{ ou } y).$$

En y réfléchissant, nous comprenons que c'est le contraire de la première et le contraire de la seconde déposition qui sont vrais ; autrement dit, la vérité est :

$$\rceil x \text{ et } \rceil y.$$

Donc, en termes logiques, le raisonnement suivi consiste à dire : que x et y soient vrais ou faux, l'affirmation

$$\rceil (x \text{ ou } y)$$

est équivalente à l'affirmation

$$\rceil x \text{ et } \rceil y$$

il est donc possible de passer d'une relation « ou » à une relation « et » et *vice versa*.

Mais, en général, ce ne sont pas des illustrations de ce genre qui suffisent à établir l'existence de telles relations. On peut les vérifier de façon tout à fait mécanique : en substituant à x et à y les valeurs $\uparrow$ et $\downarrow$, demandons-nous ce que deviennent les deux affirmations ci-dessus. Il existe quatre possibilités :

1º x et y sont $\uparrow$

2º x est $\uparrow$, mais y est $\downarrow$

3º x est $\downarrow$, mais y est $\uparrow$

4º x et y sont $\downarrow$

Procédons dans l'ordre : que devient l'affirmation

$$\neg (x \text{ ou } y)$$

si x et y sont $\uparrow$? Sans trop réfléchir, consultons la table de multiplication de « ou » :

$$\uparrow \text{ ou } \uparrow = \uparrow$$

donc, dans notre cas

$$x \text{ ou } y = \uparrow$$

nous avons donc affaire à l'affirmation :

$$\neg \uparrow$$

mais selon la table de « non », cette formule équivaut à

$$\downarrow$$

Que devient maintenant l'affirmation

$$\neg x \text{ et } \neg y$$

si x et y sont $\uparrow$? Dans ce cas,

$$\neg x = \neg \uparrow = \downarrow$$

et

$$\neg y = \neg \uparrow = \downarrow$$

nous avons donc affaire à l'affirmation

$$\downarrow \text{ et } \downarrow$$

soit, en vertu de la table de multiplication de « et » :

$$\downarrow$$

On peut, de la même façon, montrer dans les trois autres cas que les deux affirmations considérées sont équivalentes.

On peut aussi « faire de l'algèbre » : penser à une affirmation, lui faire subir toutes sortes d'opérations logiques, dire, enfin, si l'affirmation ainsi obtenue est vraie ou fausse et demander à nos partenaires de deviner si l'affirmation initiale était vraie ou fausse. Voici une devinette de ce type :

« Pense à une affirmation, relie-la à sa propre négation par un ' ou ' : sans que tu ne me dises rien, je suis sûr que le résultat auquel tu es parvenu est juste. » Voici la notation du problème : l'affirmation à laquelle on pense est x, sa négation est $\neg x$; reliées par « ou », elles s'écrivent :

$$x \text{ ou } \neg x$$

et j'affirme que la valeur de cette affirmation est toujours ↑, quel que soit x, ↑ ou ↓. Voyons ce qu'il en est.

Si la valeur de x est ↑, alors, suivant la table de multiplication de « non » :

$$\neg x = \neg\, \uparrow\, = \downarrow$$

nous avons donc affaire à l'affirmation

$$\uparrow \text{ ou } \downarrow$$

dont la valeur est bien ↑ : consultez la table de multiplication de « ou ».

Mais si la valeur de x est ↓, alors $\neg x = \neg\, \downarrow\, = \uparrow$ selon la table de multiplication de « non »; nous avons donc affaire à l'affirmation :

$$\downarrow \text{ ou } \uparrow$$

et la table de multiplication de « ou » nous révèle que c'est ↑.

Il existe donc, entre certaines affirmations, des relations qui sont toujours vraies, indépendamment des affirmations elles-mêmes : de leur contenu et même de leur valeur logique. Elles sont vraies en raison de leur structure logique : on les appelle « identités logiques ». Ce genre d'affirmations joue un rôle décisif en mathématiques.

On peut continuer notre jeu. Soit une affirmation que nous ne présentons pas comme tout à fait inconnue, mais dont nous ne révélons pas le contenu. Par exemple : « J'ai pensé à un nombre : j'affirme qu'il est pair. »

Je vais lui faire subir toutes sortes d'opérations. L'affirmation en question sera ainsi notée :

« x pair ».

La véracité ou la fausseté d'une telle affirmation dépend évidemment de la nature de x. Si par exemple $x = 4$, l'affirmation est vraie, si $x = 7$ elle est fausse. Nous avons donc affaire ici à une affirmation dont la valeur est fonction de x. Nous voici arrivés à l'étude des *fonctions logiques*.

Voici une fonction logique à plusieurs variables : « J'ai pensé à trois points et j'affirme qu'ils sont situés sur la même droite. » Cette affirmation sera ainsi transcrite :

« x, y, z sont sur la même droite »

et sa valeur logique dépend du choix des points x, y et z. S'ils sont disposés ainsi :

$$\underset{x}{\text{✳}} \qquad \underset{y}{\text{✳}} \qquad \underset{z}{\text{✳}}$$

l'affirmation est vraie; s'ils sont disposés ainsi :

$$\underset{x}{\text{✳}} \qquad \underset{y}{\text{✳}} \qquad \underset{z}{\text{✳}}$$

l'affirmation est fausse. Nos inconnues ne sont pas sélectionnées n'importe comment : dans notre premier exemple, elles devaient appartenir à l'ensemble des nombres naturels, dans le second à l'ensemble des points du plan ou de l'espace. Mais il en était de même en ce qui concerne nos fonctions mathématiques : là aussi, il fallait toujours indiquer l'ensemble auquel appartenait l'inconnue. Nous appelons cet ensemble *domaine de définition* de la fonction considérée.

Nous allons maintenant effectuer des opérations « dangereuses », en les appliquant précisément aux fonctions logiques. Le mot « tout » comporte un tel danger. Appliqué à notre première fonction logique :

« Pour tout x, x est un nombre pair »

(il s'agit, bien entendu, des nombres naturels), il aboutit à une affirmation certainement fausse, puisqu'on peut immédiatement lui opposer un contre-exemple : 5 n'est pas un nombre pair. Donc :

« Pour tout x, x est un nombre pair » $= \downarrow$.

Mais si nous employons l'expression :

« il existe un ... qui »,

notre fonction devient :

« Il existe un x qui est un nombre pair »,

et nous obtenons une affirmation vraie, puisque 4, par exemple est pair :

« Il existe un x qui est un nombre pair » $= \uparrow$.

Nous voyons que le mot « tout » comme l'expression « il existe un ... qui » représentent des opérations logiques applicables à des fonctions logiques, et aboutissent à des affirmations d'une valeur déterminée. Dans notre exemple, la valeur de l'affirmation contenant le mot « tout » était $\downarrow$, et ce d'une façon générale (indépendamment de x); et celle de l'affirmation construite avec l'expression « il existe un ... qui » était $\uparrow$, d'une façon non moins générale.

Ces nouvelles opérations nous conduisent aux éléments transfinis. Soit l'affirmation : « Pour *tout* élément du domaine de définition, telle chose est vraie »; si le domaine de définition est infini, comme celui des nombres naturels, ou l'ensemble des points de la surface, nous parlons ici de l'infini comme si nous le tenions sous une forme définitive. Et l'on dira de même : « Il existe un x qui ... » — comme si nous pouvions parcourir ce domaine de définition infini pour y chercher un tel x. Le premier genre d'affirmation permet de formuler des propositions sur l' « infini actuel », le second des « assertions d'existence », comme si nous étions en mesure d' « exhiber » l'élément visé. C'est ainsi qu'interviennent dans la logique des « éléments idéaux » qui ne peuvent acquérir droit de cité qu'après avoir fourni la preuve qu'ils sont exempts de contradictions.

Bien entendu, les bases de la théorie des fonctions logiques peuvent être formulées de façon tout aussi exacte que l'identité

$$x \text{ ou } \overline{\quad} \, x.$$

Pour éviter tout risque d'équivoque dû à l'usage d'éléments linguistiques, il vaut mieux remplacer les mots et expressions employés dans cette étude par des signes. Et c'est ainsi que nous disposons de livres écrits d'un bout à l'autre dans le langage de la logique symbolique et accessibles à tous les lecteurs, quelle que soit leur langue maternelle, car on n'y trouve, à longueur de pages, aucun mot qui appartienne à une langue naturelle, mais seulement des suites de signes et de symboles. Les spécialistes les lisent avec autant d'aisance que les musiciens déchiffrent des partitions.

La première tentative en vue de construire un langage symbolique univoque date de Leibniz; de nombreux chercheurs se sont employés à le parfaire. Enfin, Hilbert et son collaborateur Bernays en ont fait un instrument subtil et souple, permettant d'exprimer les démarches mathématiques sous une forme suffisamment exacte pour en faire des objets d'investigation mathématique.

21. Devant la Cour suprême des mathématiques

Nous sommes maintenant en mesure, considérant une branche quelconque des mathématiques, d'examiner si elle est exempte de contradictions. Nous savons déjà comment délimiter une telle branche : il faut dégager les postulats sur lesquels se fondent les théorèmes, c'est-à-dire définir ses axiomes; nous pourrons dire alors que tout ce qui s'est dit découle de ces axiomes. Les axiomes peuvent s'écrire dans le langage de la logique symbolique : ils se présentent comme une succession de symboles mathématiques et logiques, à l'exclusion de tout signe de la langue naturelle.

Interrogeons-nous maintenant sur le sens de l'expression « déductible à partir des axiomes ». Examinons avec le maximum de précision les étapes successives d'une déduction. Déduire de la justesse d'une affirmation la justesse d'une autre affirmation et noter cette déduction à l'aide de nos symboles, c'est tout simplement passer d'une suite de signes à une autre suite de signes. Souvenons-nous de la solution des équations : le procédé adopté était le même : par exemple, à un moment donné de la déduction, il était avantageux de passer de la suite de signes

$$\frac{5\,x}{2} + 3 = 18$$

à la suite de signes

$$\frac{5\,x}{2} = 15.$$

Avant de faire cette opération, nous nous sommes demandé si nous y étions autorisés : or, il se trouve que, si un nombre est devenu 18 grâce à l'addition de 3, c'est qu'il était 15 avant cette addition. Mais nous avons également remarqué que, en ce qui concerne l'expression *formelle* de ce raisonnement, la seule différence entre les deux suites de signes est que, dans la partie gauche de la première, on trouvait encore le nombre 3 comme terme d'une addition, tandis que, dans la seconde, ce 3 avait disparu; en revanche, dans cette seconde suite, le nombre qui figure à droite est inférieur de 3 au nombre qui figurait à cette même place dans la première suite de signes. Nous en avons déduit la règle purement *formelle* selon laquelle dans une équation il est possible de changer de côté un terme d'une addition, à condition de le transformer en nombre à retrancher. Ensuite, nous avons appliqué cette règle sans trop réfléchir à sa justification. C'est ainsi qu'une déduction justifiée aux yeux de la raison est devenue une « règle du jeu » appliquée de façon mécanique : « On est autorisé à changer certains signes de côté à condition de leur faire subir certaines transformations... », de même qu'aux échecs : « Le roi est autorisé à se déplacer d'une case dans toutes les directions. »

Telles sont les opérations que nous nous autorisons à faire à partir de nos axiomes : on retient la transformation *formelle* qu'entraîne une déduction dans nos suites de signes et on l'applique mécaniquement, sans plus songer à ce qu'elle recouvre sur le plan du contenu.

Après quoi, on peut parfaitement perdre de vue l'objet même de notre science : nous possédons quelques suites de signes dont nous ne considérons pas le sens (on les appelle des axiomes) et quelques règles du jeu qui nous indiquent les suites de signes auxquelles on peut passer à partir d'une certaine suite de signes (on les appelle les règles de déduction). Dans ces conditions, le système des théorèmes et des déductions devient pour le mathématicien un instrument aussi docile que celui des nombres : il peut leur faire subir tous les procédés mathématiques qui ont fait leurs preuves.

Mais gare à celui qui emploie ces procédés mécaniquement, sans réfléchir, comme de simples « règles du jeu »! Il faut qu'il examine bien chacune de ses démarches : qu'il vérifie chacune de ses déductions pour voir si elles sont vraiment incontestables et si des éléments «dangereux» ne s'y sont pas glissés. Il ne lui faut pas perdre de vue un seul instant son objectif, à savoir la justification de l'emploi des éléments transfinis dans la branche scientifique considérée. Une telle justification n'aurait aucune raison d'être si le mathématicien travaillait avec des éléments aussi dangereux que ceux dont il veut justifier l'emploi. Il faut que ses instruments de travail soient parfaitement « hygiéniques », qu'ils résistent à l'examen des intuitionnistes les plus pointilleux.

Nous assistons ici à une véritable scission des mathématiques : d'un côté, nous avons un ensemble de systèmes purement formels dans lesquels des règles du jeu remplacent les déductions, et, de l'autre, une « Cour suprême » qui vérifie le bien-fondé de chacune des démarches formelles et ne recourt qu'à des déductions sans danger. Cette *métamathématique* supervise les systèmes formels, son objectif principal est de démontrer que les branches scientifiques qui font l'objet de ses investigations sont exemptes de contradictions internes.

Mais, en nous demandant si nos règles du jeu ne conduisent pas à des contradictions, ne sommes-nous pas amenés à examiner le contenu des affirmations dont se compose le système? D'une phrase contradictoire, par exemple, on pourrait penser, en effet, que la contradiction réside non pas dans sa forme, mais dans son contenu.

En réalité, il suffit d'examiner une seule contradiction pour se prononcer à ce sujet. Soit, en supposant que les nombres naturels fassent partie du système examiné, l'égalité

$$1 = 2.$$

Nous sommes capables de nous remémorer cette suite de signes en recourant uniquement à la forme et sans en examiner le contenu : il suffit de se rappeler qu'il existe un signe 1, un signe = et un signe 2 dont la succession implique une contradiction. Et c'est tout ce dont nous avons besoin pour notre démonstration. J'ai dit, ici même, que certaines démonstrations truquées aboutissent à la conclusion selon laquelle $1 = 2$; j'ai dit également que, dans ce cas, il suffit qu'une seule affirmation contradictoire se glisse dans la démonstration pour qu'on puisse arriver, de déduction en déduction, à un résultat aussi absurde que $1 = 2$. Il suffit donc à la métamathématique de prouver que le système examiné ne peut jamais aboutir à un $1 = 2$ pour être sûr qu'il ne comporte pas de contradictions. Telle est donc la tâche précise de la métamathématique : montrer qu'en partant des suites de signes, appelées axiomes du système examiné, et en appliquant les règles du jeu, on ne peut jamais aboutir à une suite de signes telle que $1 = 2$.

Dans certains cas simples, Hilbert a lui-même démontré l'absence de toute contradiction; plus tard, ses disciples ont étendu ses méthodes à des systèmes plus vastes. Mais, déjà avant Hilbert, Gyula König avait introduit en Hongrie presque toutes les branches des mathématiques modernes. Toutes les conditions étaient donc réunies pour contrôler de cette façon une branche étendue, considérable des mathématiques. La première qui s'offrait à cette investigation était naturellement l'étude des nombres naturels, la théorie des nombres. Il semblait qu'il suffît d'un certain effort collectif pour étendre les idées de Hilbert à la théorie des nombres et pour vérifier tous les concepts « dangereux » qu'elle contient. Mais c'est là qu'une véritable tempête devait secouer la « théorie de la démonstration » de Hilbert, cette nouvelle branche des mathématiques qui s'élaborait avec tant de prudence.

En effet, en utilisant de façon rigoureuse (nous le montrerons dans le dernier chapitre) les méthodes de la théorie des démonstrations, un jeune mathématicien de Vienne, Gödel, démontra qu'il était impossible de prouver l'absence de toute contradiction dans la théorie des nombres en recourant uniquement aux instruments formels mis à notre disposition par le système examiné.

Comprenons-nous bien : la métamathématique ne travaille pas avec des moyens formels, elle doit toujours savoir ce qu'elle fait; toutes ses déductions sont précédées d'une réflexion et rien de mécanique n'y entre. Mais il ne s'ensuit pas que ces déductions ne puissent, à leur tour, donner lieu à des règles du jeu formelles. Ce serait alors un simple jeu qui ne tiendrait pas compte des véritables objectifs de la métamathématique. Pas besoin, pour cela, d'être un Neumann (on disait de lui : les autres mathématiciens démontrent ce qu'ils peuvent, mais Neumann démontre ce qu'il veut. Il aurait déclaré au congrès de Bologne que la formalisation de la métamathématique était dépourvue d'intérêt, mais que lui, Neumann, était prêt à la réaliser n'importe quand, en échange d'une boîte de bonbons). Or, si l'on formalise la métamathématique, il semble évident que ses procédés de déduction, extrêmement prudents et exempts de tout élément dangereux, pourront se prêter à des méthodes de formalisation bien plus économiques que celles employées par la branche examinée (qui travaille, elle, avec des éléments transfinis). Or, voilà que Gödel démontrait que, pour prouver l'absence de toute contradiction dans un système, il faut recourir à des méthodes extérieures au système. Qui, dans ces conditions, admettra jamais la justification des éléments dangereux? Puisque, pour les justifier, il faudrait recourir à des moyens puisés dans un système plus vaste encore que celui qui est soumis à l'examen. C'était, semblait-il, la faillite de la théorie des démonstrations. Il n'y avait plus qu'à poser la plume.

Mais Hilbert ne s'avoua pas vaincu. Il était persuadé qu'il existait une issue, un procédé de déduction qui, tout en dépassant les cadres du système examiné, fît pourtant appel à une faculté concrète de notre raison finie et semblât, de ce fait, acceptable aux intuitionnistes eux-mêmes.

On se mit à la recherche d'un tel procédé, et les efforts déployés furent couronnés de succès. En exposant un cas d'induction transfinie, Gentzen trouva l'instrument dont la métamathématique avait besoin; et, grâce à cela, il put prouver l'absence de toute contradiction dans la théorie des nombres. Désormais, le troupeau des nombres naturels pouvait vivre en paix : il n'y avait pas de loup dans leur bergerie!

« Induction transfinie », voilà pourtant une expression qui semble bien « dangereuse ». En réalité, elle recouvre l'idée tout à fait « inoffensive » que voici : si, partant d'un terme quelconque, aussi grand que l'on voudra, de la série naturelle des nombres

$$1, 2, 3, 4, 5, \ldots,$$

nous « revenons sur nos pas », quelle que soit la longueur de ces « pas », ces nombres seront toujours en nombre fini. Soit 1 000 000 le point de départ et 1 unité la longueur de chacun de nos pas, au bout d'1 million de pas en arrière, nous nous retrouvons à 0.

Introduisons une modification quelconque dans l'ordre de la suite des nombres naturels; en isolant, par exemple, les nombres impairs et en précisant que la suite des nombres pairs ne peut commencer qu'après celle, infinie, des nombres impairs :

$$1, 3, 5, 7, \ldots \quad 2, 4, 6, 8, \ldots$$

Notre « marche à rebours » sera toujours nécessairement finie quand nous partirons d'un nombre impair : la situation sera la même que dans le cas de la suite des nombres naturels. En partant d'un nombre pair, tôt ou tard, nous arriverons au dernier terme de la série, après quoi il faudra passer aux nombres impairs et nous nous retrouverons encore dans la même situation.

Mais d'autres réorganisations, plus complexes, de la suite naturelle des nombres sont également possibles. On peut, par exemple, isoler l'ensemble des nombres divisibles par 3, puis celui des nombres divisibles par 3 lorsqu'on leur retranche 1, ou encore celui des nombres divisibles par 3 lorsqu'on leur retranche 2 (faisons figurer 0 pour être tout à fait dans les règles),

$$0, 3, 6, 9, \ldots, \quad 1, 4, 7, 10, \ldots, \quad 2, 5, 8, 11, \ldots$$

En partant d'un nombre quelconque du troisième de ces groupes, nous devons passer, après avoir accompli un nombre fini de pas, au second groupe, et nous nous retrouvons dans la même situation que précédemment.

On peut aussi obtenir un nombre infini de groupes, par exemple en isolant d'abord les nombres impairs, ensuite ceux qui sont divisibles par 2 mais pas par $2^2 = 4$, puis ceux qui sont divisibles par 4 mais pas par $2^3 = 8$, et ainsi de suite :

$$1, 3, 5, 7, \ldots, \quad 2, 6, 10, 14, \ldots, \quad 4, 12, 29, 28, \ldots$$
$$8, 24, 40, 56, \ldots$$

Le fait que l'on obtient ainsi un nombre infini de groupes ne doit point nous effrayer : nous partons toujours d'un nombre déterminé qui appartient à l'un de ces groupes, lequel est précédé par un nombre fini de groupes.

Nous avons constaté à chaque fois que « marcher à rebours » signifiait passer d'un ordre complexe à un ordre moins complexe. Il s'ensuit qu'en partant d'un ordre complexe quelconque de la suite naturelle des nombres et en passant à des ordres de moins en moins complexes, nous arriverons, après avoir accompli un nombre fini de pas, à une suite simple, sans aucune complexité. Dans sa démonstration, Gentzen utilise le fait que, pour remonter un ordre beaucoup plus complexe que ceux exposés plus haut, il faut accomplir un nombre fini de pas. C'est là une affirmation parfaitement accessible à notre raison finie, et, pourtant, elle ne tient pas dans les cadres du système examiné.

Comment utiliser cet instrument pour prouver une absence de contradictions? Ce genre de démonstration est toujours formulé de la façon suivante : supposons que quelqu'un prétende avoir trouvé une contradiction dans les axiomes du système. A partir de ces axiomes, et en utilisant les règles du jeu autorisées, il est arrivé, de déduction en déduction, à $1 = 2$. Notre tâche, à nous, est de montrer que sa déduction est entachée d'erreur, et de dépister l'erreur.

Si aucun élément « dangereux » ne figure dans la démonstration, il est évident que l'on peut trouver la faute : partant de prémisses justes et ayant employé des méthodes de déduction irréprochables, on ne peut obtenir $1 = 2$ que si l'on a commis une erreur quelque part. Mais, si la démonstration comporte des éléments transfinis, ceux-ci peuvent être à l'origine de l'erreur.

Or, le résultat est $1 = 2$. Il ne comporte aucun élément transfini. Si la démonstration en comporte, c'est que (comme c'est le cas pour les éléments idéaux en général) l'élément transfini a disparu après avoir « agi ». Dans ce cas, il faut se demander si la démonstration aurait été possible sans utilisation de l'élément transfini — comme certaines formules de trigonométrie que l'on peut obtenir en introduisant i, mais également sans le secours de cet élément. Si la démonstration ne comporte qu'un seul élément dangereux, ou plusieurs, mais qui se présentent isolément, on peut répondre affirmativement à cette question. Hilbert a montré que ces démonstrations étaient transformables en des démonstrations ne comportant aucun élément dangereux, dans lesquelles la faute est décelable.

Mais, tels les fantômes immatériels qui s'interpénètrent sans difficulté, les éléments idéaux peuvent se présenter dans les enchevêtrements les plus complexes. Et il n'est pas facile d'éliminer les éléments transfinis dans le tissu d'une telle démonstration. Gentzen fait observer que ces tissus complexes de démonstration rappellent les réorganisations, de plus en plus complexes, de la suite naturelle des nombres. En appliquant le procédé de Hilbert à une démonstration complexe, nous n'en éliminons certes pas les éléments transfinis, mais nous pouvons la transformer en une démonstration moins complexe, qui rappellera une réorganisation moins complexe des nombres naturels. On peut alors appliquer à nouveau le procédé de Hilbert à cette démonstration moins complexe. Or, nous avons déjà vu, à propos de la suite des nombres naturels, que, en passant de réorganisations complexes à des réorganisations qui le sont de moins en moins, nous arrivons, au bout d'un nombre fini de démarches, à une suite sans aucune complexité. Ainsi, en appliquant la méthode de Hilbert un nombre fini de fois, nous devons parvenir à une démonstration sans complexité, débarrassée de ses éléments transfinis, et dans laquelle il sera facile de retrouver l'erreur.

C'est là une belle démarche, bien mathématique, qui a abouti à un résultat appréciable; les mathématiciens ont retrouvé la confiance dans les vieilles méthodes, tout au moins en ce qui concerne la théorie des nombres. Toutefois, la plus grande partie d'entre eux (ceux qui ne veulent en aucun cas employer des éléments dangereux) se méfient de la théorie de la démonstration, qu'ils considèrent comme une philosophie plus que comme une discipline mathématique. Ils ne reconnaissent la raison d'être d'une nouvelle branche des mathématiques que si ses méthodes peuvent être fructueusement employées dans d'autres domaines des mathématiques. Pour convaincre ces irréductibles, Hilbert a soumis à l'épreuve de ses méthodes d'investigation un vieux problème particulièrement débattu : l'hypothèse du continu dans la théorie des ensembles.

Voilà de quoi il s'agit : dans le domaine des nombres naturels ordonnés suivant leur grandeur, l'ordre est parfait, tout nombre a son successeur immédiat : à 3 succède 4, à 12 succède 13. Il n'en est pas de même en ce qui concerne les nombres fractionnaires, car on peut toujours imaginer un nombre fractionnaire qui se rapproche davantage d'un autre que celui qu'on nous propose pour son successeur immédiat. A plus forte raison, si nous considérons l'ensemble des nombres réels qui se succèdent sur la droite numérique; ils forment un continu non segmentable, et l'on dit qu'ils ont la puissance du continu.

Or, même dans le domaine des cardinaux infinis, introduits par Cantor, on peut se demander si tout cardinal a un successeur. La réponse est affirmative : les cardinaux infinis ressemblent, de ce point de vue, aux nombres naturels. Le plus petit des cardinaux infinis est celui des nombres naturels. Mais quel est son successeur immédiat? Nous savons que la puissance du continu, c'est-à-dire le cardinal des nombres réels, lui est supérieur, mais est-il son successeur immédiat? N'existe-t-il pas d'autre cardinal entre les deux? Ce problème a donné lieu à de nombreuses investigations très poussées, et les métamathématiciens ont fini par poser comme hypothèse que la puissance du continu succède immédiatement au cardinal de la suite naturelle des nombres. C'est ce qu'on appelle l'hypothèse du continu. Mais on n'avait jamais pu aller plus loin.

Or, en partant des conceptions de Hilbert, Gödel a prouvé, par les méthodes de la théorie de la démonstration, que l'hypothèse du continu n'introduisait aucune contradiction. Soit indépendante soit déductible [1] des axiomes de la théorie des ensembles, l'hypothèse du continu peut donc être utilisée dans nos démonstrations; elle n'engendrera jamais de contradictions. Gödel a employé, pour la démontrer, des méthodes analogues à celles par lesquelles on a prouvé la non-contradiction de la géométrie de Bolyai : il a construit, à l'intérieur de la théorie des ensembles, un « modèle » qui concilie les axiomes de la théorie des ensembles et l'hypothèse du continu. Cela a permis à Hilbert de répliquer à ses contradicteurs : « C'est au fruit que l'on reconnaît l'arbre. »

Remarques sur notre intuition et l'infini

Il est désormais établi que la théorie des nombres ne comporte pas de contradictions internes, et l'on peut facilement appliquer cette démonstration à d'autres ensembles dénombrables, tels que celui des nombres entiers positifs et négatifs, celui des fractions et, d'une façon générale, celui des nombres rationnels.

Reste l'ensemble des nombres réels, qui soulève de nouvelles difficultés. Rappelons que nous avons cerné les nombres irrationnels par des approximations de proche en proche, par des emboîtements de plus en plus serrés. Dans ce cas, il ne s'agissait donc pas de théorie des nombres, mais d'analyse. Par ailleurs, dans cet ensemble, les processus infinis se présentent constamment, ce qui introduit des éléments dangereux d'un type nouveau.

En abordant pour la première fois cette question, j'ai veillé à formuler avec le plus de prudence possible la phrase très

---

1. Il a été démontré depuis que l'hypothèse du continu était *indépendante* des axiomes de la théorie des ensembles, c'est-à-dire que l'hypothèse contraire était également compatible avec ces axiomes.

dangereuse, décisive pour l'analyse, que voici : « *D'après notre intuition*, en continuant indéfiniment l'emboîtement de ces intervalles numériques, ce à quoi ils se réduisent sera commun à tous les intervalles. »

Mais comment parler de « notre intuition » à propos d'un processus infini? Aurions-nous oublié qu'il nous est interdit de raisonner sur l'infini à partir de nos expériences dans le domaine du fini? Voici, à ce propos, un autre exemple qui nous donnera à réfléchir.

Point n'est besoin d'être mathématicien pour comprendre que la droite représente le parcours le plus bref entre deux points. Pour voler de Nice à Paris, on n'a pas intérêt à passer par Marseille.

On voit du même coup que la somme de la longueur des deux côtés d'un triangle est supérieure à la longueur de l'hypoténuse.

Je vais, pourtant, prouver que la somme des deux côtés d'un triangle est égale à son hypoténuse. La « vision » finie appliquée à des processus infinis peut aboutir à de telles absurdités.

Dessinons un escalier ayant pour base l'hypoténuse du triangle et dont les marches soient parallèles à chacun de ses deux côtés :

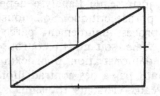

Il est évident que la somme de la longueur des deux verticales est égale à celle du côté vertical, et la somme des longueurs des deux horizontales à celle du côté horizontal du triangle.

La longueur totale des segments qui constituent notre escalier
est égale à la somme des deux côtés du triangle.

Il en est de même en ce qui concerne un escalier à quatre
« marches » :

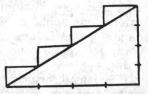

Ici encore, la somme des segments horizontaux est égale à la
longueur du côté horizontal, et celle des segments verticaux
à la longueur du côté vertical du triangle.

Si nous continuons à segmenter ainsi l'hypoténuse :

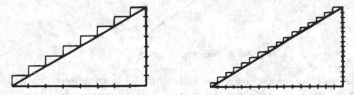

il reste vrai à chaque étape que les segments constituant l'escalier ont la même longueur que la somme des deux côtés. Par
ailleurs, l'ensemble de ces segments se distingue de moins en
moins de l'hypoténuse et, « selon notre intuition », en continuant
ce partage à l'infini, l'escalier finira par se confondre avec
elle. Donc, selon ce raisonnement, l'hypoténuse serait égale à
la somme des deux côtés. Voilà comment on peut se fier à notre
« intuition » quand on la projette sur l'infini.

Néanmoins, la justesse de l'analyse dépend de la validité
de cette fameuse phrase critique. Soit nous l'admettons sans
autre forme de procès, uniquement parce que nous avons
envie qu'elle soit vraie, soit nous recourons aux méthodes de
la théorie de la démonstration pour examiner si une telle
affirmation n'aboutit pas à des contradictions.

Ainsi, de nouveaux éléments transfinis s'introduisent dans
le système d'axiomes de l'analyse. Si nous les tolérons, nous
obtenons un système très vaste qui contiendra non seulement
l' « induction transfinie » de Gentzen, mais aussi des cas bien
plus complexes. Or, la thèse de Gödel reste valable : on ne

peut prouver l'absence de contradictions à l'intérieur d'un système en recourant uniquement aux moyens formalisables de ce système. On ne peut donc espérer démontrer l'absence de contradictions dans l'analyse en utilisant uniquement nos méthodes : il faut se mettre en quête d'instruments nouveaux ou plus précis. La recherche se poursuit.

22. Ce dont les mathématiques ne sont pas capables

La démonstration de la non-contradiction de la théorie des nombres a révélé une des lacunes de l'axiomatisation. L'induction transfinie utilisée à cet effet était un procédé formulé dans le langage des nombres naturels et parfaitement accessible à la raison finie : elle dépassait pourtant les cadres du système d'axiomes qui président à la théorie des nombres naturels. Ce n'est pas là un phénomène isolé : aucun système d'axiomes n'est capable d'enfermer à lui seul tout ce qu'il veut saisir. Certains faits lui échapperont, d'autres, indésirables, y entreront. Qui trop embrasse, mal étreint.

Le Norvégien Skolem a montré que les axiomes de la théorie des nombres embrassaient trop. Si nous voulons nous borner à définir, avec nos axiomes, la suite naturelle des nombres dans leur ordre original, nous verrons inévitablement s'y glisser des ordres plus complexes que cette suite; impossible de les délimiter. Si, en revanche nous voulons délimiter, à l'aide de nos axiomes, un domaine de définition trop vaste pour être dénombrable, par exemple l'ensemble des nombres réels, nous verrons toujours se présenter des ensembles dénombrables qui répondent à toutes les conditions définies par les axiomes, mais qui ne sont pourtant pas l'ensemble que nous voulons délimiter.

Par ailleurs, une surprenante découverte de Gödel a montré que les systèmes d'axiomes étreignaient mal : en effet, tout système d'axiomes qui contient la théorie des nombres donne lieu à des propositions indécidables.

Que faut-il entendre par là? Depuis longtemps, les mathématiques abondent en problèmes insolubles. J'ai parlé de celui qui consiste à savoir si le nombre des couples de nombres premiers qui soient des impairs consécutifs, du type 11 et 13, 29 et 31, est infini. On n'a jamais pu non plus se prononcer sur l'hypothèse de Goldbach. Soit

$$4 = 2 + 2$$
$$6 = 3 + 3$$
$$8 = 3 + 5$$
$$10 = 3 + 7 = 5 + 5$$

Il semble que les nombres pairs supérieurs à 2 puissent tous être écrits comme la somme de deux nombres premiers (et ce, quelquefois, de plusieurs façons). Aussi loin que l'on soit allé dans l'examen des entiers, on a constaté qu'il en était ainsi. Mais, comme on ne peut parcourir leur suite « jusqu'au bout », l'hypothèse n'est pas encore confirmée.

L'hypothèse de Fermat est le plus célèbre de tous les problèmes non résolus; on sait que l'on a :

$$3^2 + 4^2 = 9 + 16 = 25 = 5^2$$

et il existe aussi d'autres couples de nombres entiers tels que la somme de leurs carrés soit égale au carré d'un troisième nombre. Dans des notes griffonnées en marge d'un livre, Fermat affirme qu'il a trouvé la preuve qu'une telle égalité n'existe pas lorsque l'exposant est supérieur à 2, mais manque de place pour développer sa démonstration. Son affirmation s'énonce donc de la façon suivante : il est impossible de trouver trois nombres entiers, x, y et z, tels que l'on ait :

$$x^3 + y^3 = z^3,$$

ou

$$x^4 + y^4 = z^4$$

ou

$$x^5 + y^5 = z^5$$

. . . .

Fermat est mort depuis longtemps, mais les mathématiciens n'ont toujours pas renoncé à reconstituer sa démonstration. Les échecs répétés, alors que quelqu'un semble avoir trouvé la clé, ont conféré un attrait tel à ce problème, assez peu intéressant en lui-même, qu'il s'est trouvé un homme fort riche pour léguer une somme considérable à celui qui en découvrirait la solution. Il y avait là de quoi exciter les imaginations de tous les dilettantes, plus encore que dans le cas de la quadrature du cercle; fort heureusement, la somme léguée s'est complètement dépréciée, ce qui n'a pas manqué de refroidir certains enthousiasmes.

Pourtant, ce problème non résolu a fécondé les mathématiques : pour mieux l'aborder, on a inventé des éléments idéaux nouveaux (précisément appelés les *idéaux*) qui ont rendu de grands services dans certains domaines importants de l'algèbre. Mais l'hypothèse de Fermat n'a été démontrée que pour certains exposants particuliers; dans sa formulation générale, elle constitue encore un problème non résolu. Il est vraisemblable que Fermat s'est trompé et que la démonstration qu'il dit avoir trouvée ne concernait que certains cas particuliers.

Il existe aussi des problèmes insolubles par quelque méthode que ce soit; ce ne sont pas des questions en suspens, mais des questions insolubles. La solution de l'équation du cinquième degré ou la quadrature du cercle font partie de ces questions; il en est de même en ce qui concerne la trisection de l'angle ou le doublement du cube : impossible de les réaliser uniquement avec un compas et une règle. Ces instruments nous permettent de partager l'angle en deux, mais non en trois. Le doublement du cube est l'équivalent dans l'espace du doublement de notre vivier : or, si, dans le plan, nous avons réussi à construire un des côtés du grand carré avec un compas et une règle, on a montré, en revanche, l'impossibilité de construire dans l'espace l'arête d'un cube ayant pour volume le double de celui d'un cube donné. Ce problème porte le nom de « problème de Délos » : les dieux auraient demandé aux habitants de cette cité grecque, frappés de fléaux de toutes sortes, de doubler le volume de leur autel en forme de cube. Malgré toute leur bonne volonté, ils échouèrent dans cette entreprise. Plus tard, Platon les consola en disant que les dieux avaient employé cette ruse pour inciter les Grecs à étudier la géométrie.

Mais le théorème de Gödel concerne non pas les problèmes non encore résolus, ni démontrés insolubles, mais les problèmes indécidables dans un système d'axiomes donné.

Voici brièvement exposé son raisonnement. Supposons que nous ayons un système d'axiomes bien construit pour la théorie des nombres naturels et que ces axiomes contiennent tout ce dont on peut avoir besoin dans ce domaine. Bien entendu nous avons veillé à éliminer toute contradiction dans le système. Et, comme nous l'avons formulé dans le langage de la logique symbolique, toute affirmation revêt la forme d'une succession de signes.

Nous pouvons faire correspondre un nombre à chacune de ces successions de signes, comme nous avons fait correspondre des couples de nombres aux différents points de la surface. Voici comment; nous disposons d'un nombre fini de signes mathématiques et logiques : faisons-leur correspondre à chacun un nombre premier (je considère 1 comme nombre premier). 1 correspondra à lui-même, et nous n'aurons plus besoin d'autres nombres premiers pour désigner les nombres entiers, car 2 pourra se réécrire comme $1 + 1$, 3 comme $1 + 1 + 1$, et ainsi de suite. Au signe $=$ correspondra par exemple 2, au signe $\rceil$ (signifiant *non*), 3, au signe $+$, 5, et ainsi de suite, l'ordre importe peu; supposons qu'au dernier signe corresponde 17. Faisons maintenant correspondre aux autres nombres premiers, à partir de 19, les lettres x, y, ... que l'on rencontre dans les affirmations avancées à l'intérieur de ce système; à x correspondra 19, à y, 23, et ainsi de suite.

Nous obtenons un dictionnaire ainsi rédigé :

1 1
$=$ 2
$\rceil$ 3
$+$ 5
. . . .
x 19
y 23

. . . .

Nous voyons immédiatement qu'à la formule $1 = 1$ (par exemple) correspond le triplet (1, 2, 1).

Je me propose d'exprimer ce triplet par un seul nombre. La chose est facile à réaliser et plusieurs méthodes sont concevables. Je pourrais, certes, additionner les trois éléments du triplet, ce qui donne 4; mais rien, dans le nombre 4, n'indique les nombres dont il est issu, ni leur ordre, ni même leur quantité. 4 peut être aussi bien $1 + 3$ que $3 + 1$, $2 + 2$, $1 + 1 + 2$, $2 + 1 + 1$, $1 + 2 + 1$. Or, je veux construire mon nombre de façon à pouvoir en reconnaître les termes constituants. La chose est possible, par exemple en multipliant entre eux les trois premiers nombres premiers :

$$2, 3, 5,$$

élevés chacun respectivement à la puissance

$$1, 2, 1,$$

qui sont les termes de notre triplet : nous obtenons alors la multiplication :

$$\underbrace{2^1 \times 3^2 \times 5^1}_{} = 10 \times 3^3 = 10 \times 9 = 90.$$

A la formule

$$1 = 1$$

nous faisons donc correspondre le nombre

$$90$$

qui permet de retrouver assez facilement notre formule : il suffit de décomposer 90 en ses facteurs premiers, par ordre de grandeur de ceux-ci :

$$\begin{aligned}
90 &= 2 \times 45 \\
&= 2 \times \overbrace{3 \times 15} \\
&= 2 \times 3 \times \overbrace{3 \times 5} \\
&= 2^1 \times 3^2 \times 5^1
\end{aligned}$$

et nous retrouvons dans les exposants les nombres premiers

$$1, 2, 1$$

qui, selon notre dictionnaire, correspondent respectivement aux signes

$$1 = 1$$

et c'est ainsi qu'à partir de 90 nous retrouvons, sans la moindre ambiguïté, la formule

$$1 = 1.$$

De cette façon, on peut faire correspondre un nombre à toute proposition écrite avec les symboles du système. De la même façon, nous pouvons faire correspondre un nombre à chaque démonstration. Du point de vue formel, une démonstration n'est en effet autre chose qu'une suite finie d'affirmations qui découlent les unes des autres jusqu'à la dernière; or, à toute affirmation nous savons faire correspondre des nombres : si une démonstration se compose de trois affirmations, nous aurons donc un triplet que nous pourrons réduire à un seul nombre, dont nous pourrons toujours retrouver les constituants en le décomposant en ses facteurs premiers.

Soit, par exemple, un nombre extraordinairement grand obtenu par ce jeu de correspondances. Supposons que nous ayons eu la patience angélique de le décomposer en ses facteurs premiers

$$2^{90\ 000\ 000\ 000\ 000\ 000\ 000} \times 3^{90}$$

nous voyons tout de suite que les exposants ne sont pas des nombres premiers, donc le nombre ainsi obtenu correspondait non pas à une simple affirmation, mais à une démonstration. Par ailleurs, cette démonstration se composait de deux affirmations : celles auxquelles correspondent respectivement les deux exposants, soit

$$90\ 000\ 000\ 000\ 000\ 000\ 000$$

et

$$90$$

En décomposant ces deux nombres en leurs facteurs premiers, nous pouvons obtenir les affirmations auxquelles ils correspondent. Le premier comporte dix-neuf 0, il s'écrit donc :

$$9 \times 10^{19} = 3^2 \times 10^{19} = 3^2 \times 2^{19} \times 5^{19}$$

puisque $10 = 2 \times 5$, soit, par ordre de grandeur des bases

$$2^{19} \times 3^2 \times 5^{19}.$$

Les exposants forment le triplet de nombres premiers

$$19, 2, 19$$

Quant à l'autre nombre, nous l'avons déjà décomposé :

$$90 = 2^1 \times 3^2 \times 5^1$$

il correspond donc au triplet

$$1, 2, 1.$$

Reprenons notre dictionnaire :

1 1	Il nous apprend que le premier triplet	
= 2	19, 2, 19	
⊤⏐ 3	correspond à la formule	
+ 5	$x = x$	
. . . .	et le second	
x 19	1, 2, 1	
y 23	à la formule	
. . . .	$1 = 1.$	

Notre démonstration était donc la suivante :

de $x = x$

on peut déduire $1 = 1.$

La montagne a accouché d'une souris : à un nombre astronomique correspond une platitude lamentable. On imagine la grandeur du nombre qui correspondra à une démonstration digne de ce nom. Mais ce n'est pas cela qui est important; l'essentiel, c'est qu'un nombre déterminé corresponde à une démonstration déterminée et que nous sachions qu'il est en principe (même si une vie d'homme n'y suffit pas) possible de reconstituer celle-ci.

C'est ainsi que l'on peut traduire en nombres naturels les formules et les démonstrations d'un système donné. Mais à quoi cela peut-il servir? La métamathématique envisage un système de l'extérieur : ses affirmations portent sur les formules et les démonstrations du système. A l'aide de notre dictionnaire, il est possible de reformuler celles-ci en les exprimant par des nombres naturels composés de facteurs premiers déterminés. Par exemple, en examinant les formules exprimables à l'aide des signes du système, le métamathématicien peut voir que les suites de signes

$$1 = 1$$

et

$$\rceil (1 = 1)$$

sont à manier avec prudence, puisque l'une est la négation de l'autre. Nous avons déjà vu qu'à

$$1 = 1$$

correspondait le nombre

$$2^1 \times 3^2 \times 5^1 = 90.$$

Selon notre dictionnaire (et en négligeant ici le fait que les parenthèses sont aussi des signes auxquels il faudrait faire correspondre des nombres)

1	.	.	.	.	.	1
=	.	.	.	.	.	2
$\rceil$	.	.	.	.	.	3
+	.	.	.	.	.	5

à la formule

$\rceil (1 = 1)$

correspond le quadruplet

2, 1, 2, 1

c'est-à-dire, les quatre premiers nombres premiers étant
$$2, 3, 5, 7$$
le nombre
$$2^3 \times 3^1 \times 5^2 \times 7^1.$$

Calculons-le :
$$2^3 \times 3^1 \times 5^2 \times 7^1 = 2 \times 2 \times 2 \times 3 \times 5 \times 5 \times 7 =$$
$$= 10 \times 10 \times 2 \times 3 \times 7 = 10 \times 42 = 4\ 200.$$

Juxtaposons les deux décompositions en facteurs premiers :
$$90 = 2^1 \times 3^2 \times 5^1$$
$$4\ 200 = 2^3 \times 3^1 \times 5^2 \times 7^1.$$

Ainsi, l'affirmation métamathématique selon laquelle « les suites de signes

$$1 = 1 \text{ et } \overline{\neg} (1 = 1)$$

expriment le contraire l'une de l'autre » peut être ainsi reformulée : « 90 et 4 200 sont des nombres dont la décomposition en facteurs premiers est telle que celle du deuxième nombre commence par 2^3, et que les exposants des facteurs premiers suivants sont les mêmes que ceux figurant dans la décomposition de 90 en facteurs premiers. » Or, dans la phrase qui précède , il n'y a plus trace de métamathématique; c'est une proposition qui ne relève que de la théorie des nombres. Et le système que l'on examine par cette méthode est précisément destiné à formuler des propositions relatives à la théorie des nombres. On peut donc formuler cette phrase elle-même avec les symboles du système examiné; elle devient alors une suite banale de symboles dont rien n'indique qu'elle admet deux interprétations : une première relative à la théorie des nombres, évidente quand on pense au contenu des symboles, et une seconde relative à une proposition métamathématique.

En jouant avec ces suites de symboles à deux interprétations et avec les nombres correspondants, Gödel a trouvé un nombre (mettons qu'il soit de 8 milliards : en réalité, nous connaissons ses facteurs premiers mais, pour le calculer, une vie humaine ne suffirait pas) dont il a découvert une propriété intéressante. En exprimant la proposition métamathématique suivante : « La formule correspondant à 8 milliards n'est pas démontrable à l'intérieur du système » avec les symboles du système, comme nous l'avons fait pour la phrase précédente, et en examinant le nombre correspondant à cette formule, suivant la clé fournie par le dictionnaire, nous constaterons avec stupéfaction qu'il est très précisément égal à 8 milliards. Donc, « la formule correspondant à 8 milliards » est très exactement cette phrase, dont une des interprétations est par conséquent : « Je ne suis pas démontrable. »

Comprenons bien qu'il ne s'agit pas là d'un jeu de mots ni d'un sophisme; nous avons affaire à une formule comme les autres, à une suite de symboles absolument banale. C'est seulement en consultant notre dictionnaire que nous nous apercevons de la possibilité de la seconde interprétation, métamathématique. Avec son air innocent, la formule a une signification bien particulière : « Je ne suis pas démontrable. »

Il apparaît donc que cette formule est indécidable à l'intérieur du système, même si, dans sa première interprétation, elle ne fait qu'exprimer une affirmation tout à fait inoffensive, relative à la théorie des nombres. Car, si elle était démontrable, elle serait en contradiction avec sa propre interprétation métamathématique, à savoir qu'elle n'est pas démontrable. Et si elle était réfutable, cette réfutation nierait aussi son interprétation métamathématique, dont la négation deviendrait alors vraie : « Cette formule est démontrable... »

La formule, n'étant ni démontrable ni réfutable, est indécidable. Soulignons encore que, sans le recours au dictionnaire, notre formule aurait été une formule banale à l'intérieur du système; une affirmation tout à fait anodine de la théorie des nombres, concernant les additions et les multiplications. Or Gödel a démontré l'existence de telles formules indécidables dans tout système digne de ce nom. Il n'est pas exclu que l'hypothèse de Goldbach soit une de ces formules et que, si l'on n'a pas réussi à l'infirmer ou à la confirmer jusqu'à présent, c'est parce que, en construisant un système d'axiomes avec tous les éléments par lesquels on a essayé de l'établir, ce dictionnaire nous fournirait peut-être la réponse suivante : « Je ne suis pas démontrable à l'intérieur du système. » Il en est de même en ce qui concerne tous les problèmes non encore résolus; le mathématicien doit le savoir et en tenir compte dans son travail.

Il reste à répondre à une dernière objection. Tout cela ne serait-il pas dû à l'imperfection des systèmes d'axiomes? Il serait peut-être possible de rendre décidables de telles propositions, à condition de ne pas nous attacher à tel ou tel système d'axiomes. Eh bien non! Le mathématicien Church a construit un problème indécidable par les raisonnements mathématiques tels que nous les concevons aujourd'hui, indépendamment de tout système d'axiomes.

Arrivée à ce point, je suis contrainte de m'arrêter, car je me heurte aux limites de la pensée mathématique contemporaine. Notre époque est celle des remises en cause : les mathématiques ont fait leur devoir dans ce domaine, puisqu'elles ont mis au jour leurs propres limites. Mais s'agit-il de limites infranchissables? Si l'on considère l'histoire des mathématiques, on voit qu'elles ont réussi à sortir de toutes les impasses où elles semblaient enfermées. La démonstration de Church comporte également un point qui donne à réfléchir : il a dû formuler avec précision ce que nous devons entendre par « raisonnements mathématiques tels que nous les concevons aujourd'hui », si l'on veut traiter cette notion par des procédés mathématiques. Formuler une idée, c'est la délimiter; or, toutes les limites sont étroites et les problèmes indécidables les font éclater.

Elles seront en tout cas repoussées par l'évolution future des mathématiques, même si nous ne voyons pas encore comment et dans quel sens. La grande leçon que l'on peut dégager dès maintenant est celle-ci : les mathématiques ne sont pas immuables et fermées sur elles-mêmes; elles sont vivantes et mouvantes. Nous avons beau essayer de les figer en les enfermant dans des cadres préconçus, elles trouvent toujours une brèche pour s'en échapper avec la violence qui caractérise les organismes vivants.

Contre la distinction entre l'esprit de finesse et l'esprit de géométrie

Tout mon livre tend à démontrer qu'il n'y a point de coupure entre ce que l'on appelle généralement la « culture mathématique » et la « culture littéraire ». La linguistique mathématique, en particulier, représente un amalgame indissociable de ces deux cultures.

Au cours des recherches sur la traduction mécanique, il est apparu souhaitable de donner du concept de « phrase grammaticalement correcte » une définition aussi précise que l'est celle des formules correctes dans les différentes branches des mathématiques. C'est ainsi qu'ont vu le jour différentes grammaires mathématiques; l'une d'elles, la grammaire « indépendante du contexte [1] » (en abrégé CF : *context-free grammar*), dont certains résultats ont pu être utilisés pour la grammaire des différents langages des calculatrices électroniques, est définie par les données suivantes : un dictionnaire (D), un sous-ensemble de (D), le dictionnaire des concepts grammaticaux auxiliaires (ou plus simplement des « catégories grammaticales ») (A), qui contient notamment la catégorie particulièrement représentative de [phrase] (nous mettons les éléments auxiliaires entre crochets, pour les distinguer des autres) (P), enfin, l'ensemble des règles grammaticales (G). Ainsi, une grammaire CF ou IC est définie par le quadruplet

D, A, P, G.

---

1. Il existe, en effet, des grammaires dépendantes du contexte (en anglais : *context-sensitive grammars*); voir à ce sujet N. Chromsky, *Aspects de la théorie syntaxique*, Paris, Éd. du Seuil, 1971, p. 88.

Chacune des règles de grammaire indique la façon dont on peut former un concept auxiliaire à partir des termes de notre dictionnaire. Par exemple :

[phrase] : [sujet] [prédicat]

signifie que l'on peut former une phrase en juxtaposant un sujet et un prédicat. Quant à la règle :

[phrase] : [phrase] et [phrase]

elle signifie que deux phrases reliées par « et » donnent une nouvelle phrase. L'élément « et » n'étant plus décomposable, il appartient aux éléments terminaux de notre dictionnaire, aux éléments qui ne font pas partie du sous-ensemble (A). La partie du dictionnaire qui n'appartient pas à (A) est appelée « dictionnaire terminal » (T). L'affirmation contenue dans les règles est symbolisée par le signe : ; à gauche de ce signe se trouve le concept auxiliaire à propos duquel la règle énonce quelque chose, et, à sa droite, une suite de termes de notre dictionnaire (appartenant soit au sous-ensemble A, soit au sous-ensemble T), qui peut ne comporter qu'un seul élément. En substituant au concept auxiliaire figurant à gauche du signe : la suite qui se trouve à droite, nous obtenons une « dérivation » de ce concept. En indiquant les dérivations de chacun des concepts auxiliaires contenus dans la partie droite, nous arrivons à la « chaîne terminale » d'un concept, par exemple celui de la [phrase], chaîne composée tout entière d'éléments terminaux. Voici un exemple très simple; si, parmi les règles de (G), nous avons :

[sujet] : le feuillage
[prédicat] : est coloré

pour exprimer, de façon concise, que la juxtaposition des mots « le » et « feuillage » du dictionnaire terminal (T) peut fournir le sujet de la phrase et que, d'autre part, les mots « est » et « coloré » de ce même dictionnaire peuvent constituer le prédicat d'une phrase, nous pouvons représenter la « dérivation » suivante (chaque étape étant signalée par une flèche) :

[phrase] → [sujet] [prédicat] → le feuillage [prédicat] →
le feuillage est coloré.

Ainsi, la chaîne terminale du concept [phrase] est une phrase. La langue générée par notre grammaire IC est l'ensemble des chaînes terminales dérivationnelles du concept auxiliaire [phrase].

Pour « mathématiser », nous n'allons plus considérer les signes D, A, P, G comme des abréviations, mais, faisant totalement abstraction de leur signification, nous allons considérer D comme un ensemble (fini) d'éléments quelconques, A comme une partie quelconque de D, P comme un élément quelconque de A, et nous définirons formellement les règles de G, ainsi que les dérivations qu'elles impliquent. Les langages abstraits ainsi obtenus pourront faire l'objet d'examens mathématiques approfondis.

La principale question qui se pose à ce sujet est la suivante : quelles sont les langues dont les phrases grammaticalement correctes correspondent exactement à celles générables par les grammaires IC (c'est-à-dire les systèmes D, A, P, G) grâce au procédé précédemment décrit? La langue des formules mathématiques en est une. L'examen des langues naturelles, en revanche, est fort complexe. A titre préliminaire, on poursuit des investigations sur les langues artificielles simples.

Or on peut construire des langues artificielles telles qu'aucune grammaire IC ne puisse en générer les phrases; cela se démontre par des méthodes mathématiques précises. Soit un amoureux transi dont la langue ne comporte que deux éléments et dont les effusions s'énoncent, par exemple, de la façon suivante :

Sylvie, Sylvie

ou

chère Sylvie chère Sylvie chère

ou

chère chère Sylvie chère chère Sylvie chère chère

ou

chère chère chère Sylvie chère chère chère Sylvie chère
chère chère

et ainsi de suite à l'infini. Aucune grammaire IC n'est capable d'engendrer cette langue.

Il y a peu d'espoir que l'on puisse générer les phrases d'une langue naturelle complexe à l'aide d'une grammaire IC. Selon certains, il suffirait d'engendrer les phrases-noyaux les plus simples de la phrase à l'aide d'une grammaire IC, et les autres phrases pourraient être considérées par dérivation à partir des phrases déjà obtenues. Soit les phrases déjà engendrées

J'ai un livre

et

Mon livre est beau.

On pourrait, en amalgamant ces deux phrases, obtenir

J'ai un beau livre.

Cet amalgame ne résulte pas de la simple juxtaposition de deux phrases; aussi l'on suppose qu'il faut remonter à l'origine, ou, si l'on préfère, descendre dans les « profondeurs » de ces phrases et reconstituer leur « structure profonde ».

La *structure profonde* est la représentation, à l'aide d'un graphe, des étapes de la construction de cette phrase. Ce que nous avons appelé « dérivation » était déjà une représentation de la structure de la phrase : du concept auxiliaire [phrase], nous avons dérivé une phrase (le feuillage est coloré). La représentation serait plus analytique si les différentes étapes de la dérivation étaient reliées à l'étape précédente, non pas par une, mais par plusieurs flèches, chacune d'elles aboutissant à un mot. Mais si, alors, nous représentions les étapes dans une suite horizontale, ces flèches s'entrecroiseraient sans cesse. Il convient donc d'indiquer les différentes étapes de la dérivation verticalement, dans le sens de la « profondeur »; c'est ainsi que nous obtenons la « structure profonde » de notre phrase :

[phrase]

[sujet]   [prédicat]

le feuillage   est coloré

La représentation sera encore plus facile si, au lieu des concepts auxiliaires, nous employons leurs abréviations : P à la place de [phrase], S à la place de [sujet], Pré à la place de [prédicat]. Je vais représenter la structure profonde d'une phrase plus complexe en numérotant les flèches pour exprimer l'ordre dans lequel elles se succèdent. (Si une seule flèche part d'un point, elle porte le numéro 1.) En dehors des règles précitées, dont celle-ci :

[phrase] : [phrase] et [phrase]

nous avons besoin, pour représenter notre phrase complexe, de deux règles supplémentaires :

> [sujet] : le soleil
> [prédicat] : est pâle

La structure profonde de nos deux phrases se présente donc ainsi :

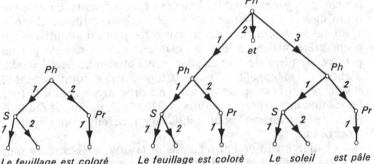

Le feuillage est coloré   Le feuillage est coloré   Le soleil est pâle

Juxtaposées, les deux figures représentent la structure profonde d'un texte composé de deux phrases. Certes, nos phrases commencent par des minuscules et il n'y a ni points, ni virgules; s'il s'agissait de deux vers

> le feuillage est coloré
> le feuillage est coloré et le soleil est pâle

cela n'aurait rien d'insolite. (J'ai lu la phrase en considérant les concepts terminaux et en allant de gauche à droite; sans oublier le « et » caché dans la partie supérieure du dessin.)

Voici donc les graphes représentant les structures profondes de textes ou de suites de phrases à amalgamer, qui ont tellement saisi mon imagination. Au lieu de traiter du graphe abstrait des mathématiques modernes, je me bornerai ici à exposer le concept de graphe « simple » et fini. Un tel graphe se compose d'un nombre déterminé de points (les « nœuds ») et de segments reliant deux de ces points (les « arêtes »). Peu importe la qualité de ces segments, qu'ils soient des droites ou des courbes, peu importe la matière dont ils sont faits (des élastiques, par exemple, extensibles à volonté, et même au-dessus d'une surface plane), l'essentiel, c'est qu'ils relient — ou ne relient pas — deux nœuds du graphe. Si les arêtes portent l'indication des points qu'elles relient (comme les flèches de notre figure), nous parlons de graphes orientés. Un graphe est constitué d'un ou de plusieurs « composants » dont les éléments entretiennent des rapports entre eux (dans notre cas, les composants sont au nombre de deux). Si un graphe cohérent ne comporte pas de figures closes (cercle, polygone) mais des branches et des nœuds, comme sur notre figure, nous parlons de graphe arborescent, ou d'*arbre*. Dans ces arbres, chacun des nœuds est le point d'aboutissement d'une arête, à l'exception du nœud que j'ai représenté par un petit cercle plein (les autres sont vides) et auquel aucune arête n'aboutit. On appelle ce point exceptionnel « point radical », et l'arbre qui possède un tel point est dit « arbre debout » (par opposition aux arbres « abattus »). Dans nos figures, il faudrait retourner les arbres pour qu'ils apparaissent comme étant « debout ».

A chaque nœud de notre graphe, nous avons associé un mot de notre dictionnaire ou, si les nœuds aboutissaient à un concept auxiliaire, une lettre. Il ne s'agit là d'étiquettes, car des points différents ne pourraient alors porter la même « étiquette » : or, dans le second composant de notre arbre, nous voyons figurer la lettre P en trois points, et S et Pré en deux points chacun. Mais la façon de désigner les concepts est une affaire de convention; nous pourrions aussi bien employer à cette fin des couleurs, remplacer P par un bleu pâle, etc. L'opération qui consiste à associer des termes de notre dictionnaire aux nœuds d'un graphe est d'ailleurs quelquefois désignée par l'expression « coloriage d'un graphe ».

On peut aussi utiliser à cette fin la gamme chromatique et désigner par des numéros les différentes couleurs du spectre solaire; « colorier » chaque arête du graphe par des couleurs portant respectivement les numéros 1, 2, 3, etc.

Un texte peut se composer de plusieurs phrases qui (comme les arbres debout représentent leurs structures profondes) se succèdent dans un ordre déterminé. Aussi suis-je tentée de dire que la structure profonde d'un texte est une suite d'arbres, une rangée d'arbres, ou encore une « allée »; pour être tout à fait précis, il faudrait dire qu'un texte est le « reflet d'une allée dans une rivière, en automne ». En automne, car le graphe est haut en couleur; ses nœuds, ses arêtes sont coloriés. « Reflet », car le point radical des arbres debout est toujours en haut [1]. « Dans une rivière », car le graphe représente toujours la même chose, quelles que soient les déformations que subit l'aspect de ses branches dans l'eau mouvante.

Cette image, qui m'est apparue au cours de mes réflexions sur cette problématique pour moi nouvelle, m'a apporté une première joie, bientôt suivie d'une seconde, quand j'ai trouvé la solution du problème consistant à exprimer en langage mathématique, univoque, tout ce que j'ai désigné par les termes d' « automne », d' « allée » et de « reflet ».

Pour aboutir, en partant du point radical, à un nœud quelconque de notre arbre debout, il n'existe qu'une seule voie ; s'il en existait deux, nous obtiendrions une figure close et, par définition, l'arbre ne peut pas en comporter. Pour parvenir au point « soleil » de notre figure, il faut suivre les arêtes « coloriées » par les couleurs 3, 1 et 2 On peut dire brièvement qu'au point considéré appartient la « série chromatique »

$$3, 1, 2$$

Ainsi, chacun des nœuds d'arbre dans notre allée est caractérisé par trois données :
1º un numéro désignant la place de l'arbre dans l'allée dont on considère le nœud ;

---

1. On peut même avoir des « troncs » d'arbre si l'on ajoute les règles suivantes :

> [phrase] : coordination
> [coordination] : [phrase] et [phrase]

Si nous désignons par C le concept [coordination], le deuxième composant de notre figure se présente ainsi :

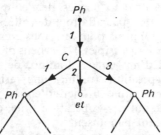

et l'on voit le reflet du tronc d'arbre partant du point radical.

2º une suite finie de nombres, termes de la « série chromatique »
qui y conduit ;
3º un terme de notre dictionnaire, « couleur » de notre nœud.
On dit que chaque nœud d'arbre est caractérisé par cette suite
de trois nombres, par ce triplet.

Le triplet caractérisant un nœud ne peut pas être quelconque.
Si, par exemple, le premier terme du triplet est 3, nous aurons
inévitablement des triplets commençant par 1 et par 2 et caractérisant les nœuds des arbres qui composent l'allée, car, pour
parler du troisième arbre debout dans une allée, il faut qu'il y ait
un premier et un deuxième arbre. On peut définir avec précision
les relations qui existent nécessairement entre les triplets caractérisant les nœuds des arbres d'une même allée. Et voici la définition mathématiquement pure que nous cherchions : nous
appellerons « dictionnaire » un ensemble D ; « triplet », une
suite de trois termes dont le premier est un nombre naturel, le
second une suite finie de nombres naturels et le troisième un
élément de D ; et « allée », un ensemble fini de triplets dont les
éléments entretiennent entre eux les relations précédemment
décrites. A des définitions aussi précises, on peut appliquer des
méthodes mathématiques.

J'avais moi-même entrepris des investigations de cette sorte
à propos des « graphes de formules ». Il s'agissait d'arbres
destinés à représenter la structure de formules algébriques,
logiques ou abstraites, qui permettent entre autres d'interpréter
de façon univoque les différents éléments d'une formule, sans
être obligé de recourir à des parenthèses. Se passer de parenthèses représente un avantage non négligeable pour l'utilisation
des ordinateurs. Les graphes ne pouvant être introduits dans un
ordinateur, j'avais proposé de représenter les arbres comme des
ensembles de suites de deux termes, de « couples », comme plus
haut (ici, nous n'avons pas affaire à des allées, mais à un arbre
isolé : c'est pourquoi nous pouvons nous contenter de couples,
au lieu de recourir à des triplets). On peut disposer les couples,
comme les pièces d'un jeu de domino, de multiples façons ;
chacune de ces dispositions traduira une variante différente de
la formule ; ce sera donc un jeu d'enfant que de ramener
une variante à une autre — opération utile, et d'où le charme
du jeu n'est pourtant pas absent.

Tous ces « jeux » reposent sur un même principe : celui de
la « décomposition » d'une forme donnée, du rendu d'un même

contenu par des formes différentes. Les investigations mathématiques, qui constituent ma passion et embellissent mon existence, ont souvent pour origine une certaine disposition d'esprit, le surgissement d'une image, les pulsations perçues dans certaines sonorités, une certaine prédilection pour le jeu.

Table

3. L'autocritique de la raison pure

IMPRIMERIE MAURY A MILLAU (10-83)
D.L. 1er TRIM. 1977. No 4568-3 (J 83/8585)
(Première édition : Imp. Firmin-Didot)

Collection Points

SÉRIE SCIENCES

dirigée par Jean-Marc Lévy-Leblond

Collection Points

SÉRIE POINT-VIRGULE